WIZARD

WIZARD BOOK SERIES Vol.61

トゥモローズゴールド

TOMORROW'S GOLD

世界的大変革期のゴールドラッシュを求めて

マーク・ファーバー[著]
足立眞一[監修]
井田京子[訳]

Pan Rolling

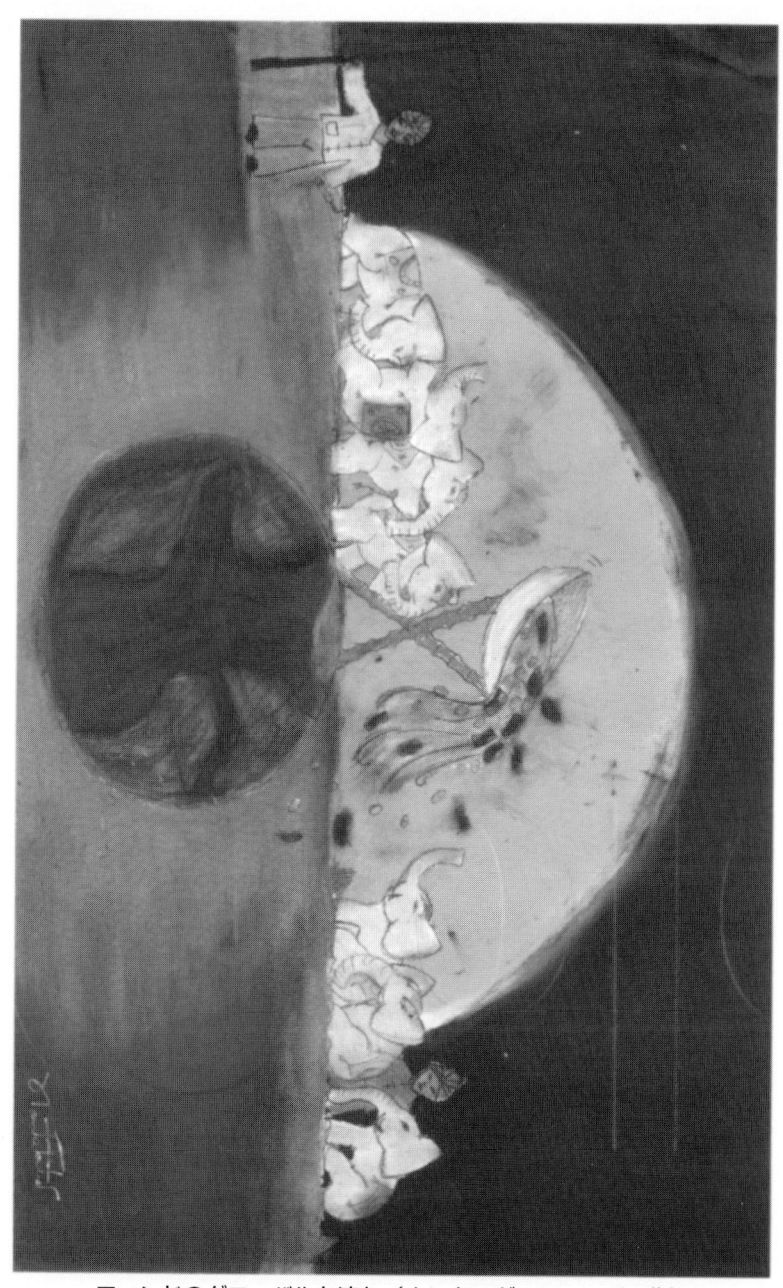

ファンドのグローバルな流れ(ナンタマダ・ファーバー作)

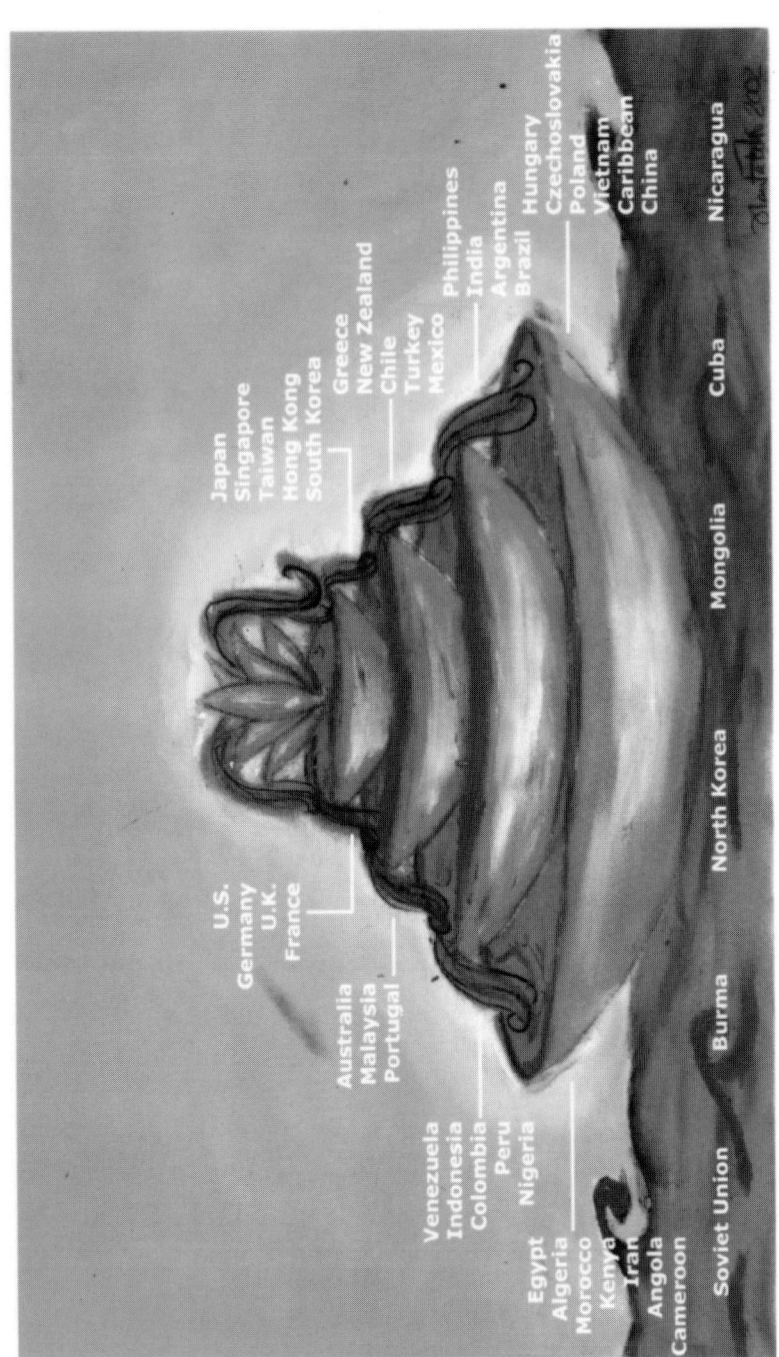

富の泉（ナンタマダ・ファーバー作）

日本語版への序文

日本の読者のみなさん。

『トゥモローズゴールド（Tomorrow's Gold）』が日本で出版され、これを手にとっていただいたことは筆者にとって大変光栄なことである。筆者は、ウォール街で働いていた1970年に初めて日本の文化に触れて以来、日本に魅了されている。当時、仕事のかたわら通っていたニューヨーク・インスティチュート・オブ・ファイナンスのクラスに、授業を理解しようと苦戦する日本人がいた。気の毒にクラスのだれとも話をしていない彼に、筆者は声をかけることにした。彼は英語をほとんど話せなかったにもかかわらず、わたしたちはお互いを理解し、共通の関心事が数多くあることも分かった。こうして親しくなったのが、筆者にとって初めての日本人の友人である足立眞一氏だった。それからは、米国の投資銀行、ホワイト・ウエルド・アンド・カンパニーの日本進出のため頻繁に日本を訪れるようになった1973年以降や、今回本書を日本で出版するに当たって足立氏には大いに助けられている。また、彼のおかげで日本経済と、勤勉で忍耐強く責任感と忠誠心にあふれた日本人について深く知ることができた。以来、日本には何度も足を運び、1970年代には日本株に多少の投資も行った。当時は日本経済の優位性を確信していたばかりでなく、日本人が1970年代の石油価格急騰に素早く適応したことに感嘆したからである。つまり、日本株のパフォーマンスが米国株を上回り、ドルに対して円が強くなる以外にないと信じていたのだった。

ところが、1980年代になると日本の株と不動産は、世代に一度程

度の割合で発生するバブル状態を迎え、大崩壊が目前に迫っていた。しかし何人かの金融専門家に日本株がピーク時より50％以上下げると言っても、当時はだれもそれを信じなかった。それどころか日経平均が３万9000円をつけた1989年末には、野村證券でさえ1990年に日経平均は５万5000円を超えるという予想を発表していたのである。筆者の知るかぎり、アジアのエコノミストはみんな流動性の高い日本の株式市場が下がることなどあり得ないし、そのようなことは日本政府が絶対に阻止すると言っていた。

　もちろんそのあとに起こったことは周知のとおりである。しかし、ここで13年以上におよぶ日本のベア相場についていくつかの観測を述べておきたい。株式市場の下落によって、日経平均と不動産価格は70％下がった。しかし、この株と不動産の「デフレ」は、債券の歴史的なブル相場をもたらし、長期国債の利率は1990年には７％に達しているのである。ちなみにこれも2003年には0.50％にまで下落している。

　さらにこの時期、住宅や生活費が全般的に下がり、ゴルフ場会員権も手が届く水準に戻ったことから、デフレの最中でも多くの日本人の生活水準は向上している。そして最後に、この13年間日本は非常に困難な時期を経験しながら、企業は多くのセクターで競争力を維持しているばかりか、研究開発を強化して、さらにリードを広げている分野まである。このことは、特許保有数で世界のトップ10企業のうち６社が日本企業であるという事実にも表れている。今後も中国の市場開放や同国の驚異的な競争力を誇る製造業、世界市場で台頭しつつあるインドのサービスセクターなどによって日本の困難はまだまだ続くだろう。しかし、日本のビジネスマンは世界中の経済地図と地政的環境を塗り替えつつある巨大な変革をすでに感じ取

っていると思う。日本には1970年の1.70ドルから1980年には50ドルに急騰した1970年代の石油価格に適応してきたように、今回の大きな変化にも適応していく力がある。それどころか、これによってもたらされるチャンスを利用しようと動き出しているのではないかとすら思う。この考えから最近筆者は日本株の買いと、国債の空売りを勧めている。本書では、世界中の中央銀行が資金を過剰に供給したため、インフレが加速して商品価格が大幅に上昇し、ここ何年間かで株式のパフォーマンスが債券を上回るという筆者の予想を詳しく説明している。

　1年前に本書を上梓したあとサーズ（SARS）が蔓延し、最近になって収まってはきたものの、将来さらに感染力を増して再発すると思われる。また、米国がイラクに侵攻し、いまだにゲリラ戦が続いているが、おそらく米国が勝利するよりも、世界中で反米感情が高まる可能性のほうが大きいだろう。そして、最近では世界中で債券の値下がりと、金や商品価格の値上がりが起こっている。これはインフレ率の高騰と金融資産の運用環境の悪化を示唆しているのだと考えられる。しかし、またの名を「ドクター・ドゥーム」（運命論者）と呼ばれている筆者は、今でもアジアの将来を楽観している。アジアを見わたせば、インドネシア、オーストラリア、マレーシア、モンゴル、極東ロシアには天然資源があり、日本、韓国、台湾、そしてこれからの中国には技術がある。ITサービスを誇るインドも忘れてはいけないし、グローバル資本制度を導入し、市場経済に新たに加わりつつあるベトナム、ミャンマー、カンボジアも大きな可能性を秘めている。そして何よりも、アジアには若くて力強く、向学心に燃え、勤勉で意欲的な人々がおり、この才能が集結し、交流することが将来の経済成長の原動力になっていくことだろう。つま

り、筆者は21世紀中に西側の経済的な主導権はアジアに移り、ここが経済と政治の中心ブロックになると確信しているのである。日本がこの歴史的な大変革期において主導的な役割を担うことは間違いない。読者のみなさんと、信じられないような変化がかつてない速さで起こる時代を生きることになるみなさんの子供たちの将来が、幸多いものであるよう祈っている。

2003年7月27日　タイのチェンマイにて
　　　　　　　　　　　　　　　　　マーク・ファーバー

監修者まえがき

　数えてみると、もう32年の昔になる。われわれはウォール街のニューヨーク・インステイチュート・オブ・ファイナンスで、アメリカの外務員試験の予備校でともに学んでいた。当時はベトナム戦争が泥沼に入り、アメリカの先行きに不安が山積していた。普段は100人のクラスなのに、長期の相場の低迷のため、わずか10人。
　マーク・ファーバーと親しくなるのに時間は要しなかった。「日本の人口に占める黒人は？」、私への挨拶代わりの言葉であったことを、いまでも鮮明に覚えている。彼は名門投資銀行のホワイト・ウエルド社（後にメリルリンチに買収される）に入社したばかり。ロンドン・オブ・エコノミックスで博士号を取得し、証券界で身を立てるため、ウォール街に出てきた。われわれの趣味が美術品の収集ということも手伝って、親密になるのには時間は要しなかった。
　日本についてのその程度の知識のファーバ博士が、いまやグローバル投資の世界では第一人者にのしあがったのには、敬服のほかない。米バロンズ誌の恒例の投資座談会の11人のメンバーのうち、外国から招待される2人のメンバーでもある。
　私との距離を縮めたのは、第1次のオイルショック後（1973年）に香港に赴任し、そこに永住するようになったからだ。
　マーク・ファーバー博士の名を世界的に有名にした決定打は1987年のウォール街のクラッシュをズバリ予測したことだ。投資家への月刊ニュースレターで、その年の半ばから「暴落が来る」と警鐘を鳴らし続けた。そのとき口の悪い連中が、彼に送ったニックネームが「ドクター・ドゥーム」（運命論者）である。予言が現実のもの

になった。ニューヨーク株の暴落が世界中に波及し、「大恐慌の到来」のテーマの本が書店に氾濫した。そのとき、彼と、その顧客は大儲けした。彼は評論家でもなく、机上の空論を論じるストラテジストでもない。実践家である。

　クラッシュ後、求められて処女作『相場の波で儲ける法（The Great Money Illusion）』（東洋経済新報社刊）を書いたが、見事なのはその本で「次は日本株の暴落の番だ。バブル崩壊で日経平均が8000円まで下がらなければ、下げ相場は終わらない」と予見した。

　1992年には世界初のロシア株専門のヘッジファンド「ファイアーバード・ファンド」を設立した。1990年代半ばには、しばしばヘッジファンドの世界でナンバーワンのパフォーマンスを記録した。ロシアに目をつけたのはジョージ・ソロスよりも早かった。そして再び、わたしを唸らせたのは、1997年末にロシア・ファンドを経営権も含めて売却したことだ。

　1998年のロシアの破綻でLTCM問題、ヘッジファンドの行き詰まりが続出したのは記憶に新しい。

　彼は今年の5月には「日本での13年間の下げ相場は終焉し、世紀の買い場が到来」と日本について180度転換した。心強いかぎりである。本書を読めば、なぜ日本に強気になったかの、判断のプロセスが分かる。

　彼の投資の哲学はいわゆる「コントラリアン」（逆張り）である。自分の運用しているファンドの一つに「偶像破壊ファンド（Iconoclastic Fund）」というのがある。

　本書『トゥモローズゴールド』でも、けっしてこれからの世界の投資環境に悲観的でなく、むしろ次のゴールドラッシュの世界を求めて、荒野を駆ける男の姿を印象付けられる。

長年の付き合いから教えられたことは、よく見られる運命論者的なコントラリアンではなく、投資、投機の世界でのリスク管理からきているということだ。

　彼の博学はすごい。経済の専門書だけでなく、社会科学、文化、文学、人類学、歴史など多岐にわたる。古書の収集でも有名でアダム・スミスの古典『国富論』の初版本のコレクションを自慢にするほどだ。

　香港の彼の自宅で夕方、ワインを1本、開けて共に食事をした後も、私をバイクの後ろに乗せてホテルまで送り、ご自分はオフイスへ戻る。欧米の市場の動きを追っかけるためである。

　彼との交友の32年間は走馬灯のように回転した。しかし、彼にとってはオンリー・イエスタディ。次のゴールドを発見するための旅は無限に続く。

2003年8月

　　　　　　　　　　　　　　　　　　　　　　　　　足立眞一

Tomorrow's Gold
Copyright ©2002 MARC FABER

ほかの時代を理解しないかぎり、自分の時代を理解することはできない。歴史は全体としてのみ、その調べを聴くことができるのである。
　　　　　　　　　　　　——ホセ・オルテガ・イ・ガセット

過去を学ばない者は同じ過ちを繰り返すが、学んだものは新たな間違いを犯す。　　　　——チャールズ・ウルフ・ジュニア

変われば変わるほど同じになっていく。
　　　　　　　　　　　　　　　　——アルフォンス・カール

CONTENTS 目次

日本語版への序文	マーク・ファーバー	1
監修者まえがき	足立眞一	5
謝辞		13
推薦の言葉	ジム・ウォーカー	15
第1章	変貌する世界	19
第2章	将来における主要投資テーマ	25
第3章	高リターンが期待できる投資に関する警告	61
第4章	新興市場への投資に関するさらなる警告	73
第5章	新興市場のライフサイクル	103
第6章	生きている景気循環	133
第7章	景気における長期波動	155
第8章	新時代とマニアとバブル	197
第9章	アジアの変革	243
エピローグ	富の不均衡がもたらす暗い影	263
参考文献		283

謝辞

　チューリッヒ大学経済学部の学生だったころ、筆者は教室よりもスキー部のメンバーとして雪山で過ごすことのほうがずっと多かった。しかし、ビジネスの世界に入ってからは、アダム・スミス、デビッド・リカルド、ジョン・スチュアート・ミル、クレマン・ジュグラー、アーサー・ピグー、ジョセフ・シュンペーター、ニコライ・コンドラチェフ、フリードリッヒ・ハイエク、ゴットフリード・ハーバラー、アービング・フィッシャー、アルフレッド・マーシャル、ジョン・メイナード・ケインズ、ルードビッヒ・フォン・ミーゼスなどの偉大な経済学者や、フェルナンド・ブローデル、ウィル・デュラント、ロバート・ソーベル、ウィリアム・マクネールをはじめとする経済・金融史の学者について大いに学んだ。

　筆者の持つすべての知識は、先に挙げたすぐれた学者たちの徹底的な研究のたまものといえる。そして筆者個人の知識はわずかだが、仕事を通して当代が誇る経済学者、ストラテジスト、歴史家と出会うことができたことは極めて光栄なことだと思っている。シドニー・ホーマー、ヘンリー・カウフマン、チャールズ・キンドルバーガー、クート・リヒビャッヒャー、チャック・クロー、ダグラス・ノーランド、故スタン・サルビグセン、スティーブ・ローチ、バートン・ビッグス、バイロン・ウィーン、エド・ヤルデニー、ゲーリー・シリング、フレッド・シーハン、ブリッジウオーター・アソシエーツのレイ・ダリオ、トニー・ベック、ウォーレン・スミス、マーティン・バーンズ、バンククレジット・アナリストのフランシス・スコットランドとチェン・ザウ、ポール・シュルツ、ジム・ウォーカ

一、クリストファー・ウッド、ピーター・バーンスタイン、デビッド・シャープ、デビッド・スコット、チャールズ・アルモン、ジェームス・グラント、フランク・ショスタック、アンドリュー・スミサーズ、チャールズとルイス・ゲーブの研究に込められた専門性と知識は素晴らしく役に立ったばかりでなく、「利益」にもつながった。

また、金融マーケットに関してロバート・プレクター、ラルフ・アカンポラ、ロバート・ファレル、リチャード・ラッセル、ビンス・ボーニング、マイケル・ベルキンなどのマーケット・テクニシャンと個人的に話をすることで、多くを学ぶことができた。証券分析の分野では、ジム・チャノス、デビッド・タイス、フレッド・ヒッキーにいろいろと教えられた。それ以外にも、多くが成功したビジネスマンやバリュー投資家やヘッジファンドマネジャーである筆者の顧客がいたおかげで、さまざまな経験を積むことができたのは言うまでもない。

最後に、本書執筆の機会を与えてくれたCLSAのゲーリー・クールと、出版までのすべてを管理してくれたアンジェリック・マーシルに感謝したい。また、筆者の草稿を読みやすい文章に直して魅力的な本に仕上げてくれたサイモン・ハリスとアリゴ・モックの編集チーム、素晴らしい索引作成能力を発揮してくれたジェフリー・マーシル、そして単調な文章を色とりどりのイラストで飾ってくれた娘のナンタマダにも感謝したい。

2002年11月

マーク・ファーバー

推薦の言葉

　1990年代後半、ジャーナリストや政治家、そして一部の不謹慎な中央銀行までが米国の景気循環は力尽きたと、(再び)主張し始めた。マイクロプロセッサー革命が経済を円滑なリアルタイムの情報マシンに変えたからだというのがその理由だった。循環(サイクル)とは、情報の流れが遅くて不完全だったオールド・エコノミー時代の残骸だというのである。
　そういう彼らにも、景気循環の最後に付き物の高揚感が、グローバル金融システムの現在の停滞の直接の原因だということは分かっている。大きすぎる信用枠が過剰な投機に火をつけるのがブーム終焉の大きな特徴で、これはいつの時代も変わらない。バブル崩壊は歴史のあちらこちらに散乱しているのである。
　マーク・ファーバー博士は、この現象について数多くの例を挙げている。本書は一言で言えば、景気、信用、投資、人々の心理が作る循環と大きなトレンドについて書かれたものだが、これこそが世界経済の本質であり、短いサイクルは長期の波の背景になっている。転換期は産業革命や政変、単なる社会通念の変化によって始まる。ときにはサイクルと波が同時に起こってお互いを強化したり、反発したりすることで投資家や経済関係者にさまざまなシグナルを送ることもある。
　これにぴったりの例が日本である。通常、日本は過去12年間一貫して下降していたと言われているが、1995～1996年と1999～2000年にかけて2つの循環的上昇期があった。銀行システムがこの上昇を支えることができなかったため成長はすぐ力尽きているが、どちら

の時期も株式市場は30～40％も上昇していたのである。投資家は長期的なトレンドが変わらないことには気づかないまま短期サイクルに飛びつき、もちろんそれで儲けた抜目ない投資家もいるが、大半は循環的上昇を上昇トレンドへの転換と勘違いして損失をこうむった。これは、すべての投資家にとって教訓となるケースで、トレンドのほうがサイクルに比べて影響力は大きいが、儲ける機会を多く作るという点ではサイクルのほうが勝っている。ただ、残念ながら投資に関する一時的な流行、ファッション、熱狂（マニア）を目の当たりにしているにもかかわらず、投資家が過去の歴史から学ぶことはまれで、結局は同じ過ちを何度となく犯している。

　本書は、投資バブルの警告となる兆候を見つけ、これから走り出そうとしているのに見過ごされている資産を探すための手助けになるよう期待して書かれている。そのために、ファーバー博士はトレンドやサイクルを見極め、現在特に魅力的なアセットクラスとして、アジア（特に中国）と商品相場に注目したのである。CLSAとしてもこの意見にまったく異論はない。

　ファーバー博士のこの結論は、私（ウォーカー博士）や同僚のグローバル・ストラテジスト、クリス・ウッドと相談して出したものではないが、3人とも経済について説明するときオーストリア学派の理論体系を大いに利用する点は共通している。これを使うと堅苦しい数学モデルの代わりに演繹的論理と人間の本質への理解を多用することになる。しかし、これは必ずしも主観的だというわけではなく、経済の中心にいる科学者もどきの連中が好む好まざるとにかかわらず、現実なのである。結局投資判断の中心は、ほとんど、もしくはすべて強欲と恐怖で占められているからである。

　この1年ほどを費やした調査の結果、CLSAの経済と戦略チーム

は国内需要の改善によって、アジアこそ強力な循環的上昇の先端に位置しているという結論に達した。これだけでもアジアの株式市場にとってプラス材料だが、今回はそれが強力な長期トレンドによってさらに強化されている。中国の龍は解き放たれたのだ。この国の成長を支えているのは、プライベート・セクター（富裕層）の活性化である。ファーバー博士も述べているように、中国は遠からず天然資源の主要な消費国、かつ最大数の旅行者輩出国、そしてジョイント・ベンチャーや企業買収の中心地になっていく。そうなると、それ以外のアジアの国々もこの龍に便乗して大きな恩恵を受けることになるだろう。

　われわれはこの長期トレンドを「アジアの10億人ブーム」と名づけた。アジアに関する観測は、その大半が大きな影響力を持つ人口統計に基づいてはいるものの、これは「ベビーブーム」現象とは異なっている。アジアには、金融危機からの復活と、「明日は今日よりも良くなる」という実感がある。自信を取り戻したアジアの国々の消費と投資が拡大するのはそう遠くはないだろう。

　本書は中国をはじめとする新興市場を歴史の一部としてとらえ、これまでの経緯に新たな視点を加えている。ファーバー博士は、かつて人々が投資先という意識を持っていなかったために見過ごしてきた資産を明らかにしたうえで、「これが最も魅力的な時期」だと書いている。アジア地域は今、再び力強い成長を遂げようとしており、商品先物も長い下降相場から抜け出そうとしている。アジアの人々の多くは、まだ物質的に困窮しており、収入の増加に伴って買うのはサービスより物、それも商品先物に集中している。来るべきアジア市場の長期的な好転は、今後の先物価格にとっても生産者にとっても良いニュースといえる。

アジアに関するファーバー博士の結論を歓迎するが、これはあくまで偶然の一致である。本書は投資と、それをさらにうまくできるようにするための方法について書かれたもので、もし歴史が正しいのであれば、明日の金脈（トゥモローズゴールド）は大部分の読者にとって驚きとなるはずである。そして、この驚きの正体を知るために『トゥモローズゴールド』が役に立つだろう。

　2002年11月　香港にて
　　ジム・ウォーカー博士（CLSA　チーフ・エコノミスト）

第1章

変貌する世界
A world of change

◎**唯一の黄金律はいかなる黄金律も存在しないということである。**
――ジョージ・バーナード・ショー（1856～1950）

　香港にある筆者の会社に、若者がよく訪ねてくる。彼らの多くはアジアでの経験がなく、1973年からこの土地で活動している筆者はなんて幸運なのだろうという。そのころのほうが儲けのチャンスがずっと多かったと思っているからである。もちろん70年代から80年代初期が1997年の金融危機まで続いたアジア大ブームの始まりだったのは間違いないが、儲けるチャンスにおいてある時代が別の時代より劣っているという考えにはまったく賛成できない。いつの時代でも世界中のどこか、あるいは経済セクターのどれかに必ず突破口は開いているのである。

　筆者がアジアに移り住んだころ、共産圏の国々はまだ閉鎖的だったが、日本、香港、台湾、韓国、シンガポールなどが急成長を遂げるのに便乗するチャンスは大いにありそうだった。今日では中国やベトナムの市場も自由化され、このあとカンボジア、ミャンマー、北朝鮮、ラオスが続くのは間違いないだろう。また、インドも孤立した独立独歩の姿勢を断念し、1970年代とは比べものにならないほ

どの市場志向型経済に変貌した。

　ビジネスチャンスも投資チャンスも、現在のほうが、筆者がこの地域に最初に来たころよりもむしろ大きいと個人的には思っている。1997年の金融危機以来、株も実物資産もその評価は欧米諸国の同様の資産に比べ、かなりの低レベルに戻っている。しかし重要なことは、今日のほうが30年前とは比べものにならないほど大きなチャンスがあるということである。もう一度26歳に戻れるのなら、上海かホーチミンかヤンゴンかウランバートルに行って現地の言葉を完璧に学んだうえで、7人の愛人と暮らしながら新しいビジネスを始めたいものである。

＊　＊　＊

　本書は経済破たんや巨大ブームを予想するためのものではなく、経済的にも政治的にも社会的にも変化を続け、輸送手段も通信手段も情報入手手段も加速を続ける世界で見つけることができるチャンスにスポットライトを当てることを目的としている。

　共産主義や社会主義が崩壊し、独立独歩の姿勢や孤立主義も終焉した今、15世紀の新大陸発見や19世紀の産業革命以来に匹敵するグローバル経済の劇的な変化をわれわれは目の当たりにしている。中国やインドの市場改革は、アメリカ大陸発見と同じくらい世界経済の範囲を拡大し、冷戦による経済均衡を断ち切って賢い投資家には素晴らしいチャンスを提供しているのである。

　アメリカ大陸発見と、喜望峰経由の貿易ルート開拓は、それまでに確立されていたグローバル体制を急速かつ永続的に変えてしまった。それまで地中海にあった世界経済の中心はヨーロッパの大西洋

沿岸に移り、そこから米国や極東へ人と物が投資されるようになった。同様に30億の人口を抱える中国とインドをはじめとするアジア諸国が、経済的にも社会的にも人口バランス的にも、世界に重要な影響を与えていくのは間違いないだろう。もちろんロシアや旧ソ連の国々に関しても似たようなことがいえる。

　現在、最も裕福な都市や人々が、将来もそうである可能性は低い。投資家は現在起こっている変化のスピードを侮ってはいけないのである！

　産業革命は、食物の生産効率が上がったことで世界人口が爆発的に増加したという背景を考えれば、農業改革ともいえる。鉄道整備と合わせて西側工業国の都市化が進み、19世紀の経済環境は大きな変貌を遂げた。瞬時につながるただ同然のコミュニケーション技術のおかげで、世界経済の一部となったインドや中国ではこれまでとは比較にならないスピードで西側の技術や知識を入手できるようになった。しかし、それに伴って競争も激化し、新たに勝者となったものが、従来の繁栄地や新しい経済環境に適応できなかった企業に素早く取って代わるという現象が起こり始めている。

　30年間の眠りに落ちて2002年に目覚めたとしたら、香港、シンガポール、台北、ソウルなどの都市はまったく見覚えがなくなっているだろう。そのうえファックスや携帯電話、パソコン、プリンター、デジタルカメラやブルームバーグの端末も操作できず、運送用コンテナやボーイング747輸送機による世界貿易の拡大や、外為管理規制の撤廃にも驚くだろう。さらに、上海やモスクワに行けば、共産主義が突如崩壊して火山爆発並みの経済発展につながったという想像すらし得なかった状況に、まだ夢を見ていると感じるかもしれない。

しかし、世界のつながりがさらに密になる次の30年間には、さらに気が遠くなるような変革を覚悟しておいたほうがよいだろう。人と物と情報の動きは飛躍的に増えており、これは投資リターンを考えるうえで大きな意味がある。非常に多くの大企業が消えていく代わりに、恐らく現在はまだ存在すらしないような企業が繁栄することになるなか、世界の政治と経済と社会情勢の継続的かつ急速な変化だけが、将来も変わらないと筆者は考えている。
　そして、もうひとつ変わらないと思うのが、人間の本質である。歴史家のウィル・デュラントは次のように結論づけている。

　歴史を見るかぎり、人々の行いはほとんど変わっていない。プラトンの時代のギリシャ人の行動は、近代フランス人のそれとよく似ており、ローマ人の行動はイギリス人と似ている。手段や手法は変わっても、目的や結果は変わらない。行動するのかしないのか、獲得するのか渡すのか、戦うのか撤退するのか、仲間を探すのかプライバシーを守るのか、仲間になるのか拒否するのか、子育てするのかしないのか。また、社会的な階級は違っても、人間性は変わらない。貧困層の大部分が富裕層と同じ程度の推進力を持っているが、それを発揮する機会と技能が少ないだけなのである。反逆者も、権力の座につけば自分が倒したかつての支配者と同じ方法で判決を下すようになることは、歴史上はっきりしている。
　　――ウィル・アンド・エリエル・デュラント著『世界の歴史』

＊　＊　＊

　この先の章は、歴史上の前例と逆転不可能と思われる現在の経済

トレンドに基づいて、これから起こるべき変革に焦点を当てるささやかな試みになっている。ただ、ここで強調しておきたいのは、人間は繰り返し同じ誘惑や感情に惑わされるもので、基本本能に頼ってしまうことが多いということである。人はときとして強欲に身を滅ぼし、過信し、際限なく楽観的になり、伝染し、偉大なものを模倣したり妄想したりする。また、恐怖に駆られ、不安を募らせ、絶望したり悲観的になる者もいる。つまり、歴史とはボルテールの言葉を借りれば「犯罪と愚かさと災難の寄せ集めにすぎない」のである。

　本書では、現在のグローバルな投資環境を観察したうえで、それに筆者の個人的な投資経験と経済史と理論を組み合わせた分析を行っている。しかし、これは完成することのない作業で、さらに掘り下げるべき部分も多く、当然ながらすべての読者の期待に沿うことは難しい。グローバル経済は、男性、女性、子供を問わず、世界中のすべての人間の経済的な判断を総括したもので、極めて複雑で「陰気な」科学であると同時に解釈の余地が大きい学問なのである（**訳注**　「陰気な学問」は経済学の別称）。

　第2章では、経済と金融の暫定的なトレンドを予想するための長期投資テーマを分析している。第3章と第4章では過剰な期待をいさめるべく、投資家が繰り返し巨大な損失を被って、結局は多くの貧乏人とひとにぎりの金持ちというピラミッドがほとんど変わっていないことを紹介する。もし、このピラミッドの頂点を目指すのであれば、何か大部分の人とは違う変わったことをする必要があることを理解してほしい。ジャン・ジャック・ルソーの言うとおり、「習慣とは反対の道を行けば、ほとんどの場合うまくいくだろう」。

　第5章から第8章は、その大半を景気と価格と株式市場の循環に

ついて費やしている。ここでは経済活動も価格も、幻の均衡点の上下を常に変動しているものだということを理解してほしい。ときには「繁栄の逸脱」がブームになり、価格は天井をはるかに超えて跳ね上がる。また、別のときは「暗闇の逸脱」によって通常以下の成長率、不景気、恐慌に陥って価格もブームのときには考えられなかったような水準まで崩壊する。同様に、高インフレばかりかハイパーインフレ（超インフレ）でさえ、低インフレやデフレと交互に起こる。しかし、今のところこの原因について説明はできても、正確な答えは見つかっていない。それでも投資家にとって循環と変曲点におけるビジネス界や投資家の心理を知っておくことは不可欠だと思う。

第9章とエピローグでは、結論として筆者が思い描くこの先何年かのアジアや世界の発達について考えていく。筆者は未来学を信奉しているわけではないし、正直言って未来どころか現在や過去についてもそれほど詳しいわけではない。しかし、だからといって将来起こり得る変革について考えをめぐらすことをやめるべきではないと思っている。これから先の道がたとえ岩だらけであったとしても、チャンスを求める人々にとっては常に素晴らしい興奮を味わわせてくれることになるだろう。

何百もの業種やサービスセクター、そして経済と社会と政治の制度が相互に作用し続ける国や地域によって、現代の経済はますます分業化が進む。そしてその結果、経済と金融トレンドの分析が不完全で表面的なものになってしまうことを許してほしい。ただ、それでも今日の複雑な経済の過程に関するさらなる研究のヒントが、本書のどこかに見つかればと思っている。

第2章

将来における主要投資テーマ
Major future investment themes

◎**通貨は、うまく使えば素晴らしいマシンである。発行すればその役割を果たし、軍隊に給料、制服、食料、武器を提供できる。しかし、発行しすぎると価値が下がって結局は振り出しに戻ってしまう。**
──ベンジャミン・フランクリン（1706-1790）、サミュエル・クーパーへの手紙　1779年4月22日

　米国を襲ったベア相場開始以来2年が経過した2002年初めに、著名な投資ストラテジストが「この時代のポートフォリオ・マネジャーとして最ももどかしいことは、長期投資の対象が見つからないことだ」と書いている。投資家はできるなら工業のファンダメンタルのなかに重要な変化を見つけて、その恩恵を受ける銘柄にある程度まとまった投資をしたあとは、ゆっくりその展開を見守りたいと思っているが、そのような動きが見えないというのである。しかし、筆者に言わせれば、投資家はみんな大量の資金が世界中を駆け巡っていたことを知っていたはずである。近年、金融緩和とマネー・サプライの増加で、このまとまった資金が急速に増加している。もちろんマネー・サプライの増加はFRB（連邦準備制度理事会）のグリーンスパン議長と米国財務省、そしてIMF（国際通貨基金）の政策に基づいている。これら通貨の権威による人工的な刺激が健全なのか、それともこの先想像もしないような問題を生むのかは分からないが、自由市場で外国為替管理がなければ、このまとまった資

金は必ずどこかに流れ着いて何らかの経済活動を盛り上げ、どこかの国のどこかのアセットクラスにインフレやブル相場をもたらすことになる。

主要な投資テーマの問題点

　この過程をよく理解するため、地球のてっぺんにある竹の塔と、そのうえに乗った巨大な平鉢を思い浮かべてほしい。竹の塔の根元は投資家が取り囲んでいる。平鉢には世界中の中央銀行が管理している蛇口から清水（お金）がこんこんと注ぎ込まれている。そして、経済学者が「均衡」と呼ぶ段階（実社会では存在しない）に達すると、平鉢のお金は地上に均等に降り注いで世界中の経済やアセットクラスが同じ速さで拡大していくことになっている。ただ、平鉢は巨大なうえ、たわみやすい竹の塔の上に乗せてあることで非常に不安定になっており、根元にいる投資家の圧力が強いほうへ簡単に傾いてしまう。もし、根元の投資家の多くがアメリカ大陸に対して強気であれば、そちらに傾いて大量の資金がアメリカ大陸に流れ込む。もし投資家がナスダックを楽観視していれば、鉢の水はハイテク、テレコム、メディア、バイオテクノロジーなどのセクターに降り注ぐことになる。要するに、水があふれる方向はオピニオンリーダーやメディアやアナリスト、ストラテジスト、政治家、経済学者によって操作されることもある投資家のバイアスによって決まってしまうのである。

　投資の世界を象の集団に例えて考えてみよう。その巨体ゆえに力は強いが、財政問題に精通しているわけではなく、どちらかといえば従順な象たちは、象使いの命令に従ってその力と体重で竹の塔を

かなり長い間特定の方向に傾けておくことができる。象使いであるファンドマネジャー、株式ブローカー、経済学者、ストラテジストなどにしても、それほど洗練されているわけではないが、象たちの生産性を上げて儲けを最大にすることには強い関心を持っている。そこで折に触れて象たちに、次はどの方向に傾けるのかを命令するのである。象使いの報酬は象のパフォーマンスと仕事量によって決まるので、これはごく自然な行動だといえる。象たちが新しい命令を受けると、平鉢はどこかの地域、あるいはどこかのセクター、そうでなければどこかのアセットクラスに傾いて、お金を流し込む。

　簡単に言えば、平鉢の水が中央銀行の蛇口によって供給され続け、竹の塔が象使いと象たちによって調整されているかぎりは、世界全体の勢いが落ちているときでも上昇する資産は必ずある。つまり、資金循環を維持しようとする現在の金融制度の下では、必ず主要投資テーマが存在しており、投資家をいらだたせるのは投資テーマがないことではなく、それを予期することができないことなのである。

　主要投資テーマの問題点は、投資家が象程度の想像力しか持たないことと、CNBC、ウォール街、政府の宣伝機関などの命令を聞くだけの状態に慣らされていることなのである。その結果、多くの投資家はある投資テーマが浮上してからかなり時間がたって、すでにそのセクターに鉢の水がたくさん降り注ぎ、ブル相場が始まったあとで初めてそのことを知る。そのため、株でも債券でも不動産でも商品先物でも資金流入が最も増えるのは、そのテーマが周知の事実になったときということになる。この時期が人気と価格のピークと重なるのは必至で、驚くには値しない。おびただしい資金が流入したセクターが、その恩恵を受けないセクターに比べて極端に高騰するのは仕方がないだろう。

平鉢から特定のセクターに注がれた資金の流れは、さらに複雑になっていく。市場経済においては、中央銀行がお金の栓を握り、象使いが象たちをほぼコントロールしている。しかし資金が地上に達したあと、それをコントロールできる者はいない。もちろん鉢が傾いてあるセクターに降り注ぐことで、しばらくはそこにひどいインフレが起こるが、そうなるとインフレ状態のセクターと落ち込み気味のセクターの間に生じた大きな価値の差に気づく賢い人たちが現れる。このなかには正直者もいれば、自分の会社の成長を賛美しつつ裏で持ち株を売却している経営者やアナリストのようなふとどき者もいる。新しい投資テーマとして知られるようになったセクター（最近では「ニューエコノミー」）に資金が続々と入ってきても、賢い彼らがインフレ分を売って資金を別の資産に移し始めるため、投資テーマの価格はそれ以上上がらず、むしろほかのセクターに資金が流れ始める。

　多くの象使いと動きの遅い象たちには初めこの過程が分かっていないが、しばらくすると投資テーマのチアリーダーにだまされていたことに気づき始める。そうすると、象たちがどんなに力を振り絞って塔を傾けて、お気に入りのセクターに資金を注ぎ込んでも、資金はどんどん漏れ出していく。そして人気投資テーマが沈む代わりにへこんでいたセクターが活気づき、小さな漏れが最後には洪水になる。

　いくら資金をつぎ込んでもそのセクターが上昇しないどころか沈んでいくことに象使いと象たちが気づいたとき、事態は大きくシフトする。そこで、象使いたちは塔の別の部分に象たちを動かして、新たに上昇し始めたアセットクラスに資金を注ぎ始める。しかし、そのころには新テーマの最初で最大の儲けチャンスはすでに終わっ

ている。

　この資金の流れが、中央銀行のマーケットを支えたり金融措置によって経済活動に影響を及ぼすときに直面する問題の本質だと筆者は考えている。中央銀行は鉢に注ぐ資金量こそ調整できるが、彼らがどれほど賢くて経済理論に忠実であっても、われわれにとって幸運なのは、その方向はマーケットのメカニズムによって決まるということなのである。

　主要投資テーマは、発生直後の低リスクで最高のリターンが約束されている時期（最も魅力的なとき）には分かりにくいものだということを理解してほしい。これが明らかになるときは、すでに絶頂期の最後に至っていることが多く、そのあとにはこの2年間のハイテクセクター・ブームと同様の終わり方しか待っていない。このことは、図2.1の1997～2002年にかけてテクノロジーファンドに流入したキャッシュ量にも現れている。投資家がテクノロジーファンドに一斉になだれ込んできたのは1999年末になってからであり、当時すでに3000を超えていたナスダックはこの買い圧力によって2000年前半もさらに上昇した。このとき世界中の投資家が長期の投資テーマは「ニューエコノミー」だとはっきり知っていた（ストラテジストが「長期投資のトレンドが見つからないと叫ぶ今日とは対照的だ）。しかしこの時期は「疑う余地のない」投資先に見えたTMT（テクノロジー、メディア、テレコム）を買うには最悪のタイミングだった。

　筆者は、過去30年間の主要な投資テーマをすべて調べてみた。1970年代は金、石油、ガス、外国為替、1980年代は日本株、1985～1997年は新興市場、1990年代は米国株である。すべてのケースにおいて、投資家が新しいテーマを認識するのは非常に遅かった。あま

図2.1
「ニューエコノミー」の絶頂期
テクノロジーセクター・ファンドのネットキャッシュフロー（17週平均）

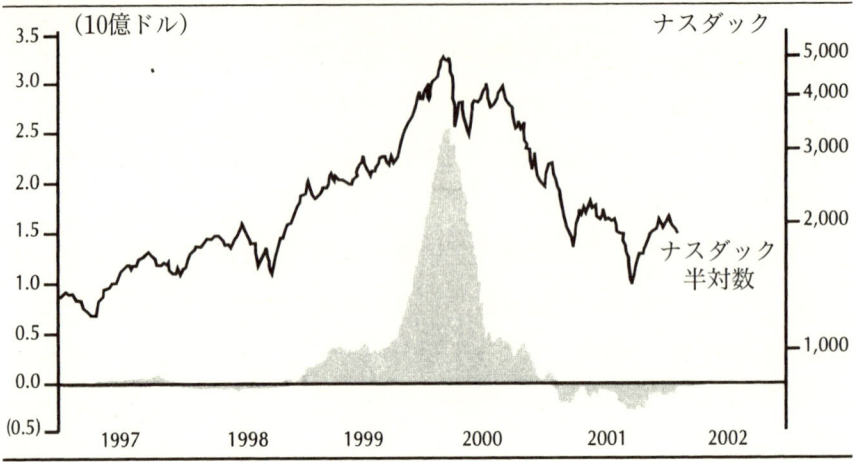

出所＝ザ・レーホールド・グループ、2002年2月

　りにも遅いため、損失を被っただけでなく、投資が常に変化していて対象がはっきりしたときには新しいセクターに移らなければいけないということを理解するのも遅すぎた。その良い例が1985〜1997年のアジア新興市場の価格の動きで、このときは1985〜1990年にかけて大きな波が起こっている（図2.2、図2.3）。しかしこのブームは1990年にはほとんど終わり、1994年には香港以外のアジア市場はピークを過ぎて損失がかさんでいた。ドル換算で見ると、韓国、台湾、インドネシア、インドはすべて1989〜1991年の間にピークを迎え、マレーシア、タイ、フィリピンも1994年に頂点に達していたのである。
　アジアに流入した資金（図2.4）を見ると、外国投資家がほとん

図2.2
台湾の天井
台湾の加権指数

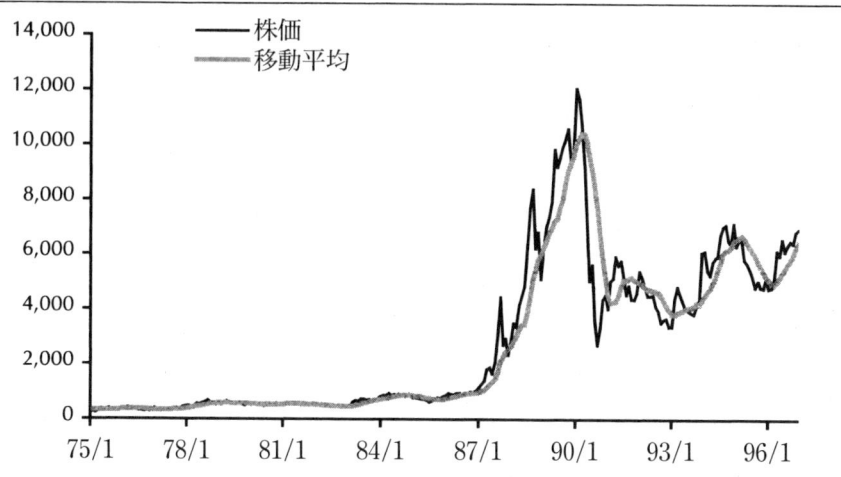

出所＝ベアリング証券

ど参入していなかった1985～1990年に株価は10～20倍の上昇を示し、最高のパフォーマンスを謳歌していたことが分かる。しかし、その花形時代が過ぎると、1980年代の日本市場の好調もあって、投資家はこの地域に魅了され、終わりかけた投資テーマを熱心に支持しながらアジアに過度に傾倒していった。1990年代初期から1997年のアジア危機まで、多くの金融機関が米国よりもアジアに資金を多く投入していたことはよく覚えている。

図2.4を見ると、驚くべきことに1985～1990年の大型ブル相場が終わったあとでもアジア株の買いが増えているだけでなく、外国投資家の買いは1997年のアジア危機直前にむしろ拡大している。そこで、非常に人気のある周知の主要投資テーマに投資するときは特に

図2.3
インドネシアの傾向
インドネシア、ジャカルタ総合株価指数

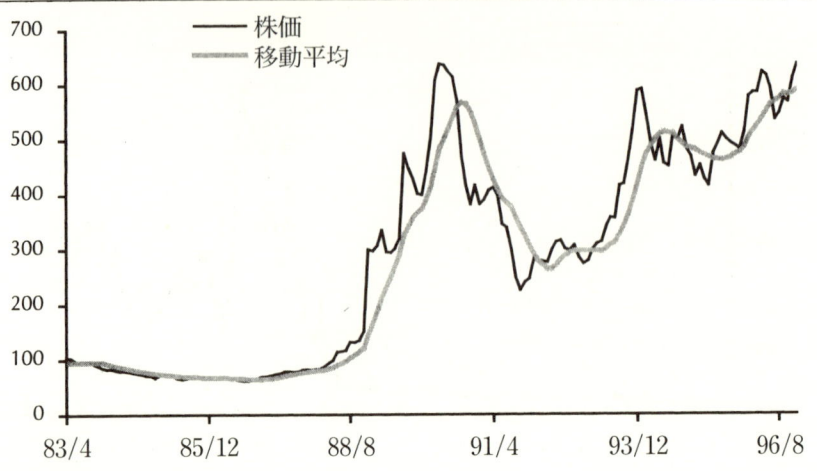

出所＝ベアリング証券

図2.4
アジアへの遅すぎた恋
新興アジア：ネットの資本の流れ　1980～2001年

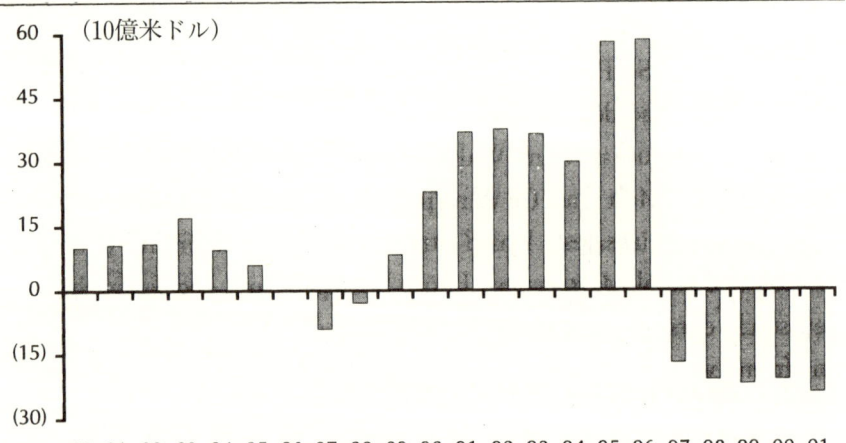

出所＝キム・エング証券

注意してほしい。世界中の投資家がこのテーマを知るころには、そのマーケットは最も投機的な最終段階に移ろうとしている可能性が高いからである（第7章参照）。たしかにこの段階では価格がナスダックのように垂直に近い上がり方をする場合もあるが、一度バブルがはじけると、高リスクによる悲惨な結果が必ず待っている。ここで、主要投資テーマに関してさらなる2つの観測を紹介しよう。

　主要投資テーマが投資家を魅了している間に、最高のチャンスは別の場所で発生している。過小評価されている投資先はだれも注目していないセクターにこそあるもので、現在のマーケットやセクターの熱狂が高まるほど無視されるが、それは高騰するチャンスが膨れ上がるということでもある。ちなみに、これは投資の基本ルールであり、忍耐強い長期投資家にとって必ず役に立つ。

　1970年代、世界中の投資家の注目は石油やエネルギーの関連銘柄と炭鉱に集まっていった。このテーマにいかに人気があったかは、1980年のピーク時にS&P500のなんと28％までがエネルギー銘柄で占められていたことからも分かる。このころ、投資銀行のホワイト・ウエルド・アンド・カンパニーの法人金融部門に勤務していた筆者の同僚が、子供のころ近所に住んでいたサム・ウォルトンが経営するウォルマートは素晴らしい会社だと言っていた（ウォルマートは1970年にわずか24店舗、売り上げ4600万ドルで株式を公開した）。しかし、このころエネルギーや鉱業関連銘柄以外でパフォーマンスの良い銘柄はほとんどなかったため、筆者は友人の話に大した注意を払わなかった（友人はこのときウォルマート株を4000株保有していた。今でも持ち続けていればよいが）。それどころか、この善良な友人の眼識を疑ってこの銘柄を買いもしなかった（そしてあとになって大いに恥じることになった）。結局、人生に何度かしか訪れ

図2.5
逃したチャンス
ウォルマート・ストアーズの株価の推移　1984〜2002年

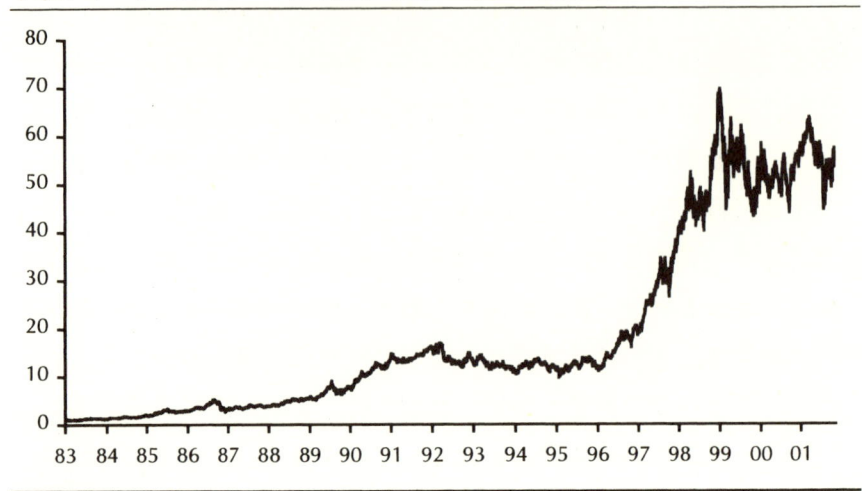

出所＝ザ・ストック・ピクチャー

ない大チャンスを逃した筆者は、そのあと相手によってはアドバイスにも耳を傾けるようになった。今日、ウォルマートのこの30年間における好調ぶり（図2.5参照）や、売り上げ世界一（年商2000億ドル）を達成して小売業界における投資テーマの中心であることは周知の事実である（もちろんこの段階に達したということは、投資先としてすでに魅力を失っているということになる）。

　もうひとつ似た例として挙げられるのが、1980年代後半の日本市場のバブルである。このとき投資家は日本株に集中するあまり、史上最大の債券相場の反発を見逃してしまった。1990年代初めに利回りが6％以上だった日本の長期国債は、2002年には1％をわずかに上回る水準まで下がっている。そのほかにもナスダック・バブルの

影で「オールドエコノミー」株や中型、小型株が大きな動きを見せ、2002年春にはバリューライン・インデックスの高値を更新したケースなど、主要投資テーマが別のセクターやマーケットに素晴らしいチャンスをもたらした例は枚挙にいとまがない。いずれにせよ、ここでは巨大な鉢からあるセクターに注がれた水が漏れ出すと、それが別のセクターに急激なブル相場をもたらすことは、夜のあとに必ず朝が来るのと同じくらい確実だということさえ覚えておけば十分だろう。

主要投資テーマに関する2つ目の観測は、高値の人気セクターに注がれた資金が注目されていないセクターに流れ始めるタイミングを予想するのは不可能ではないとしても、難しいということである。1980年代の日本や1990年代後半の米国など、人気セクターは人々が想像するよりもずっと長い期間、投資家の想像をかき立てるため、ピークがすぎても人気が続くことがある。一部のストラテジストが言う2002年のケースのように、主要テーマの人気が落ちた直後で、投資家たちに次のテーマがまだはっきり見えていないとき、タイミングの問題が語られることはほとんどない。

しかし、この混乱状態こそ新しいテーマが生まれる可能性が最も高いときなのである。そこで、タイミングという観点から考えると、はっきりした投資テーマが投資家たちに見えていない不透明な時期は次のテーマが生まれる最も魅力的なときだと考えられる。そしてタイミングにおいても、次の動きの規模においても投資家の頭の中に主要テーマが見えていないときこそ、値上がり益のチャンスが最も大きいということを強調しておきたい。

ここであえて「投資家の頭の中」と書いたのは、マーケットで主要テーマが存在しない時期など実際にはないからで、新しいテーマ

がすでに発酵し、形作られ始めている過程に投資家が気づいていないだけなのである。このようなポイントのひとつに、1982年という年がある。1970年代の貴金属とエネルギーのブームが終わった1980年から1982年まで、投資家たちは加速するインフレの波におびえつつも資金の投入先が分からず困惑していた。米国株は1964年の水準以下（インフレ調整後は1960年代中期より70％も低い）で、債券も暴落して投資家はいたるところで損を被っていた。特に1980年にエネルギー株や資源株を買った人々の損失額は莫大になっていた。しかし、このときの不透明さと不安感にあふれた環境の下で、株と債券の最大のブル相場が進行中だったのである。S&P500は1年弱で102から170へと66％の上昇を遂げ、米国債先物は1981年の56から1983年には83まで上がったのである！ ちなみに、1986年には米国長期国債先物は約2倍になり、1987年のS&P500に至っては3倍以上に跳ね上がっている。

　1982～1983年のブル相場が変わっていた点は、これがあまりにも急で短かったため、調整期を見計らっていた投資家が買いに入る前に、その大部分が終わってしまったことである。要するに、トレンドが始まって時間がたつと、それが転換したことに気づくのにも時間がかかるということで、これは新しいテーマが最初から力強いブル相場で始まったとしても変わらない。同じことは1989年以降の日本にも見ることができ、株価が下がり始めて債券に目を向けるべきときになっても、株への投資熱は治まらなかった。

　2000年3月から現在にかけてすら、主要投資テーマはいくつか発生している。しかし、今最も大事なことはナスダックには手を出さないか、空売りすることである。また、大型株で加重平均されていることでメリットがあったS&P500も、2000年3月以降はむしろ避

図2.6
S&P500を超えるパフォーマンス
新興市場対グローバル銘柄　2000〜2002

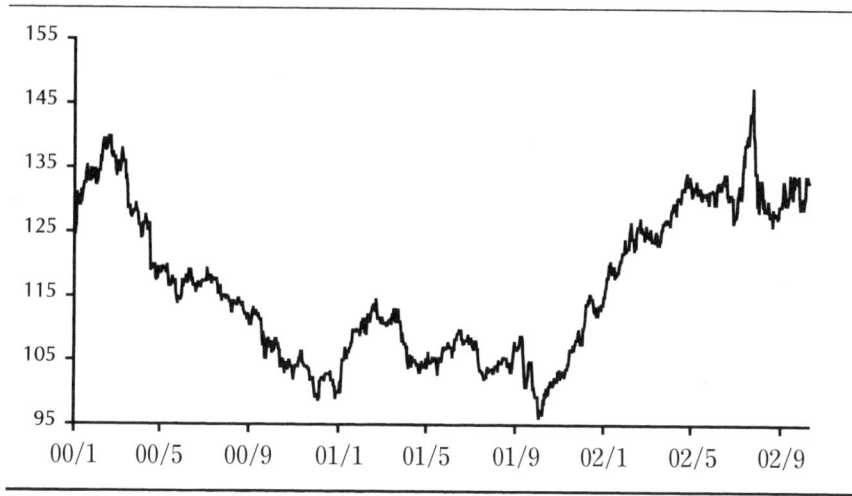

出所＝BCAリサーチ　2002年

けたほうがよくなった。反対に、これから注目すべき主要テーマは小型株と中型株で、ここ2年以上も大型株のパフォーマンスを大きく上回っている。また、アジアの新興市場銘柄や、ロシアの銘柄もS&P500のパフォーマンスを大きく引き離している（図2.6）。米国やイギリスの住宅用不動産も主要投資テーマのひとつで、少なくともこれまでのところ上昇を維持している。

　最後に、産金会社と金の現物も、主要テーマに含めたい。2002年半ばまでの12カ月で、産金会社の株価は2倍以上に上がり、金自体も1999年8月の1オンス当たり255ドルから2002年夏には320ドルに値上がりして世界最強の通貨となった。チャンスのない時期などというのは絶対にあり得ない。特に中央銀行が過度に流動性を高めて

いるときはむしろ、それによって少なくともいくつかのアセットクラスの価格が上がってしまうことは避けられないのである。ただ、長期トレンドが転換したり、ブル相場がギアを切り替えたもののいくつかの強い反対トレンドによってそのことが分かりにくくなっている段階においては、これまでのゲームが終わり、次は仕切り直して新しいルールの新しいゲームが始まるということを投資家が理解する必要がある。

将来の主要投資テーマ

　1970年代末の金や1980年代の日本株や2000年3月までのナスダックのように、主要投資テーマが弾道を描いたあと爆発して終わると、投資家もやっと新しいセクターに移行し始める。実は、このときにけん引役も変わるということをまず理解してほしい。貴金属でも農産物でも、土地や美術品や収集品などの実物資産であっても、ある銘柄やマーケットに対する熱狂が大きければ大きいほどバブル崩壊後はほかのアセットクラスへのシフトも永続的なものになる。そこで筆者はナスダックとS&P500を、将来主導権を握るアセットクラスのリストから外すことを提案したい。米国の金融マーケットはわれわれが求めている役割を果たさないということである。S&P500と相関性の高い西ヨーロッパの株式市場も同様である。

　そうなると、主要なアセットクラスで大きな値上がりのチャンスが期待できるのは、不動産、債券、商品先物、日本株、新興市場、ドルをはじめとする通貨ということになる。ただし、ここで挙げたのはあくまで主要なアセットクラスだけだということを強調しておきたい。つまり、ナスダックのなかや米国市場のなかにも一時的に

高パフォーマンスを上げるセクターはあるということで、例えば2000〜2001年の小売業、住宅関連業、小型株などがそうだった。また、いずれどこかの時点で下げきったテレコムセクターが力強く回復するのも間違いないと思っている。業界のほとんどが破たん、もしくは回復力を失うなかで生き残った会社がマーケットシェアを拡大する可能性が大きいからである。さらに、もしある主要投資テーマが終わっても、ベア相場のなかの急激な反発が起こることはしばしばあり、30〜50％かあるいはそれ以上の値上がりチャンスが見込める。

しかし、本書では価値が高く次の10年間に1980年代の日本株や1990年代の米国株以上の値上がりが期待できるアセットクラスに絞って話を進めていくことにする（もちろんどこかの時点でこのように持続的な長期のブル相場が過去の遺物かどうかも検証する必要がある）。そこで、次の項目ではいくつかのアセットクラスについて特定の条件の下で優れた長期リターンを上げられるかどうかについて見通しを述べていく。ちなみに、米国株は現在の水準（S&P500が800周辺）においても特に魅力的とはいえず、本書が注目する主導権を握ることはないと考えられる。

米国債券が大幅に値上がりする可能性はあるか？

世界がデフレ期に向かっているとか、少なくともデフレはグローバル経済にとって大きな脅威だと信じる専門家（このなかには大部分の中央銀行も含まれる）の数は増加している。これはインフレの加速が懸念されていた1980年代初めとは非常に対照的で、著名な予測家は債券を「没収証書」と名づけたほどだった。そのうえ信じが

たいことにFRBは最近「デフレ防止策——1990年代の日本の経験から得られる教訓」というレポートまで発表している（インターナショナル・ディスカッション・ペーパー、No.729、2002年6月）。

　1980年代初めの米国の債券市場は、30年間以上続いたベア相場が終わり、長期国債の利回りが2％以下から15％まで上昇していた（図2.7）。さらに、利回りが逆転したことによって米国の10年物国債の利回りは1981年9月30日に史上最高の15.84％まで達し、プライムレート（最優遇貸出金利）も短期間ながら20％を超えた。それに比べ今日ではフェデラルファンドレート（米国の市中銀行同士の貸し借り時の利率）は40年来の低水準で、長期国債の利回りも5％、10年債に至っては4％に止まっている。1980年代のインフレに対する恐れは1990年代になって満足感とインフレがなくなったという考えに取って代わった（別の言い方をすれば、インフレ懸念はこの20年をかけてゆっくりと消えていった）。さらに付け加えれば、1980年代初めの債券ブル相場は、インフレ懸念が投資家の間で深く浸透していたため、トレンドが始まるのにかなりの時間がかかっている。そのため図2.7にあるように、債券市場は1983年末から1984年夏にかけて激しく戻したのだった。

　投資管理がどれほどゆっくりと変化したかは、ビジネスウィーク誌の1984年5月28日号の「米国市場にトラブル発生」という見出しを見れば分かる。1984年初めの急激な値下がりで、一部のディーラーが莫大な損失を出したのだった。当時、ソロモンブラザーズのマネージングパートナーだったトーマス・ストラウスはこのとき次のように言ったとされている。「投資家は国債の話を聞くのさえ嫌がっている。これこそ完全な敗北だ」（国債に対するマイナス感情を反映して、米国債先物強気コンセンサス指数は大きく下げ、1984年

figure 2.7

固定利益
米国債先物（直近の満期日の契約）1977〜2002年

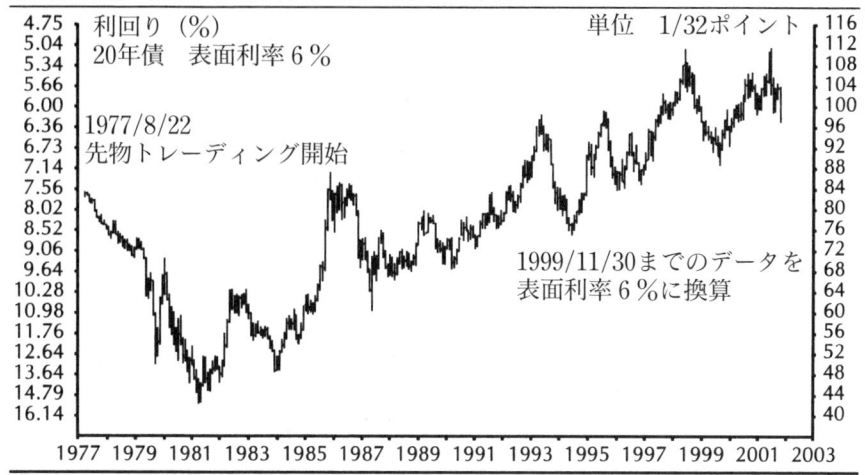

利回り（%）
20年債　表面利率6%

1977/8/22
先物トレーディング開始

単位　1/32ポイント

1999/11/30までのデータを
表面利率6%に換算

出所＝CRB

5月には約20％の水準になっていた）。

　長期にわたる債券ブル相場の初期に発生したこれらの出来事に注目するのは、投資テーマが切り替わるとき、新しいテーマがメリットのあるものかどうかについて投資家が大いに疑惑の念を抱くからである。つまり、次のテーマが何であれ新しく主導権を握ったセクターの急激な調整や高くつく戻りは例外というよりも普通といったほうがよいだろう。さらに付け加えるとすれば、1980年代初めに株の長期のブル相場の始まりを信じていたマーケット関係者はほとんどいなかった。

　現在の債券環境は1980年初めと非常によく似ている。イールドカーブは急（でも前回同様反転はしていない）で、短期金利は記録的

な低さ（高さではない）、1980年代のインフレ心理は無関心かデフレ懸念に道を譲っている。さらに、1980年代初めには投資家は米国債市場における史上最悪の時期を経験している。1977～1981年にかけて債券価格は50％も下落したうえ（図2.7参照）、ドルも崩壊（1969～1980年にかけてドイツ・マルクは4から1.75に）したのである。一方、今日の市場には商品先物価格の下落、低インフレ、金利低下、債券市場の上昇、強いドルという条件が整っている。

　しかし、現在の米国がそうであるように帝国は成熟期に達すると同時にインフレが加速し、金利は上がって通貨は弱くなる。ここで唯一適応できる経済の鉄則があるとすれば、過度の金融刺激策と急激な金融緩和は、必ず土地、商品先物、貴金属など実物資産のマーケットに波及し、それが消費者物価のインフレ率高騰につながっていくということだろう。実際、先のFRBのレポートでも日本の教訓として「インフレと0％に近い金利に加え、デフレリスクも高ければ、金融と財政の景気刺激策は標準的な経済予測手法によって妥当とされる将来のインフレや経済活動を上回る水準に達するまで実施する必要がある」と述べている。このレポートでは最後に、日本のケースでは「債務返済比率を減らし、資産価格を下支えしてもっと急速に金利を下げることでバランスシート上の制約を早期に軽減することができたかもしれない。よって1990年代の日本のさらなる金融緩和が効果を発揮できなかったのは、金融システムのもろさによるのもではない」と結論づけている。このレポートはグリーンスパン議長の過去15年の金融政策を形成しているFRBの全体的な意見をよく反映している。

　FRBは1987年10月の株価大暴落、1990～1991年の貯蓄貸付組合の経営破たん、1994年のメキシコ危機、1998年のLTCM救済措置、

そして最近のナスダック崩壊などの問題や、1999年末のY2Kなどの知覚問題があると、流動性を過剰に高めてどんなことをしてでも経済界の不安を払拭しようとする政策を貫いてきた。しかし、このような金融拡大政策（インフレ政策）が永遠の繁栄を約束するとは思えない。むしろ、これは危機の兆候として現れた症状を和らげるだけで、危機を引き起こした原因に対処しているわけではない。さらに、自由市場経済に介入することで予期せぬ結果を招くことも避けられない。既存の経済のひずみや危機によってつぎ込まれた超過分が、あとになって別の場所であふれ出し、さらに大きな危機を生むことになるからである（第6章参照）。

　最後に、最近とみに「中心参謀」の地位を高めつつあり、金融制度を守ろうと常に待機しているFRBに関して筆者が最も懸念しているのは、彼らの救済策がもたらすモラルハザード（倫理の欠如）だということを指摘しておきたい。1990年代末期の投資家は、FRBが米国株式市場の暴落を何としてでも阻止して進行中のブル相場を維持するために待機していると信じていた。そのため、人々は現実の経済とはかけ離れたバカバカしい価格でも投資を続けたのである。2000年春に5000ポイント以上の水準だったナスダックを買った個人投資家の見通しが間違っていたわけではない。その証拠に2001年に入るとFRBは積極的な金利引き下げを行って、株式市場を下支えしようとした。しかし、読み誤ったのは資金の流れだった。先に述べたとおり、中央銀行は資金の蛇口をコントロールすることはできても、そのあとの流れはどうすることもできない。過去2年間にFRBがつぎ込んだ過剰な資金は株式市場ではなく、不動産市場に流れ込んだ結果、今やバブルと呼べる段階まで跳ね上がってしまった。

ここで重要なのは、中央銀行が永遠に資金を注入し続けるつもりであれば、インフレバイアスも必ずどこかに存在するということである。そして、時にはそのインフレが（債券、株、不動産、美術品など）特定のアセットクラスに集中して、それが賃金や消費者物価に影響していくことになる。つまり、デフレを絶対に阻止するという環境は、低利回りですでに20年間のブル相場を謳歌したあとの債券のパフォーマンスを上げることには必ずしもならないのである。債券のパフォーマンスが株を上回る時期がまだしばらく続いても、それは債券が次の投資テーマというよりは、長期にわたったブル相場が最終段階にあるか、すでに終わっているという可能性のほうが高いといえる。

　しかし、近い将来経済はコンセンサス予想より弱含む可能性が高く、結論から言えば米国債はこの先もまずまずのパフォーマンスを上げることになるだろう。今後、米国の家計に占める住居や一般消費財への支出は減ることが予想され、そうなると債券価格は一時的にさらに上昇する可能性もあり、長期的には不安でも短期的にはむしろ値上がりさえ考えられる。また、ある時点で厳選したディストレストボンド（破たん債券）もジャンクボンドが株と非常に近い特性を持つようになり、経済が回復に向かえば価格が上昇して高いリターンが期待できるだろう。

それなら不動産は？

　イギリス最大の住宅金融組合であるネーションワイドによると、同国の平均的な住宅価格は過去12カ月間で22％下落したという。ちなみに同時期の米国市場は8.8％の下げにとどまっている。また別

図2.8
密接な相関関係
住宅ローン借り換え指数対10年債の利回り　1990～2002年

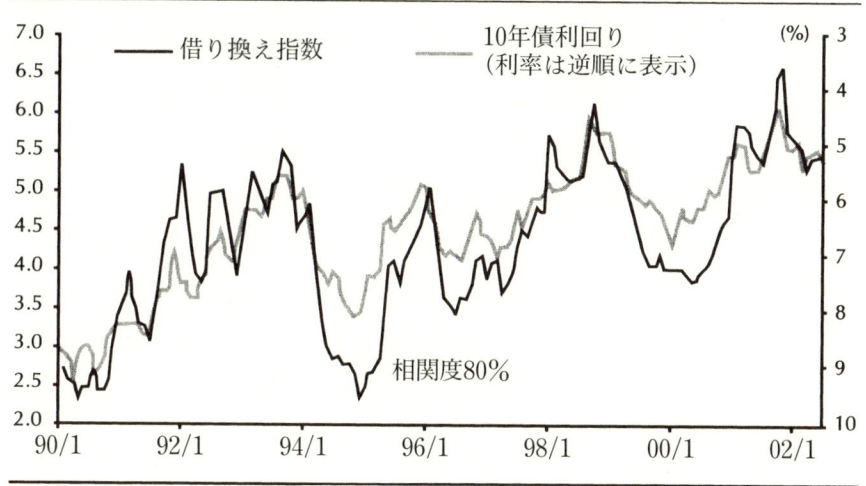

（グラフ：借り換え指数と10年債利回り（利率は逆順に表示）、相関度80％、1990/1～2002/1）

出所＝ブリッジウオーター・アソシエーツ

　の情報筋によると、イギリスの地価バブルは崩壊寸前だが、米国市場は投機的な取引が始まる兆しが見え始めたところで、話題の「住宅バブル」は2～3年は続くだろうという。しかし、筆者自身はこの高騰がそれほど長く続くとは思っていない。

　前述のとおり、巨大な平鉢から注がれた資金は2000年以降、不動産市場に漏れ出している。そのため2002年には株価の低迷をよそに一部の住宅用不動産の価格はシリコンバレーやサンフランシスコのベイエリアでさえ上昇し続けている。しかし、この上昇は短期金利の不自然な低さとファニーメイ（米国連邦住宅抵当公庫、通称FNMA）などの政府後援企業が支援する中古住宅の販売や住宅ローンの借り換えによるところが大きいため、うのみにはできない。

ただ、金利が上昇し始めれば、2002年秋に史上最高に達した借り換えブームも突如終わりを告げ、住宅市場が統合や落ち込みに向かうのは避けられない。ブリッジウオーター・アソシエーツが提供してくれた図2.8からは、債券利回り（グラフの利率は逆順に表示）と住宅ローンの借り換え指数の相関性が高いことがはっきりと分かる。

　このことから、住宅市場にとって最も良い環境のひとつが、弱い経済と株式市場の低迷だということが分かる。株価が低迷することで、金利も低レベルに止まるかさらに低下するため、人々はパフォーマンスの悪い株から不動産へ資産を移すことが予想できるからである。このシナリオは、少なくとも今の時点では少し変わっているかもしれないが、いずれ弱体化した経済のつけは個人のインカムゲイン（利子配当収入）、雇用、金利（ドルの価値の変化）に回ってくる。ちなみに、金利は弱い経済環境においてさえ上昇する可能性がある。しかし、もしそうなれば株式のベア相場において不動産価格が永続的に上昇するという筆者も初めて経験するケースになる。通常は株式市場が下降し始めると、しばらくして不動産市場もそれに続くことが多い。

　最後に、最も重要な点を挙げておこう。もし近年の住宅価格の上昇が心配の多い不動産抵当負債によるものでなければ、もっと安心して米国の住宅用不動産を主要投資テーマにしていただろう。エド・ヤルデニーが提供してくれた図2.9を見ると、1980年代から1990年初めにかけて住宅ローンが毎年約1500億ドルも増加していることが分かる。そして2000年に入るとそれがさらに4000億ドルに跳ね上がり、最近（過去4四半期）では6000億ドルという10兆ドル規模の経済でもそぐわないような水準に達してしまった。さらに、最近の記録的な中古住宅の販売（新築住宅は昨年の水準を下回っている）

図2.9
過熱状態の住宅市場
住宅ローンの借り入れ

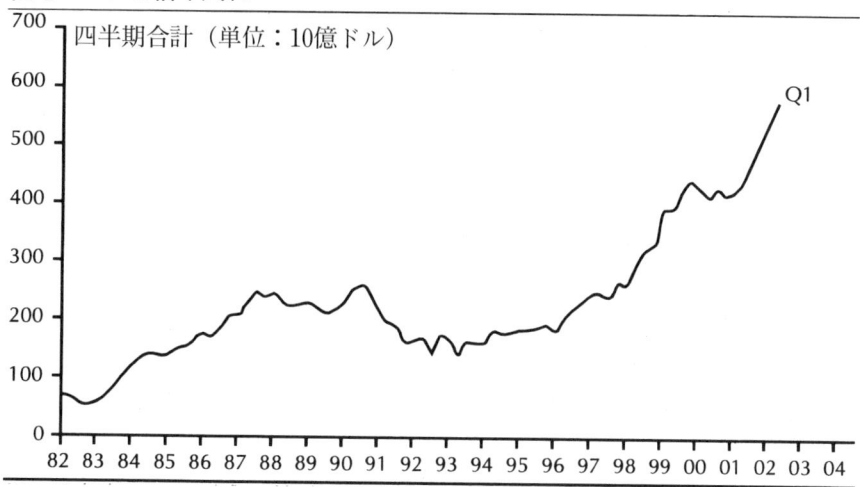

四半期合計（単位：10億ドル）

出所＝FRB資金循環口座、エド・ヤルデニー、プルデンシャル証券（http://www.prudential.com）

にも注意してほしい。どんなマーケットでも回転率の高さは投機的な動きを示す信頼度の高い指標であり、そのマーケットが加熱状態にあることへの警告である（反対に出来高も回転率も低くなると、マーケットは底入れする。このことについては第5章参照）。

これまで述べた理由から、過熱している米国不動産は知名度の高いいくつかの場所のみで、それ以外は米国株やヨーロッパの不動産価格と比較して過大評価されているとはいえ、これが今後長期的な投資テーマになることもないだろう。過去18カ月間のテレコムセクター崩壊で見たとおり、巨大な信用力によって上昇しているマーケットには十分に注意してほしい。

しかし、米国以外の不動産の状況はまったく違う。アジアの新興

国のなかにはアジア危機以降、需要が激減したうえ、不況や通貨の下落で不動産価格が崩壊したところもあるが、1998〜1999年にかけて安定を取り戻し、最近は上昇に転じている。現在、クアラルンプール、ジャカルタ、マニラ、バンコクの高級コンドミニアムは1平方メートル当たり1000〜1500ドルで推移しており、アジアの不動産市場は賃貸の利回りも将来の値上がり益も比較的高くなっている。また、アルゼンチンではペソの暴落に続いてブエノスアイレスの不動産価格が再び割安になっている。

共産主義と社会主義が崩壊したあと、世界の経済地図も激変した。上海、北京、モスクワ、ホーチミン、バンガロール（インド）をはじめとする都市では急速に開発が進み、その経済的な重要性も高まっているため、長期的な不動産価格も上昇していくと考えられる。反対に、中国やロシアが閉鎖社会だったことで貿易と金融の中継点として繁栄してきた都市（特に香港）のパフォーマンスは下がっていくだろう。

全体としては、米国の住宅用不動産が将来の主要投資テーマとは言えないが、アジア、東ヨーロッパ、ロシア、そして南米でさえ新興市場の不動産は次の5〜10年間に非常に高リターンを上げる可能性がある。

新興経済

筆者は新興市場を少なくとも長期的にはますます重視しているが、その理由としていくつかのポイントがある。過去2年間に国際的な投資家は記録的な金額の米国資産を、直接あるいはポートフォリオを通じて購入した。しかし、最近その動きが若干弱まり、米国に流

図2.10

史上最低レベル
相対PER：新興市場対米国　1990〜2002年

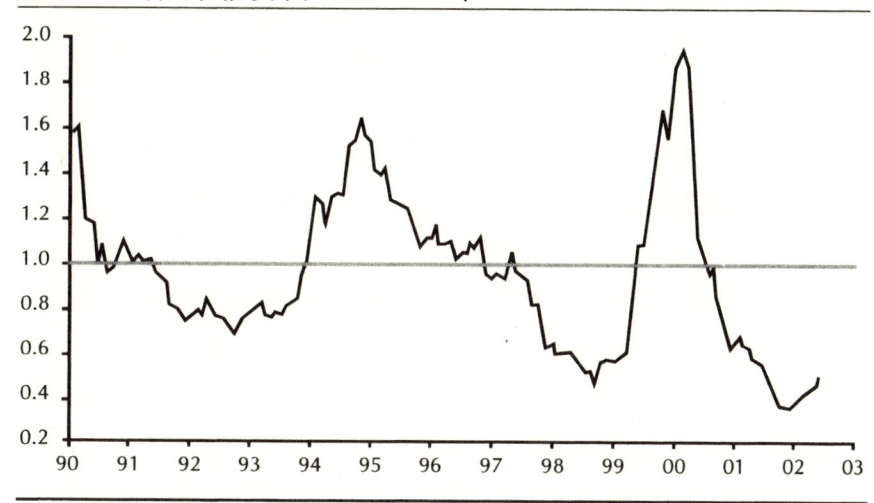

出所＝http://wwwBCAresearch.com、エマージング・マーケット・ストラテジー

入していた資金が別の場所に流れ始めている。この一部がヨーロッパや日本に向かっているのは当然だが、それよりずっと安い新興経済の株式市場にも流れ込んでいるのは間違いないだろう。バンククレジット・アナリストのウィークリー・エマージングマーケット・ストラテジー・ブリテン（http://www.BCAresearch.com）が提供してくれた図2.10からも分かるとおり、新興市場の相対PER（相対株価収益率）は米国のそれと比べて史上最低レベル近くにまで下がっている。

　米国企業の収益がいまだ不透明ななか、新興市場の企業収益サイクルは輸出ではなく国内需要によって改善し始めているように見える。国内需要は過度の流動性と、ため込んできた預金が消費に変わ

ったこと、急速に拡大する消費者金融市場の出現などがその原動力になっている。ちなみに、消費者金融は懸念材料でもあるが、短期的な見通しが曇るほど危険な水準には達しておらず、むしろこの2～3年で個人向け融資ブームが別の問題につながっていくのではないかと心配している。

　ストラテジストのなかには、新興市場に関する別の問題として、輸出の伸び悩み以外に直接投資（FDI）額が減少していることを懸念する声もある。ブリッジウオーター・アソシエーツによると、中国以外の主要新興国に向けたFDIは1999年の950億ドルから現在は590億ドルに縮小しているという。特に南米向けの金額の落ち込みが急で、この地域が全体に占める割合は1999年の4.2％から現在は1.9％に下がっている（反対にアジア向けは回復して、史上最高だった1997年の水準に近づいている）。ただし、FDIの落ち込みは株の投資家には該当せず、むしろ重視すべきなのはアジアや東アジアを押し上げているポートフォリオ関連の資金の流れである。アジア危機も高水準のFDIによって過剰投資された資金がすべてのセクターに許容量を超えて流れ込んだ結果、収益が崩れたことが原因のひとつだった。

　いま、アジアやそれ以外の新興国に必要なのはさらなる投資よりも、商品や商品関連の製品の価格が全般的に上昇する環境で、これは実現しつつある。特にこれから2～3年のテーマとしては商品価格の上昇によって恩恵を受ける新興国として、ロシア、インドネシア、マレーシア、タイ、フィリピンなどが考えられる。さらに、これまであまり知られていなかったスリランカ、バングラデシュ、そして急速に自由化が進んでいるベトナムなどはまだ価格が上がっておらず、チャンスを秘めたマーケットだといえる。最後に、アルゼ

ンチンやブラジル、そしてアフリカや中東などにある、中心的な市場以外のマーケットもいずれ大いに買い時になる日が来るだろう。

　新興市場に関しては、あと3点述べたいことがある。まず1点目は、筆者が率先して唱えているマクロ経済トレンドの重要性である。一部の投資家が新興市場に消極的な理由は厳しいグローバル不況によってみんなある程度苦しむことになるからなのだと思うが、すべてのセクターにおいて新興市場が実質的な最低コストの生産性であることをぜひ理解する必要がある。中東の石油やガス、ロシアや南アフリカの鉱物、インドのソフトウエア、中国のエレクトロニクス、バングラデシュの繊維、ベトナムの靴とコーヒー、ブラジルの鉄、インドネシアのパルプと紙、タイのヘルスケア、エンターテインメント、整形手術、トランスベスタイト（性同一障害の一種）、ゴルフなどはすべてほかのどこよりも安い価格で生産あるいは提供されている。このリストには正確さに欠ける点や完全ではない点があるかもしれないが、重要なのは世界の景気が悪くなればなるほど、最後まで生き残るコストの安い生産者のパフォーマンスは相対的によくなるということである。ただし、これは米国の新たな貿易保護政策によって世界貿易の環境が崩されないということが前提になる。

　2点目は、これらの地域の過去10年間の目覚ましい発展である。もし10年前にこれらの地域を知っていたら、今日の姿にショックを受けるだろう。インフラが整備され、電話もほぼ全域で機能しており、新しいビジネス機器も普及している。企業の経営も安定して、人々の生活水準も大部分において飛躍的に向上している。そして、これらの変化は市場が1990〜1994年よりむしろ低迷していた時期に起こっている。この現象を米国の低迷期と比べてみよう。1930年代と1940年代の技術が目覚ましく発達した時期を考えると、1930年代

後半の生活水準が1920年代より上だったことは間違いないにもかかわらず、ダウ平均は1929年の高値を1954年まで超えていない。これは新興市場の経済発展が、必ずしも株式市場のパフォーマンスで評価できるわけではないことを示している。公式統計には、バーター取引や現金取引の多くが含まれておらず、実体経済よりかなり控えめな数字になっている可能性が高いのが現実だからである。

最後のポイントは、特にアジアの新興市場について言えることである。これまでアジアの国々は、輸出にしてもFDIにしてもその多くが米国に依存していたが、恐らくこれからは中国経済と一体化し、依存していくことになるだろう。中国は今後アジア最大の天然資源を消費し、最大数の旅行者を送り出し、ジョイントベンチャーや買収を通してこの地域への投資を増やしていくことになる。このような中国経済との一体化によってこの地域の国々の競争力がさらに生かされることになり、良いことだと筆者は考えている。

ここまで述べてきたことを要約すれば、商品市場を含む新興市場は、今後5〜10年間における主要投資テーマとして西側先進工業国の株式市場のパフォーマンスを大きく上回る絶好のチャンスだということである。しかし、新興市場がこの先も変動の大きいアセットクラスであることには変わりなく、2002年前半のタイやインドネシアが上げたようなパフォーマンスのあとには利食いの時期が続く可能性が高い。

商品市場

2002年初め以降、一部の商品相場が急激に反発した。綿花先物は30年来の安値から27％上昇し、パーム油は年初以来37％の上昇、穀

物相場も2001年末の安値以来40％も上げている。シカゴ商品取引所（CBOT）のコメ先物は史上最安値から50％も反発し、工業用金属も貴金属も今年になってそれぞれ９％と13％上げている。これは商品市場の大躍進が始まっているのだと筆者は考えている。

　主要投資テーマの出現で相対的にほかのアセットクラスが割安になることは前述したが、数あるアセットクラスのなかでも商品市場でその傾向が強い。資本主義の歴史において20～30年にもおよんだベア相場を経験した今ほどCPI（消費者物価指数）や金融資産に比べて商品相場が下げていたことはない。また、巨大な平鉢から主要投資テーマに降り注いだ水がほかのセクターに漏れ出す話をしたが、大口投資家が世界の上にある巨大平鉢の安定性に関して重大な懸念を持ち始めていることで、漏洩が始まっていると考えられる。

　もちろん商品相場が下がったのは、供給過剰で価格を維持できなかっただけだと反論する読者もいるだろう。しかし、供給過剰で下がった商品相場から巨大ブル相場が始まることもあるのは事実なのである。そしてここで考えなくてはならないのは、現在満腹状態の商品市場が、供給不足やドルの急落で上昇する日が来るかどうかということである。1982年に米国市場が深刻な低迷期から回復し始めたときの心理的な環境と、現在の金融環境がそっくりだということはすでに述べた。インフレ懸念はほとんど世界的なデフレ懸念に取って代わり、大部分の投資家の頭のなかでは主要投資テーマが天然資産から金融資源に切り替わっている。

　実際、現在の状況を見ていると1969～1970年に起こった最大規模の商品先物ブームの前夜を思い出す。当時も商品相場は株式市場よりかなり割安になっており、専門家は１バレル当たり1.70ドル付近だった原油価格が、供給過剰によって1970年代には１ドル以下にな

表2.1

1970年台の不動産ブーム
投資先別パフォーマンス　1970年6月～1980年

	リターン(%)	順位
石油	34.7	1
金	31.6	2
米国コイン	27.7	3
銀	23.7	4
切手	21.8	5
中国陶器	21.6	6
ダイヤモンド	15.3	7
米国農地	14.0	8
巨匠絵画	13.1	9
住宅	10.2	10
消費者物価指数	7.7	11
米国短期国債	7.7	12
外国為替	7.3	13
債券	6.6	14
株式	6.1	15

注＝複利年率リターン
出所＝ソロモン・インク

るだろうと語っていた。このとき1980年の原油スポット価格が50ドルに達しようとしていることや、金や銀が10年間で20倍以上上昇するなどと考えた者はいなかった！　ドルのその後の下落を予想していた者もいなかった。当時の投資家は収益の50倍以上で売られていた「グロース株」に夢中で、割安だった商品先物には目もくれなかったのである。

　しかし、1970年代に何が起こったかは表2.1を見れば分かる。この表は、時として有形資産が金融資産のパフォーマンスを大きく上回ることがあるということを投資家に思い出させてくれる。さらに付け加えれば、1973年秋と1974年1月1日にOPEC（石油輸出国機構）が最初の値上げを断行して石油価格が11.65ドルになったとき

図2.11

極度の落ち込み
CRB指数を構成する17品目の調整価格

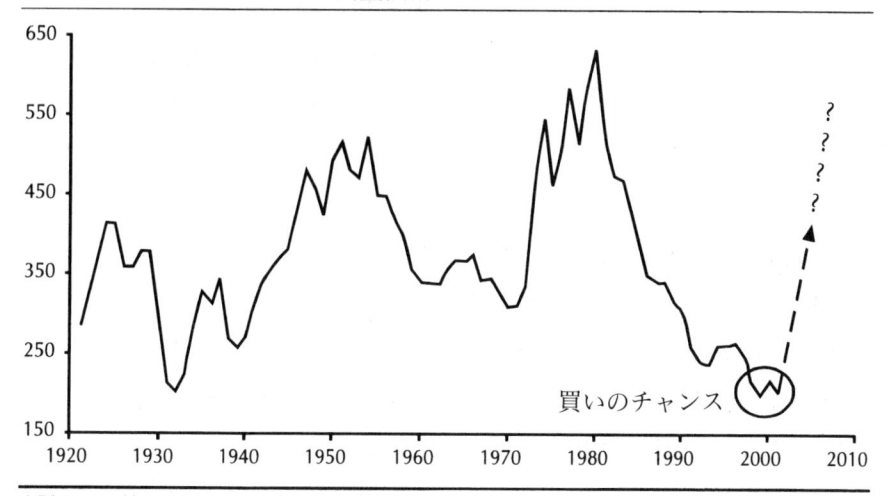

出所＝http://www.ditomassogroup.com

も、人々の関心は薄かった。このときミルトン・フリードマンでさえ「価格は近く１バレル当たり２ドル以下に再び下がるだろう」と書いている。さらに、1970年代初めの商品相場の強さは1973〜1974年の厳しい不況に照らせば注目に値する。筆者は何も1970年代が繰り返されると言っているのではないが、現代の投資家より劣っているとは思えない1970年代の投資家が、次の主要テーマを完全に見過ごしていたということをここでは指摘しておきたい。

さらに現在の商品相場は1970年代初めより低いことも認識しておく必要がある（もちろん実質ベースの話だが、なかには単純比較でさえ低いものもある。図2.11参照）。1990年代にはグローバル経済がシンクロナイズしながら（同時に）成長しないという変わった特

徴がある。1990年代の初めにはヨーロッパの成長が止まっており、全般を通じて成長しなかったのが日本、末期にはアジア危機が訪れて工業関連商品が弱含んだ。もし楽観論者の言うように経済がシンクロナイズして復活するのであれば、商品相場も急速に回復することになる。なかでも落ち込みが激しく、在庫も少ない銅、鉛、アルミニウム、スズ、亜鉛、ニッケルなどの工業用商品がその対象になるだろう。

　最後に、1980年代なかごろと同じく（あるいはそれ以上に）過大評価されているドルは、複数年におよぶベア相場に入りかけている可能性があることを付け加えておきたい（図2.12）。ただ、このベア相場は、ドルがヨーロッパの主要通貨に対して70％近く下落した1970年代ほど劇的なものにはならないだろう。ヨーロッパや日本ばかりか新興市場でさえ、ドルに対して10〜15％以上値上がりすることは望んでいないため、すべての通貨が金と銀を含むほとんどの商品相場より下がるというのが最も考え得るシナリオになる。

　個人投資家にとっての関心事は、来るべき商品のブル相場にうまく乗るにはどうすればよいのかということだろう。金と銀のブル相場は始まったばかりで、あと何年かすればナスダックのような投機的な熱狂相場を迎えて終わると思うが、それまでのつなぎとしては金よりずっと落ち込んでいるコーヒー、砂糖、ゴム、小麦、トウモロコシ、綿花などがある。もちろん、読者にコーヒー10トンと砂糖10トンを台所に蓄えておけというつもりはないが、商品先物をいくつか組み合わせて買って、定期的にロールオーバー（決済繰り延べ）するという方法なら可能だろう。

　それ以外にこのブル相場に乗る方法は、鉱山会社（あるいはパルプ、プランテーション、鉄鉱石、工業用金属、カリウム、化学肥料、

図2.12

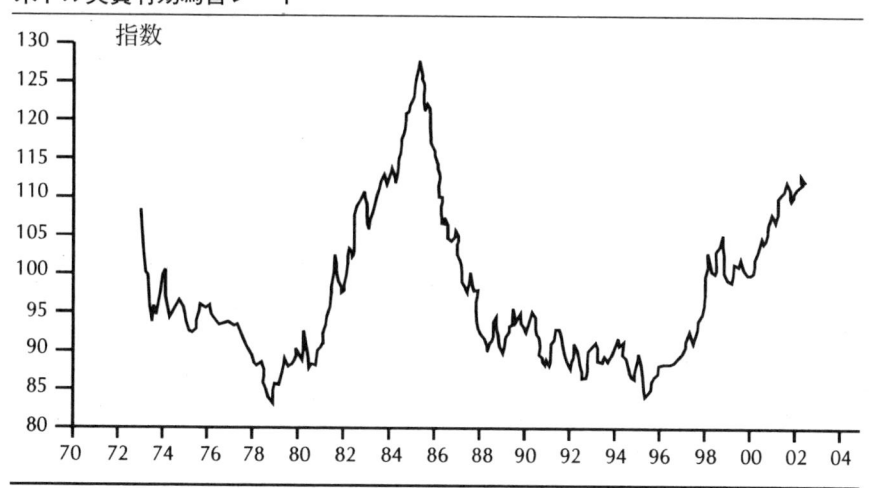

過大評価
米ドル実質有効為替レート

出所＝ABN-アムロ

石油でもよい）などの資源関連株や農業関連株（それもできれば新興市場にあって商品市場に深くかかわっている会社がよい）を買うことである。実際、新興市場の過去のパフォーマンスを見ると、CRB指数（ニューヨーク証券取引所で取引されている商品先物指数）と新興市場の価格には高い相関性が見られる。商品価格の上昇は、常に新興市場にとっても好材料で、下落は経済問題やパフォーマンスの低下につながっている。つまり、商品相場が複数年にわたる上昇期に入ったのであれば、投資家も新興市場、それも先に挙げた資源の豊富な国の比重を上げていくべきなのである。

* * *

第1章で、主要投資テーマは必ず存在するものの、時とともに大きな転換点があったりルールが変わったりするため、投資家は新テーマの発生したことに気づきもしなければ、どの時点でチャンスを追いかければよいかも分からず、やきもきするということを述べた。すでに投資すべきフェーズに入っているのに、まだ古いテーマにどっぷり漬かっていて新しい資産に目を向ける余裕がないことが問題なのである。このような麻痺状態もある程度は理解できるが、前述のとおり主要テーマが終わるときにはブームも最終段階の躁状態にあり、資金がたったひとつのテーマに集中して流れ込む反面、激しい過少評価状態に陥ったほかのセクターに投資家の関心はまったく向かなくなってしまう。そして、マニア以外の低迷するセクターは「必ず下がる」という声が広がっていくのである。
　現在の投資環境は1981～1982年の時期とよく似ている。株も債券も最近まで続いた長期ブル相場に入ったばかりで、商品相場は史上最もたちの悪いベア相場が始まったところ、そしてその結果が資本主義の歴史上最も低い水準まで落ち込んだ現在なのである。ただ、ここで商品先物の長期ブル相場が始まったとしても、でこぼこ道は続くだろう。特にグローバル経済が2003年と2004年に再度弱含むという筆者の主張が現実となれば、その可能性は高い。また、1984年に起きた債券相場の急落も忘れないでほしい。この相場は1981年秋に始まり、現在まで続いた強力かつ長期のブル相場だったにもかかわらず、初期段階でこのような大暴落が起こったのである。そして1981～1982年と同様、おびただしい数の逆流とボラティリティの高さで混乱したこの投資段階ではどんなことが起こっても不思議はない。筆者も長期としては金や銀をはじめとする商品先物全般に興味を持ちつつ、この先どの程度の調整期があるのか分からないうえ、

商品によってはさらに安値を更新するのではないかとも思っている（ただし、金と銀に関しては大丈夫だろう）。

　新興市場も米国と同様に低迷しているが、こちらは次の2～3年で素晴らしいパフォーマンスを上げると期待している。また、前述のとおりいくつかの新興国の不動産は悪くないが、米国とイギリスの不動産ブームが続くかどうかに関しては懐疑的な見方をしている。

　次の2章は、1990年代後半、西側先進工業国の金融市場で強力なブル相場がもたらした長期投資のリターンに慣れきった投資家を、現実に引き戻すための警告になっている。

第3章

高リターンが期待できる投資に関する警告

A caution about high-return investment expectations

◎金持ちになるために必要なのは勤労でも貯金でもなく、正しい場所でタイミングよく人より良い注文が出せるかどうかにかかっている。
——ラルフ・ウォルド・エマーソン（1803～1882）

　素晴らしいパフォーマンスを、かなり長期にわたって上げたアセットクラスやビジネスが存在しないことを証明するのは、そう難しくない。仮に先祖のひとりが西暦1000年に１ドル相当の預金をしてくれていたとする。毎年年率15％以上のリターンを上げるなどとうたう現代のオンライン・トレーダーやミューチュアルファンドの投資家よりずっと控えめな当時の人々は、賢明にもその１ドルを金利５％（ただし複利）の預金に入れて今日まで手をつけなかった。もちろんこんな賢い先祖を持つ人はそうはいないが、このわずか１ドルの投資が、現在では15垓4600京ドル（1546×10^{18}）になっているのである（**編注**　京は兆の１万倍、垓は京の１万倍）。もし、今日このちょっとした財産を６％で運用できたら税引前収入は9300京ドル、言い換えれば全世界のGDP（国民総生産）に300万を掛けた金額になる。

　GDPは結局のところ世界中の資産の価値がもたらすキャッシュフローであり、たった年率５％でも超長期リターンの夢がいかに非

現実的であるかは、この簡単な試算からも明らかだろう。そうでなければ、世界中のGDPは30兆ドル程度ではなく、9300京ドルに巨大な数字を掛けた金額になるはずである。いずれにせよ1000年当時の世界中の資産価値を合わせれば、1ドルよりずっと大きい金額だったと考えられる（1000年の全世界のGDPは、今日の金額にして約250億ドルだと試算した歴史家もいる）。

　しかし歴史のなかで富も蓄え（投資）も、地震、洪水、干ばつ、疫病、火事、火山爆発、竜巻などの自然災害や、戦争、革命、没収、超インフレ、不況、不正行為、陳腐化などによって、繰り返し破壊されていったのである。

大陸発見の旅

　先の話は、もちろん過去1000年間に素晴らしい投資チャンスがなかったと言っているのではない。むしろその反対で、機会は常にそこにあった。なかでも15世紀末の新大陸発見で、経済地図が劇的に広がった時期はすごかった。また、19世紀初めの産業革命でも早期買いのチャンスがいくつも生まれた。

　だが、悲しいかな「素晴らしい投資」のなかで「超長期」という条件をクリアできるものはない。資本主義時代以前は、戦争や領土を広げることが「投資」だった。現代の企業が設備の増加やライバルの買収で、生産力を上げたり増益を狙うのと非常に似ている。さしずめメキシコを征服したスペイン人のヘルナンド・コルテスやペルーを征服したフランシスコ・ピサロは、史上最高の投資とみなすことができるだろう。これらの国が、わずかな兵力で征服されたことや、新世界からもたらされた金銀の量を考えたらなおさらである。

1532年、ピサロは8万人の軍隊に守られたインカ帝国の王アタワルパをわずか168人の兵士で捕らえて監禁し、史上最高の身代金（大きな部屋いっぱいの黄金）と交換したうえで処刑した。それから10年もしないうちにスペインがポトシ（現在はボリビアの一部）に銀鉱山を開き、16世紀の銀はほとんどがここから産出されるようになった。ピサロと168人の兵士以上の生産性を上げた投資は恐らくないだろう。

ところが、スペインのアメリカ大陸への「投資」リターンも、長くは続かなかった。1535〜1560年にかけて金銀の輸入が急増したことで経済力が増大し、スペイン南部の港町カディスの道は「金で舗装されている」などと言われたほどだった。しかしその後は入荷も安定し、やがて下降していった。このため、16世紀には王室までが何度も債務不履行に陥り、スペインはそのまま17世紀の悲惨な大不況に突入していった（そのうえ伝染病で人口の25％を失った）。

とはいっても、アメリカ大陸の発見によって、経済地図は大きく変わった。14〜15世紀に商業の中心地として栄えたベニス、アマルフィ、ジェノバ、フィレンツェなどの都市は隅に追いやられ、リスボンとカディス、そのあとはアムステルダムとアントワープ、そして18世紀に入るとロンドンへと商業の中心は移っていった。

そして現在、これと似た状態になっていることを認識する必要がある。共産主義や社会主義思想が崩壊し、インドも孤立政策をやめたことで世界の経済圏はとてつもなく拡大し、30億人近い人々が資本主義の自由市場に参入してきた。中国、旧ソ連、ベトナム、インドなどが資本主義を導入したことで、経済地図は根本的に変わることになったのである。この意味をけっして過少評価してはいけない。

オランダ領東インド会社

　もうひとつの大投資が、1602年に設立されたオランダ領東インド会社だった。同社は当時、アジアの政府に代わる機能を担い、スペインやポルトガルを退けて東インドとの独占的な貿易を確保していた。同社は640万フロリン（金64トンに相当する金額で、現在価値は約6億4000万ドル）で設立された。これは当時としては莫大な金額で、それより2年早く設立されたイギリス東インド会社の資本金の10倍だった。オランダ領東インド会社は設立当初から成功を収め、1620〜1720年にかけて年間平均約20％の配当金を支払っていたと言われている。しかし、17世紀末になるとその資産は減り始め、結局18世紀末には破産してオランダ政府に買い取られた。

　オランダ西インド会社は東インド会社ほどは成功しなかったものの、1624年にマンハッタン島を先住民のカナルシーズ・インディアンから24ドル相当の小物や服と引き換えに手に入れた。オランダはこの地をニューアムステルダムと名づけ、1000人ほどの町を作った。その後イギリスがこの地を取得してニューヨークと名づけ、1667年にブレダ条約で当時極めて貴重な資産だったナツメグを生産するルン島と交換に、イギリスがこの島の所有権を獲得した。

　しかし、イギリスにしても、ニューヨークを大した投資だとは思っていなかった。1783年に経費のかさんだ軍事介入と激しい大火災の末、イギリス軍が撤退したときでさえ人口は2万5000人にも達していなかった。イギリスは結局それから200年間におよぶニューヨークの巨大商業地への発展を逃したのだった。ほかの植民地も似たようなもので、ヨーロッパの帝国がこれらの土地につぎ込んだ金額は、これらの土地から得た金額をはるかに上回っている。かろうじ

て満足のいくリターンを上げられた例に、フランスのハイチとポルトガルのアンゴラがあるものの、これもペルーのケースと同様、長くは続かなかった。

投資熱

資本主義の初期および成熟期には、投資熱が一時的にせよ「大投資」を生む。1719～1720年にかけてミシシッピー会社の株は40倍まで跳ね上がったあと、下落した。サウス・シー会社も同様で、株価は1720年に8倍になったあと完全崩壊した。1720年のサウス・シー・バブルのころ、イギリスには190社が設立されたが、そのうち生き残ったのはわずか4社しかなかった。19世紀の産業革命では、発明、改革、新しい領土の開拓と資源発見、プランテーション、新産業などに投資すれば莫大な利益が得られるということで、プランクロード、高速道路、運河、鉄道、鉱業、不動産、銀行、電力などの関連会社に対して、投資熱が繰り返し高まった（**訳注** プランクロードは砂利道の上に厚板を置いてある仮道路のこと）。しかし、このときも新しい産業への投資がもたらした富は、一時的なものにすぎなかった。発明や改革の評価が上がったあとには「創造的破壊」というプロセスが続くからである。そのため、大部分の運河や鉄道は妥当なリターンを上げることができずに管財人の管理下に置かれたり、リストラを余儀なくされたりしていった。

筆者の知るかぎりで長期間持ちこたえることができた運河はエリー運河（1825年）、スエズ運河（1869年）、パナマ運河（1914年）の3つだけだが、その利益のほとんどが投資家の手をすり抜けている。エリー運河会社は最初は非常に儲かっていたが、そのあとは鉄道と

の激しい競争が待っていた（第4章参照）。また、最初のパナマ運河会社は破たんして作業が中断してしまい、スエズ運河は経済的には成功したものの1955年にナセル中佐によって国有化されてしまった（同じとき、第二次世界大戦前は時価総額が世界第4位だったカイロの株式市場の株価がゼロになっている）。また、鉄道会社も遅かれ早かれ破たんするか国有化され、投資家は結局大きな損失を被っている。

　20世紀に入ると、短期的とはいえ新しいチャンスの波がやってきた。鉄鋼、電力、電話、自動車、化学、ラジオ、宇宙開発、飛行機、事務用機器、コンピューター、小売り、消費財、そして最近はインターネット関連の会社などである。1920年代は電力、自動車、ラジオメーカーなどが急成長し、株価も1990年代後半のハイテク企業並みの人気を誇っていた。しかし、1929年以降は投資家を満足させられるだけのリターンが上げられなくなり、1910年当時米国に200社あった自動車会社のうち生き残ったのはわずか3社、米国のラジオメーカーに至っては1社も残っていない。ダウ工業株平均は1929年の高値を超えるのに1965年までかかり、そのあとも1970年代を通して1929年の水準をほとんど下回っていた。今日に至っても1929年のピーク時より50％高いだけなのである（ただし、最近まで公共株が寛大な配当金を支払っていたことは認めざるを得ない）。1920年代の電力会社についてひとつ忘れてはいけないのは、これが今日のインターネットくらい革命的だったということで、これによって初めて炭鉱やダムなどの発電所から離れた地域でも工場を稼動できるようになったのである。このため、電力株は収益の30倍にまで跳ね上がり、ベンジャミン・グレアムはこれを「途方もなくバカげた価格」と呼んだ（訳注　グレアムは有名なバリュー投資家）。グレア

ムならハイテク銘柄の高値については何と呼ぶのだろう。

1950年代、1960年代、そして1972年までの期間はボウリング、宇宙、ディスカウントストア、通信販売、ファストフード、プレハブ住宅などのニュービジネスがさまざまな投資チャンスを提供した。また、1960年代には節税効果もあって中小企業投資会社（SBIC）が投資家の人気を集めた。ゼロックス、エイボン、ポラロイド、ディズニー、レビッツ家具、Kマート、IBM、バローズ、ディジタルイクイップメント、スペリーランド、NCR、モホークデータ、メモレックス、アドレソグラフ、バンカーラモ、ディクタフォーン、ユニバーシティー・コンピューティングはしばらくの間非常に高収益な投資対象だった。しかし、このなかで何社が生き残ったのだろう。また、生き残ったとしてもそれ以降の業績の行方を見ると、エイボンやゼロックス（現在は富士ゼロックスになっている）などは1972年当時より株価がずっと下がっており、ポラロイドは11章（連邦破産法第11章のこと）を申請している。コンピューター会社で生き残った数少ない1社であるIBMも株価はたった2倍で、ダウ平均が最近の下落のあとでさえ当時の8倍以上であることと比べてほしい。

進展と退行

もし超長期投資の「鉄則」が存在するとしたら、素晴らしいリターンは一時的にしか続かないということだろう。1954〜2001年のインフレ調整済みのS&P500実質リターンの成長率は、年率わずか1.4％だった。また、1951〜1999年に米国企業で年率20％の収益成長率を5年間達成できたのは、全体のわずか10％、10年間ではわず

か3％で、15年間続けた会社はひとつもなかった。類似品や新発明との競争、税金、国有化、価格規制、没収などによる政府の介入など、進展には退行が付き物で、平均以上のリターンも必ずいつかは平均かそれ以下に引きづりおろされてしまう。

大投資の多くが長期的にはマイナスリターンへの転落を経て消えていく。成功した事業や会社の陰には必ずそれ以上の失敗があり、結局すべての時代において数少ない金持ちと大勢の貧乏人で構成する富のピラミッドの形はほとんど変わっていない。

ここで、「でも不動産はどうか」という声が上がるのではないだろうか。もちろんこの分野には非常に優れた長期投資もいくつか存在した。前ミレニアムの初期にイギリスの不動産を所有していた一族は、1215年のマグナカルタ（大憲章）によってその権利が保障され、今日に至っている可能性もある。しかし、大部分はここ100年ほどの遺産税に耐えかねて失われている。また、アメリカのインディアン、オーストラリアのアボリジニ、メキシコのアステカ族、そしてアフリカの部族などの先住民がかつて所有していた土地も、征服や植民地化によって敵の手にわたり、良い投資とはとても言い難かった。それでは東ヨーロッパ、ロシア、中国、ベトナム、ビルマ（現ミャンマー）はどうだろう。これらの国では共産主義という素晴らしい思想によって20世紀に不動産はその価値を失ってしまった（共産主義も大衆に繁栄を約束した「新時代」のひとつに変わりない）。つまり、ほかの投資同様、不動産も高リターンを上げたのは比較的短い期間で、過去1000年間に超長期の投資として堪えてきたものはほとんどないと言ってよい。

それでは投資対象として、芸術作品はどうだろう。もしご先祖様が西暦1000年にケルズの書（現在はダブリンにあるトリニティ大学

図書館が所蔵しており、一見の価値がある）を買っておいてくれたら、現在は15垓4600京ドルとはいかないが、1億ドルくらいにはなっていたはずで、十分大投資と言えただろう（**訳注**　ケルズの書は8世紀にアイルランドのケルズで作られたラテン語福音書）。しかし、ケルズの書やグーテンベルグ聖書のほとんどが、火事、戦争、窃盗、不注意などの理由で失われ、現在まで残っているものはほとんどない（**訳注**　グーテンベルグ聖書は、1450年から5年間に180部印刷され、現在、48冊が残っている）。つまり、宝くじと同じでだれかが勝つということだけでは、投資の長期的なメリットや利益率が高いことにはならないのである。

　ここまで見てきた気のめいるようなエピソードから、有形資産が超長期で満足のいくリターンを出すことはめったにないように思うかもしれない。しかし、投資家にとって投資のメリットは良いリターンを上げることだけなのだろうか、それとも何かほかに得るものがあるのではないだろうか。鉄道や運河は素晴らしい長期投資とは言い難かったが、鉄道の建設によって農業、製造業、その他の事業開発が新規分野を開拓し、世界中で都市化が急速に進んだ（マイナス面としては、集団強制退去が可能になったことがある）。スエズ運河やパナマ運河は世界貿易に多大な影響を与え、航空業界（高成長率にもかかわらず創業以来、全体的な利益率は低い）は観光や海外生産施設などさまざまな分野を飛躍的に進展させた。

社会がもたらした副産物

　つまり、偉大な改革や事業のなかには、投資リターンとしては芳しくなくても、世界経済の発展には大いに貢献した例もあるという

ことになる。世界中に散らばった数千ものミッション・スクールや大学などもむろんこの範疇に入る。また、バカバカしく聞こえるかもしれないが、「経済面だけ」を考えれば生産力も価値もまったくない事業や産業が、社会的には不朽の恩恵をもたらすこともある。エジプトのピラミッド、9世紀インドネシアのボロブドール寺院、クメール王国のアンコールワット、マヤ文明の中心都市コパンや神都ティカルの寺院などの価値を考えてみてほしい。もともと経済的には無駄な構造物だったかもしれないものが、今では偉大な観光資源になっている。実際、ピラミッドのような金ばかりかかる無用の長物が、その大きさゆえに侵略者による破壊からもイギリスやフランスの植民地主義者による略奪からも逃れて生き残った反面、生産性の高いビジネスは競争や陳腐化によって消えていったことは経済の皮肉というほかない。

　また、経済的には生産性の低い売春やギャンブルなどの業界も、長い年月をしっかり生き抜いてきた。これらのビジネスはインターネットがあろうとなかろうと、陳腐化することもなく、今後も繁栄し続けるだろう！　逆説的に聞こえるかもしれないが、経済的、投資的に何の価値もないものが、最も持続する。なぜなら経済的な価値のないものや少ないものには、競争も少ないからである。

　ここで歴史を通して繁栄してきた偉大かつ永続的な「ビジネス」を紹介しよう。「会社」ともみなすことのできるこの偉大な事業は宗教、つまりユダヤ教、キリスト教、イスラム教、ヒンズー教、仏教などのことである。これらの組織が生き残ってきたのは、その「ビジネス」が有形資産への投資にかかわるものではなく、人々の魂に迎合するものだったからである。迷信、信仰、恐れ、信念など、人間の特質が廃れることはない。数ある宗教のなかで、富の蓄積と

保存という点ではキリスト教が群を抜いている。一等地に教会、修道院、学校、大学、大聖堂などを建設し、それらはほとんど非課税になっている。グローバルな人口増加に伴って死者の数が増えることさえ、このビジネスのキャッシュフローの増加につながっている。教会での教えは世界中の経済発展や進歩に大いに貢献してきた。しかし、宗教が人々にどのような富をもたらしたかについては、信仰の偏屈な解釈から始まるいざこざが今日になっても終わることのない宗教戦争を引き起こしていることから考えても、大いに議論の余地がある。

過去1000年の投資から得られる教訓は、経済的、社会的、そして政治的な変化だけが不変であり、一時的に偉大な投資であったとしてもいずれ破滅して、長期的に見れば失敗に終わるということである。成功したすべての事業、植民地化、会社、発明、改革、征服、合併を合わせても失敗の数にははるかに及ばないうえ、最も成功した投資でさえ長期的に見ればそのリターンは5％にも満たない。したがっていつのときでも重要なのは「割安で正しい投資テーマ」を選択することと、十分価格の上がった人気テーマが損に変わる前に素早く逃げ出すことである。

簡単に言えば、14世紀と15世紀にはベニス、16世紀にはリスボン、17世紀にはアムステルダム、18世紀にはロンドン、19世紀には米国東海岸、そして20世紀には西海岸の土地を所有していればよかったのである。株の場合も同様で、過去200年間にセクターや国を乗り換えて、1950年はドイツ株（敗戦国のほうが勝戦国より投資チャンスとしては勝っていることが多い）、1960年代は米国のグロース株、70年代は石油株と鉱業株、80年代は日本株、台湾株、韓国株、そして90年代は米国株という具合である。超長期投資において、バイ・

アンド・ホールド戦略には明らかに勝ち目はない。

　結局、偉大な哲学や宗教の教えのとおり、有形資産は永遠ではなく、人間の本能、信念、考え、倫理、感覚、感情こそが不変なのだと思う。宗教や哲学や教育機関が持続性を持っているのに対し、投資熱は繰り返しわき起こってくることがその証拠だろう。そして悪いビジネス、企業、団体を作り、犯罪、戦争、大量殺戮をはじめとする思いもよらない考えを実行することで生き残り、繁栄してきたことも、残念ながら人間の普遍的な本質によるものだということは言うまでもない。

第4章

新興市場への投資に関する
さらなる警告

Another warning to emerging market investors!

◎逆説的に聞こえるかもしれないが、その国の豊かさはどれだけの危機にさらされてきたかで計ることができる。
——クレマン・ジュグラー（1819～1905）

　ここ何年かの間に発行された国際的な金融紙などを見ていると、新興市場への投資があたかも1980年代と1990年代特有の現象で、W・I・カー、ビッカーズ・ダ・コスタ、テンプルトン、モルガン・スタンレー、CLSA、ベアリング証券などの発明かと誤解しそうになる。1980年代と1990年代の素晴らしいパフォーマンスに感動した投資家は、しばらくの間は新興市場への道が黄金で舗装されてでもいると思っていた。当時の新興市場向けポートフォリオマネジャーは、今日のヘッジファンドや1980年代半ばの企業買収専門家並みの人気を誇り、1990年代初めには投資家の多くが米国よりアジアに多く資金を投入していたほどだった。しかし、経済史を無視したことへの手痛いしっぺ返しは、1990年代末に訪れた。アジア危機が第二次世界大戦並みのスケールで富を破壊したのだ。

　筆者は以前から経済史および金融史に関心があり、長年経済学関連書籍の初版本を収集している。しかし、これらの本はかなりかさばるため、買うのは特に興味のある景気循環論関連のものに限定し

ている。古書探しには、歴史上の出来事に関する当時の受け止め方を知り、今日の見方と比較する楽しみがある。

　経済は新しくて不完全な科学で、18世紀以前に出版された経済書はほとんどない。しかし、1776年に出版されたアダム・スミスの『国富論』以降はイギリスやフランスで経済関連の論文が発表された。内容は、主に国の債務、税、自由貿易、人口増加、地代、賃金などに関するものだった。景気循環に関する最初の主要文献は、1860年に出版されたクレマン・ジュグラーの『デ・クリーズ・コメルシャル・エ・ドゥ・レア・ルトゥール・ペリオディック・アン・フランス・アン・アングルテール・エ・オ・ゼタジュニ（Des crises commerciales et de leur retour périodique en France, en Angleterre et aux Etats-Unis／仏、英、米における商業恐慌とその周期的再発）』で、その後に発売された論文と合わせて第2版も1889年に出版されている。また、同じころドイツの経済学者マックス・ウィルトが、『ゲシヒテ・デア・ハンデルスクリーゼン（Geschichte der Handelskrisen／商業恐慌の歴史）』、サミュエル・ベナーは『ベナーズ・プロフェシーズ（Benner's Prophecies）』という商品と株式市場の循環に関する最初の本を出版している。

　景気循環に関する本が19世紀後半になって出版されるようになったのは、産業革命以降ヨーロッパや米国が急速に発展しても、そのあとには必ず厳しい商業危機の期間があるということに人々が気づいたからだった。また、この観測は、ウェズリー・C・ミッチェル、A・C・ピグー、ニコライ・コンドラチェフ、ジョセフ・シュンペーターなど20世紀初頭の経済学者が景気循環とその原因や周期性に注目するきっかけになった。

米国という新興市場

　ミッチェルが1920年に書いた『ビジネス・サイクル（Business Cycles）』によると、米国ビジネスはそれまでの110年間に15回の「危機」を経験してきたという。そこでこの15回が発生した年（1812、1818、1825、1837、1847、1857、1873、1884、1890、1893、1903、1907、1910、1913、1920年）を見ると、「これらのサイクルは長さも強さも前後の出来事との関連も、サイクル内の各段階の様子もそれぞれ大きく違っている」ことが分かる。

　ここで19世紀の米国の景気循環と今日のアジア、旧ソ連、南米の新興市場の関連について説明しておこう。当時の米国の景気変動は、今日の新興市場のまたとない歴史上の前例だと筆者は考えている。なにしろ米国はかつて世界最大の新興経済国であったため、米国の景気循環や再発する危機について調べれば、現在の新興市場の投資環境について洞察を得ることができるからである。また、1990年代前半の大流行も、後半にはパフォーマンスの低下とともに忘れ去られていったという事実を知ることで、新興市場での一獲千金伝説を鎮めることにもつながるだろう。

　新興経済や新興産業は、常に大好況や大不況などの景気循環によって特徴づけられてきた。そこで、これらのサイクルを第6章と第7章で分析する前に、19世紀の新興経済国である米国についてもう少し詳しく見ていこう。調べれば調べるほど共通点が出てくるが、なかでも米国の人口が急速に増加したことで1800年代初頭の農業生産者から19世紀末には世界最大の製品生産者へと主要産業が大きく転換したことは、注目に値する。

　1790年の米国には400万人以下の人々が広大な土地に分散してい

表4.1

米国の奇跡
米国の人口の増加　1790～1900

調査実施年	総人口	前回調査以降の増加率(%)
1970	3,929,625	
1800	5,308,483	35.1
1810	7,239,881	36.4
1820	19,638,453	33.1
1830	12,866,020	33.5
1840	17,069,453	32.7
1850	23,191,876	35.9
1860	31,443,321	35.6
1870	38,558,371	22.6
1880	50,155,783	30.1
1890	62,947,714	25.5
1900	75,994,575	20.7

出所＝ア・センチュリー・オブ・ポピュレーション・イン・ザ・ユナイテッド・ステーツ　1970-1900、米国商務省、ワシントン、1909年

た（ヨーロッパの１億8000万人、インドの１億9000万人、中国の３億2000万人と比較してほしい）。人口5000人以上の都市は７つしかなく、2500人以上でさえ12都市、残りの370万人は地方に住んでいた。19世紀前半の人口増加率は年率平均3.5％（主な要因は移民）だったが、1890～1900年には２％に下がっていた（表4.1参照）。

19世紀の初めにはこれといった産業もなかった米国だが、1855年には人口が6000万人に迫る勢いで、全世界の製品の28.9％を生産する産業界のリーダーになっていた。ちなみに、当時の２位はイギリスの26.6％、３位はドイツの13.9％だった。世界経済の中心に上り詰めた米国のケースは、経済史のなかでほかに例を見ない現象といえる。そして今日、新興市場に投資している投資家はみんなこの19世紀の米国市場伝説の再来を夢見ているのだろう。

しかし、ささやかなスタートから空前の経済的優位と繁栄に到達するまでに米国がたどった道は、けっして金で舗装されたスムーズなものではなかったということを、ここで強調しておきたい（もちろん外国人投資家にとっても同じ）。むしろ、運転が得意でも避けられないような意地悪い穴があちらこちらに散りばめられていた。またこの道は、世間知らずでだまされやすい旅行者の財布を巧みに盗むような強盗や賄賂にまみれた役人にしばし支配されていた。

　19世紀の米国経済の成長は、綿産業（特に南部）、西部開拓につながった運河や大陸横断鉄道の建設、膨大な天然資源の開発（カリフォルニアの金ほか）、交通網の整備と鉄鋼業の台頭などと深くかかわっている。

　19世紀前半、綿産業は急速に成長し、豊作と高値によって南部は繁栄した。1793年にエリー・ウィットニーが綿繰り機を発明してからは、南部は綿生産における高度な専門技術を誇る地域になった。輸出も増えて収入が急増した人々は、西部からは食品を、北東部からは製品やサービスを買うようになった。1800年ごろ米国で綿はほとんど栽培されていなかったが、1860年には南部の大農場から世界中の生産高のなんと6分の5（23億ポンド＝約100万トン）を生産するまでになっていた。南部にとって綿は、少なくとも中東にとっての石油くらい重要な産業であり、現在のニュージーランドやオーストラリアの農業セクターが占める割合をはるかに上回っていた。南部経済の運命が綿の価格と直結していたように、輸入や製品の生産高が北東部の運命を握っていた。1830年代初めの綿ブームは、経済全体に好影響を与え、綿貿易の収益は1831年の2500万ドルから1836年には7100万ドルへと増加した。しかし、1837年に入って価格が下がり始めると、南部の収入も消費も縮小し、それが北東部の工

図4.1
綿ブーム（および破綻）
中繊維縞のアップランド綿、ニューヨーク市場の価格の推移、1826～1882

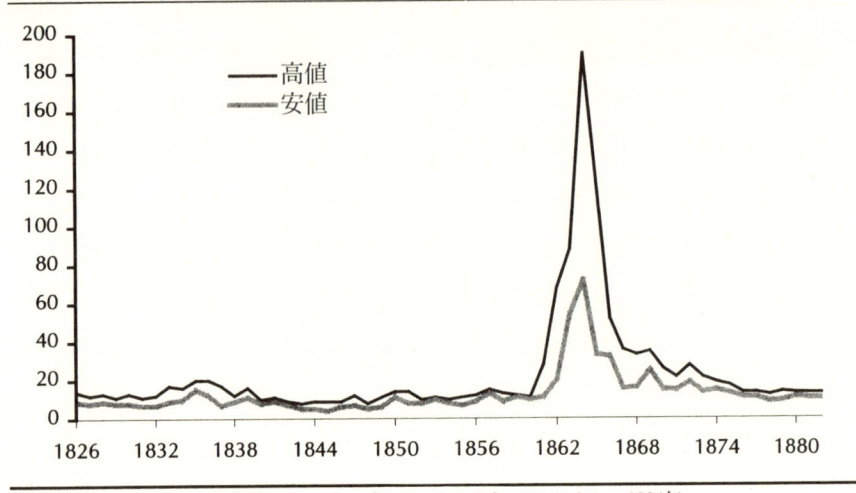

出所＝サミュエル・ベナー著『ベナーズ・プロフェシース』、ワシントン、1884年

業生産やヨーロッパからの高級品輸入にも悪影響を及ぼした。1837～1842年の厳しい不況は、綿価格が70％も下落したことが原因のひとつになっている（図4.1参照）。そして、1879年になると綿価格は1826年の水準を下回ってしまっていた。

アイボリーコーストのココアや中東の石油、そして今日の西側巨大金融市場などを考えたとき、当時の米国の綿ならずとも経済がひとつの商品に依存していれば、景気循環がその商品の価格変動と密接につながっていることが分かるだろう。価格の上昇は「繁栄への逸脱」をもたらすが、下落はもちろんトレンドを転換して「不況へ

の逸脱」につながる。

　今回、米国の綿産業を例として選んだのには理由がある。この当時、急成長にもかかわらず、多くの綿生産者が破産しているが、これは綿の価格が高騰していた時期に過剰な金額で土地を買ったからだった。そして、南部の綿への依存とそれを育てるための安い奴隷労働が南北戦争へとつながっていった。また当時、綿の布地はすでに今日のビデオ、カラーテレビ、携帯電話、ソフトドリンクほどに普及していた。新興市場や急成長している産業や技術に投資しているときは、このことをけっして忘れないでほしい。ある産業が長期に成長していたとしても、その市場が下降し始めれば価格が下がり、そのあとにはつらい結果が待っているという事実は変わらない。そして、その影響を受けるのは所有者だけでなく、納入業者、そしてだれよりも債権者なのである！　今日の新興経済は、どれも消費財、電子部品、半導体などの製品輸出によって成長しようとしているが、成功がいつまでも続くわけではない。家電、パソコン、携帯電話、ナイキの靴、ソフトドリンク、衣服も19世紀の綿花と同様、時代とともに過剰生産や価格低下の影響を受けることになる。

　それでは、インフラへの投資はどうだろう。近年、インフラ関連のプロジェクトが国際投資家の人気を集めている（特に中国向けが人気）。先の19世紀米国における運河建設や鉄道建設の話で高まる熱意が多少そげたとは思うが、長期的にはどれも利益より損失のほうがずっと多かったのである。

　1820〜1836年の米国の運河建設ブームは364マイルにおよぶエリー運河が1824年に完成したことで勢いづいた。この運河によってデトロイト、クリーブランド、バッファローからニューヨークまでの移動時間や運搬費用が90％削減された。そしてそれから9年後には、

ウェランド運河がナイアガラの滝を迂回して五大湖とセントローレンス川をつないだ。これによって、五大湖からニューヨークに穀物を運ぶことが可能になって水路は大成功を収めたばかりでなく、経済発展の可能性を秘めた北部のへき地ニューヨークを金融と商業の都市に変えていった（1820年まではフィラデルフィアのほうが人口が多かった）。運河がニューヨークにもたらした好影響を見て、熱狂的な運河マニアまで登場し、市や州はどこも2つ以上の水路や運河を造ってお互いを結ぶ計画を打ち上げ、先の成功例に続こうとした。米国で起こった1820～1836年の運河建設ブームはヨーロッパで新興市場投資をしていた人たちの空想力もかきたてた。米国の運河債券や株式は大人気で、供給は常に不足していた。モリス・カナル・アンド・バンキング・カンパニーが100万ドルを調達しようとしたとき2000万ドルの出資の申し込みが殺到し、その大半はイギリスからということもあった。当時の運河は、1990年代末のインターネット株ほどの人気を誇っていたのである。

　綿と運河のブームに相まって、不動産株と銀行株も激しい投資熱に巻き込まれていった。1830～1837年の間に347の銀行が設立許可を取得したが、その多くは経歴が怪しい人物や銀行経営の経験がまったくない人物からの申請だった。これらの銀行の主な目的は、投機筋が公有地をインフレ価格で買うときに資金を提供することだった。公有地の販売は1834年には470万エーカー（1万9000平方キロメートル）だったのが、1835年には1260万エーカー（5万1000平方キロメートル）になり、1836年には2000万エーカー（8万1000平方キロメートル）に増加すると同時に、価格も東部や南部の大部分が2倍以上に跳ね上がった（1990年代の香港の水準と比べれば見劣りするのは認めざるを得ない）。1830年代初めのシカゴの土地ブーム

表4.2

価格の推移
1837年と1841年の厳選株価

銘柄	1837年高値	1841/11/25
ユナイテッド・ステーツ・バンク	122	4
ビックスバーグ・バンク	89	5
ケンタッキー・バンク	92	56
ノース・アメリカン・トラスト	95	3
ファーマーズ・トラスト	113	30
アメリカン・トラスト	120	0
イリノイ・ステート・バンク	80	35
モリス・キャナル	75	0
パターソン鉄道	75	53
ロング・アイランド鉄道	60	52

出所＝セレノ・プラット著『ザ・ワーク・オブ・ウォール・ストリート』、ロバート・ソベル著『パニック・オン・ウォール・ストリート』

については詳しい記録が残っている。それまでシカゴの地価は東海岸を下回っており、不動産投資として注目されることもなかったが、イリノイ・ミシガン運河建設計画が持ち上がると、シカゴの土地に大きな投機的関心が集まった。そして、それから2～3年で地価は約100倍に跳ね上がったのだった。この運河はシカゴ港のあるミシガン湖からイリノイ川を通ってミシシッピー州セントルイスまでつなぐ計画だった。運河の建設はシカゴの地価がピークを付けるのとほぼ同時期の1836年に始まったが、1837年に株価が暴落して（表4.2参照）、シカゴの土地も90％下落した。さらに、1837～1842年の不況で多額の負債と景気不振のイリノイ州など9つの州が債務不履行に陥って工事が中断したため、結局完成までには10年の歳月がかかってしまった。運河が完成するとシカゴは交通の主要ハブになっ

たが、投資家は大損を被っただけだった。

　最初の米国ブームがどのように終わったかについても、新興市場への投資家なら関心があるだろう。1836年、米国の証券を買うために大量の金が流出してイギリスの準備金は50％も減少してしまった。そのため、イングランド銀行（イギリスの中央銀行）は二度も公定歩合を引き上げざるを得なくなった結果、金融パニックが起こり、銀行数行が閉鎖に追い込まれた。その後はイギリスの金利が上昇したため（1837年にコールレートは約15％まで上昇した）、米国証券への需要はほぼ一夜にして消滅した。ちなみに、この時期と米国の資金需要のピークはちょうど重なっている。

　外国資本の流入が突然なくなった米国は、大打撃を受けた。全米の銀行が正貨の支払いを延期したため1837〜1839年に1500行以上の銀行が破たんした。この危機に綿価格の急落が追い打ちをかけたため（図4.1参照）、多くの投機家が破産し、南部の消費財需要も急落した。1837年秋になると東部の工場の10分の9が閉鎖した。1837〜1841年の「大恐慌」は極めて悲惨なものだった。この影響はヨーロッパにもおよび、なかでもイギリスは多額の資金を投入していた米国の運河や銀行、不動産がほとんど価値を失ったため、大打撃を受けた。表4.2には綿価格の上昇と通貨供給量の過度の拡大、そして夢中で米国証券を購入した外国人投資家によってもたらされた繁栄のあとの金融資産の落ち込みの激しさがよく表れている。

　外国投資家の米国証券に対する果てしない投資意欲に関して、大恐慌後にロンドンのタイムズ紙は次のように書いている。「米国人にはどんなに素晴らしくても、付加価値があっても資金不足の証券クラスがあることがよく分かっており、そのクラスのなかで彼らの証券は優れているのだろう」

経済史の観点から見れば、1837年の大恐慌とそのあとの不況（ヨーロッパでは「飢餓の40年代」として知られている）は、これが初めて国際的な範囲におよんだという点で興味深い。この恐慌のきっかけはもともと米国外にあり（イギリスの公定歩合引き上げ）、それがヨーロッパから米国への資金流入を減らした結果、米国の銀行倒産の第一波につながった。1997年のアジア危機もそのきっかけは増加する経常収支の赤字を外国人投資家が支え続けてくれるという期待が裏切られたことだった。

　これらの例から、投資家の期待が急変することで第2章で述べた巨大な平鉢が別の方向に傾き資金の流れが変わって、特定の地域やセクターが資金不足に陥る様子がよく分かる。グローバル化のもとでは事業拡大の末期（たいていは躁状態になっている）に起こるブームのけん引役は外国勢であることが多い。そして、どのような理由にせよ彼らの需要がしぼんだり、撤退したりすると、当然危機が訪れる。

　復活劇は1840年代半ばに始まり、鉄道建設などによってその後加速した。鉄道は19世紀の経済発展の主役であると同時に、危機再発の原因にもなっていた。図4.1を見ると1835年にミニブームが起こっていることが分かるが、かつての運河ブームに比べれば経済に与える影響はずっと少なかった。しかし、1848年以降は鉄道建設が急増して経済を刺激した。1850年代半ばには初めての鉄道株マニアが登場し、1857年に危機が訪れた。ただ、1850年代に景気が上昇した陰には、あと2つ理由があった。ひとつは綿の価格が少しずつ上がり始め（図4.1）、生産高も1850年の210万ベールから1859年には450万ベールまでに増加したことで、もうひとつはカリフォルニア州サクラメント渓谷の下流にあったスイス移民のジョン・サッターの土

図4.2

鉄道スパイク

米国の鉄道距離数

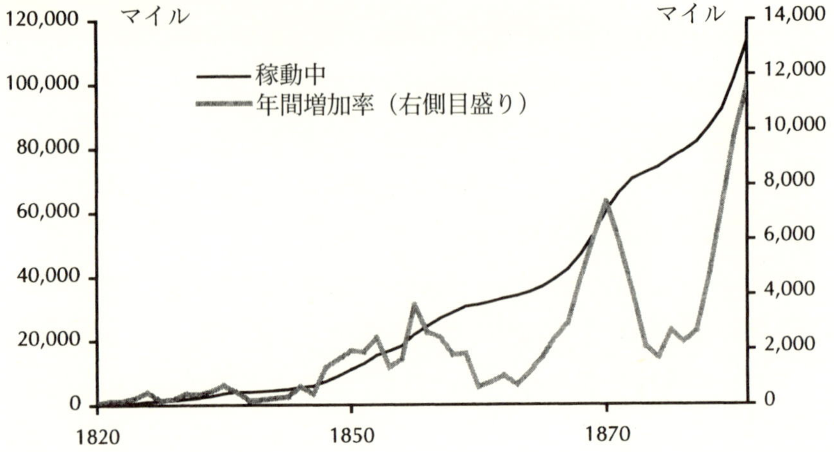

出所＝サミュエル・ベナー書『ベナーズ・プロフェシース』、ワシントン、1884年

地から金が発見されて、鉄道建設が加速したことである。表4.3は1847年以降の金産出量の増加を示しており、これによって景気拡大やカリフォルニアの素晴らしい土地と鉄道ブームがもたらされた。

鉄道建設は1850～1856年にかけて銑鉄の生産を10倍に、石炭生産を２倍にした。すると1837年の運河建設失敗で米国市場には二度と投資しないと言っていた外国投資家が、再び米国の鉄道関連証券を熱心に買いあさり始めた。そればかりか、金発見によって大儲けを期待できる鉱業株にも米国金融史上初めて投機的な資金が投入されていった。1853年には外国人投資家が米国鉄道株の26％までも所有しており、その多くは投機的な銘柄に集中していた。1850～1857年の鉄道ブームの特徴は、1857年の金融危機よりだいぶ前に終わって

表4.3

あの丘には
金産出量　1847〜1856

年	生産量（1000ファイントロイオンス）
1847	43
1848	484
1849	1935
1850	2419
1851	2661
1852	2902
1853	3144
1854	2902
1855	2661
1856	2661

出所＝ヒストリカル・スタティスティックス・オブ・ザ・ユナイテッド・ステーツ

表4.4

早めの下車
鉄道株のパフォーマンス対鉄道建設　1850〜1860年

年	鉄道株の包括指数 高値	安値	完成マイル数
1850	95	79	1656
1851	96	87	1961
1852	110	89	1926
1853	105	89	2452
1854	98	74	1360
1855	80	66	1654
1856	73	68	3647
1857	71	39	2647
1858	76	49	2465
1859	56	47	1821
1860	74	48	1846

出所＝ウォルター・スミス、アーサー・コール著、『フラクチュエーションズ・イン・アメリカン・ビジネス』1790〜1860

いるということで、これはなかなか興味深い。表4.4は1850〜1860年の鉄道株のパフォーマンスと鉄道建設の完成距離数を比較している。

ここからも分かるとおり、鉄道株指数は1852年12月に最高値を記録している。鉄道建設のピークは1856年だったが、これは1853年のピークには5600万ドルにも上った資金流入が1856年には1200万ドルにまで減ってしまったことがその原因といえる。外国からの投資が減った理由は、イギリス、フランス、トルコ連合とロシアの間に起こったクリミア戦争（1854〜1856年）だった。この戦争でヨーロッパの流動性がなくなったため、金利が上昇すると米国鉄道証券の需要も消えてしまったのである。皮肉なことに、このときが鉄道事業拡大に向けた資金調達の山場でもあった。簡単に言えば、米国の資本市場には証券が過剰供給されていたため、事業自体は1857年まで好調だったにもかかわらず、その前に価格が下がってしまったのだった。実は、クリミア戦争は農産物の価格上昇と工業生産の活性化をもたらし、米国はどちらかといえばその恩恵を受けたほうだった。このように、景気が下降に転じたり収益が悪化するかなり前でも、金融情勢の悪化や投資家の需要を超える株式の過剰供給によって株価が下がるということを、投資家は知っておくべきだろう。

1857年の恐慌のきっかけは、土地や鉄道への投資と商品先物に特化していたオハイオ・ライフ＆トラスト・カンパニーの破たんだった。また、160万ドル相当のカリフォルニアの黄金を積んだ蒸気船、セントラル・アメリカ号がハッテラス岬沖で沈没したことも、マーケットの雰囲気を暗くした。カリフォルニアからの金の運搬は東海岸の銀行の信頼と流動性の一部を担っていたからである。このときのパニックは1857年10月にピークに達し、1415行の銀行と多数の鉄

道会社が倒産した（当時のニューヨーク鉱業取引所でさえ閉鎖に追い込まれた）。また、この恐慌は米国証券が活発に取引されていたロンドンやパリにも広まっていった。

　1857年のパニックが興味深いのは、このときの主体が金融危機であり、経済へのダメージは比較的小さかった点で、特に南部への影響は少なかった。1856年には1億2800万ドル相当の綿が輸出され、その収益は1860年には1億9200万ドルに達していた。経済が好調の綿生産地にとって、北東部の金融危機は敵の経済破たんを確信させ、それがやがて対立、南北戦争へと発展していった。ここでもうひとつ投資家が覚えておくべきことは、厳しい金融危機が起こる理由は実体経済が全般的に長期間下降に転じるということ以外にも、いくつもあるということである（これには1850年代のような過度の投機も含まれる）。

1873年の世界恐慌

　新興市場に挑む投資家にとっては、1873年の世界恐慌とそのあとの不況の前段階にも興味があるだろう。米国の南北戦争（1861～1865年）と普仏戦争（プロイセン対フランス、1870～1871年）が終わると、ドイツ統一は米国とドイツの経済発展に爆発的な勢いを与えた。そしてこれが産業革命以前は世界経済のリーダーだったイギリスやフランスに追いつく原動力になった。特にドイツ経済は、敗戦国フランスから支払われた賠償金によって大いに活気づいた。マックス・ウィルトは『ゲシヒテ・デア・ハンデルスクリーゼン（Geschichte der Handelskrisen）』（1874年）のなかで、鉄道、鉄鋼会社、不動産会社、銀行などに出資することを目的とした

1869〜1874年の新規発行ブームがオーストリア、ドイツ、プロシアに吹き荒れた様子を描いている。プロシアでは1871年に259社、1872年には504社の会社が設立された。ちなみに、1870年に設立されたのはわずか34社、1800年以降をすべて合計しても225社にしかならない（1866〜1873年はのちに「会社発起人の黄金時代」と呼ばれるようになった）。

1860年代末は、ヨーロッパも米国も経済が急速に拡大し、人々は将来を確信していた（1866〜1873年の一人当たりの鉄の消費量は2倍以上に増えた）。ヨーロッパの強気気分は、1866年のケーブル＆ワイヤレスによる初めての大西洋横断ケーブルの設置と、1873年に開催されたベニス万博によってますます高まった。当時の経済学者ハインドマンは、次のように書いている。

状況をさらに悪化させたのは、株価の不正操作だけを目的とした銀行の乱立だった。銀行や企業の本来の目的は忘れ去られ、人々は株で大儲けをしたいというギャンブル欲のかたまりになって投機の渦に巻き込まれていった。不動産銀行と建築組合も大都市のビル投機を不必要にあおり、ベルリンやウィーンはまだその痛手から回復していない。ビジネス史上最も不健全かつ破滅的なビル投機によって、土地は空想としか言えないようなレベルにまで高騰し、土地付きの家には暴落したら元本の一部さえ回収できないようなローンが組まれた。実はこれは住宅価格を高い（あるいはかつて高いとされた）水準まで押し上げて家賃を上げることが目的だったが、これが回収される見込みはほとんどなかった。また、規模は小さいがこれと似た連中はロンドンにもいた。小資本の投機的な建築業者が、自転車操業をしながら高金利の資金を借りて安普請の建物を建ててい

たことはよく知られている。
　——H・M・ハインドマン著『コマーシャル・クライシス・オブ・ザ・ナインティーンス・センチュリー（Commercial Crises of the Nineteenth Century)』

　1860年代の米国において南北戦争以外で最も重要な出来事は、西海岸への急速な領土拡大だった。そしてこれを支えたのは、驚くほど短期間で完成した偉大な大陸横断鉄道の建設だった（最初に完成したのは1869年にユニオン・パシフィック鉄道）。この工事で新たな投機マニアが生まれ、その多くはまたも外国投資家だった。1860～1873年にかけて稼動中の鉄道の距離は2倍以上に増えた（特に1870～1873年には最大の伸びを見せた。図4.2参照）。1853年に外国投資家が保有する鉄道証券は、5190万ドルだったが、1872年にはそれが2億6000万ドルにまで増えた。しかし、今回の鉄道マニアはイギリスや米国の鉄道証券だけにとどまってはいなかった。鉄道路線の距離はオーストリアが8年間で3倍、ロシアは4年間で1万2000マイル（約1万9000キロメートル）を建設していたばかりでなく、南米の国々、なかでもアルゼンチンは鉄道建設資金をロンドンやパリで調達していた（1869年までにイギリスの投資家は2億ドル相当の南米の鉄道債券を保有しており、これがのちに1890年代のベアリング恐慌につながった）。また、1869年に完成したスエズ運河は海上交通への関心を呼び戻し、外国貿易と経済成長の伸びを見込んだ楽観論が広まった。
　当時のコメントを見ると、1990年代の中国、インド、南米などの新興市場に対する期待と、最近の「ニューエコノミー」のもたらした陶酔感（本来は改革と知識によってもたらされるべきもの）が非

常によく似ていることにいやでも気づく。そして現在と同様、人々は無制限に投資して、リスクについて考えることはなかった。詐欺、株価操作、役人の腐敗などあらゆるたぐいの不正や怪しげな取引が横行していたが、それを気に留める者はいなかった。その理由についてマカロックが次のように述べている。

　投機をする人間は、どのようなことにおいてもその自信を他人から得ている。このような連中が売買を行う理由は需給に関する正確な情報を持っているからではなく、他人が先に売買したからなのである。
　　——J・R・マカロック著『プリンシプルス・オブ・ポリティカル・エコノミー（Principles of Political Economy　第2版）』

　しかし、1873年5月にウィーンの証券取引所が破壊的な金融パニックに襲われ、それが山火事のごとくロンドン、パリ、ウィーン、ベルリン、そしてニューヨークに飛び火すると、繁栄期は終わった。
　1873年5月にはウィーン万博が開催されていたが、株価は4月からすでに下降し始めており、5月8日と9日で完全に崩壊した。当時の記録には、それから1カ月もたたないうちに大部分の銀行株が半値になって「ウィーン証券取引所は恐怖感に支配されていた」と書かれている。そして、この恐慌は1873年9月にニューヨークにまで波及した。このとき米国の債券をヨーロッパに売るのは「たとえ天使のサインがあったとしても」無理だと書かれたドイツの記事も残っている。当時、米国の一流大手投資銀行だったジェイ・クック・カンパニー（今日のゴールドマン・サックスやモルガン・スタンレーに匹敵する地位を築いていた）も廃業を余儀なくされた。投資

家は衝撃、そして次にパニックに襲われ、取引所が10日間も閉鎖されたほどだった。ちなみに、1857年のケースと違って1873年の恐慌は6年間続いたデフレ不況のあとに起こっている（卸売物価指数は1873年の133から1878年の91に下落した）。また、建設中だった鉄道の大半が破たんして、そのあとの数年間には米国だけで2万社以上の会社や工場が倒産に追い込まれた。米国は1929～1932年の世界恐慌に匹敵する19世紀始まって以来の厳しい不況に陥ったのだった。

　1873年の破たんにはさまざまな理由があった。鉄道ブームが資本の流れを止めてしまい、資金が一カ所に固まっていたうえ、鉄鋼業界も拡大しすぎていた。株は過剰にトレードされ、証券会社や堕落した役人による詐欺行為が横行、不動産も行きすぎた投機の対象になっていた。これらが合わさってパニックを引き起こし、世界中を巻き込む不況につながっていったのである。実は、当時の経済学書物を読んでいると、1869年にある程度の警告シグナルが見えていたことが分かる。しかし、多くの国が工業化へと突き進み、ビジネス界の見通しも明るいなかで投機の嵐が吹き荒れていたため、この警告は無視された。しかし、新規発行の株や債券があふれていた1871～1873年のマーケットがすぐに投資家の需要を上回って値下がりに転じるのは明らかで、それがウィーン、ベルリン、パリ、ロンドン、ニューヨークの株式バブル崩壊要因のひとつといえる。

　19世紀は経済が急成長した時期に間違いなく、ヨーロッパはもとより史上最大の新興市場である米国にとっては特にそうだった。しかし、経済史に関する文献を読んでいると、投資家が繰り返し大金を失っていることや、不況の時期がどれほどひどかったかについて驚かずにはいられない。特に何度も大損を被っている外国投資家の特筆すべき点は、19世紀を通して常に流行に乗り遅れているという

ことである。彼らは常に米国の運河や鉄道やそのほかの工業株を循環のピークかその近辺で買っている。そして、価格が下がってビジネスが低調なときには、どこか別の場所で前のブームで負ったやけどをいやしているのだろう。

　要するに、新興市場への投資に関しては当時と何も変わっておらず、これまで紹介してきた過去の経験から人々が何も学んでいないことは驚くに値する。1990～1997年の新興市場ブームや1990年代末のTMTセクターブームなどからも分かるとおり、投資家はときとしてほとんど知識のない地域や産業を過剰に楽観視することがある。バートランド・ラッセルも書いているとおり「感情は事実をどのくらい知っているかに左右される。知識がないほど熱くなる」のである。

　19世紀に米国の運河株や鉄道株（そのほとんどが破たんした）を買ったのと同じような人々が1990年代には世界最奥にある中国のインフラファンドや電話会社を買い、そのあとはまったく未知の分野であるハイテク企業を買っている。1980年代末、日本に不況など起こり得ないと言っていた投資家は1990年代半ばになると、東南アジアのビジネスが下降に転じるわけがないと信じ、最近では一流経済学者でさえ「景気循環は消滅して米国経済の成長は永遠に続く」などと書いている。しかし、急成長を遂げている新興市場への投資は、はたで見るよりずっと難しいということをここではっきりと述べておきたい。それよりも、19世紀の米国経済で見てきたとおり、次に新興市場株を買うべきときは、そのマーケットで外国投資家が「この株は二度と買わない」と言いながら割高で手に入れた株や不動産を手仕舞うときだと覚えておけばよい。

地理的シフト

　新興地域への投資に関する最後のポイントは、前の章でも見てきたとおり経済の中心が時代とともに変わるということである。表4.5を見ると、19世紀後半に米国ニューイングランド地方の製造業が多少下降したのに対し、五大湖地域は平均以上の成長率を上げているのが分かる。グローバル投資家はこの点に注意してほしい。経済成長は今後西側工業国からアジアや旧ソ連の新興経済にシフトして、近年繁栄していたシリコンバレーや香港を、かつてにぎわったバッファローやニューオリンズの地位に押しやることになるかもしれない。

　学者のなかにはダウ平均が3万6000ドルあるいは10万ドルまでも上昇するなどという連中もいるが、ここまで述べてきたことから利益を出すことがそれほど簡単ではないということを分かってもらえたと思う。また、バイ・アンド・ホールド戦略が長期投資に向いているという考えも、世界の経済環境が常に変化していることを考えると必ずしも正しいとはいえない。19世紀に米国の運河株や鉄道株を買った投資家がそれを今日まで保有し続けたとしても、そのほとんどが19世紀のうちに破たんしており、成功した可能性は低い。ここで19世紀から20世紀初めにかけての鉄道株のパフォーマンスを見てみよう。

　表4.5からは鉄道株が最初に高値圏に入ったのが、1853年の金融パニックで底入れする前の1852年だったことが分かる。株価はパニックのあと回復すると、1864年から1869年にかけて高値を更新したが、1860年代になると鉄道建設の規模が1856年の約4分の1にまで減ったため、ほとんどの鉄道が1852年の高値を超えられなくなった。

表4.5

繁栄に続く労働力
米国労働力で製造業の雇用が占める割合（地域別）

地域	1859	1869	1879	1889	1899	1904	1909	1914
ニューイングランド（東海岸）	29.88	26.76	24.31	20.57	18.91	17.87	17.30	16.83
中部大西洋沿岸	41.66	39.52	42.04	38.69	37.54	36.99	35.82	35.89
5大湖周辺	12.09	18.36	19.19	22.29	22.65	22.29	22.73	23.73
南東部	9.80	8.48	7.57	8.90	11.55	12.87	13.61	13.05
平原地帯（ミシシッピー州周辺）	2.30	4.79	4.46	6.01	5.41	5.37	5.32	5.10
南西部	0.34	0.37	0.44	0.67	0.79	0.97	1.26	1.30
山岳部（モンタナ州周辺）	0.03	0.17	0.31	0.49	0.71	0.69	0.82	0.82
極西部（金鉱山を含む）	3.90	1.54	1.70	2.37	2.43	2.93	3.14	3.26

出所＝ザ・ケンブリッジ・エコノミック・ヒストリー・オブ・ヨーロッパ、ケンブリッジ、1965年

　ベナーによると鉄道株のトレンドは1852～1900年の期間に稼動距離数が14倍にまで伸びたにもかかわらず下降し続けたという（図4.2）。実は1873年の世界的な株の大暴落のあと多数の鉄道会社が倒産したが、1893～1896年の厳しい不況でさらに多くが消えていった。1893年、ニューヨーク、エリー＆ウエスタン鉄道は四度目の財産管理下に置かれ、ノーザンパシフィック鉄道やウエスタン鉄道もそれにならった。この年は米国の銀行の5％が破たんし、稼動中の路線の30％が財産管理会社の下に置かれていた。不況は1896年まで続き、鉄道会社の90％が財務上の問題を抱えていたことからも分かるように、19世紀後半の鉄道は良い投資とはとても言い難い。ここでひとつ指摘したいのは、この時期の鉄道株が一斉にピークを付けたわけではないということである。鉄道指数に含まれる銘柄は倒産や新設で少

図4.3
切り立った尾根
株価が最高値、最安値を記録した年　1860～1891年

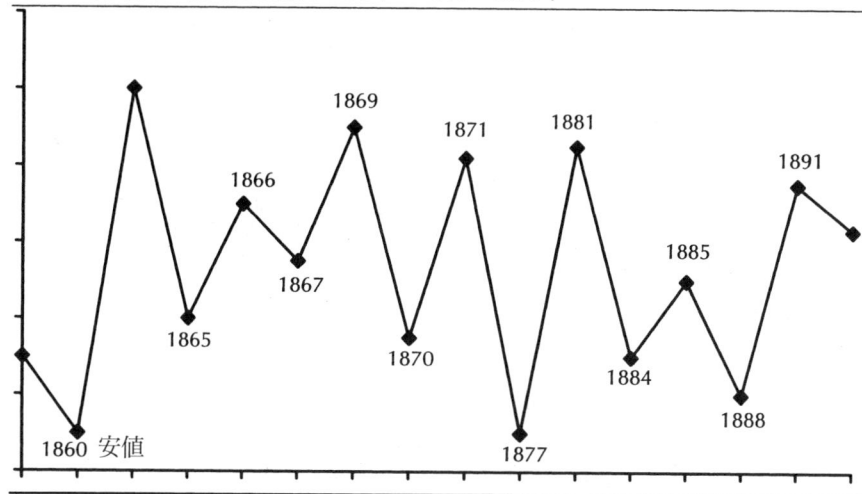

出所＝サミュエル・ベナー著『ベナーズ・プロフェシース・オブ・フューチャー・アップス・アンド・ダウンス・イン・プライス』、シンシナティ、1884年

しずつ入れ替わっているが、大部分の会社が1852～1869年にピークを付けている。

　つまり鉄道会社は、19世紀の米国という急成長を遂げて大成功を収めた新興市場における成長産業だったにもかかわらず、半世紀も株の低パフォーマンスが続き、そのあとの半世紀も大部分の工業株を大きく下回った実例になっているのである。図4.4からは、ダウの運輸株20種平均が1906年末にほぼ140ドルというピークを付けたものの1921年には70ドル未満まで下落したことが分かる。

　19世紀半ばの鉄道株の低パフォーマンスについては、いくつかの原因が考えられる。当時は次々と新しい路線が開業したため、熾烈な

図4.4
息切れ
ダウ平均－鉄道株対工業株　1897～1927年

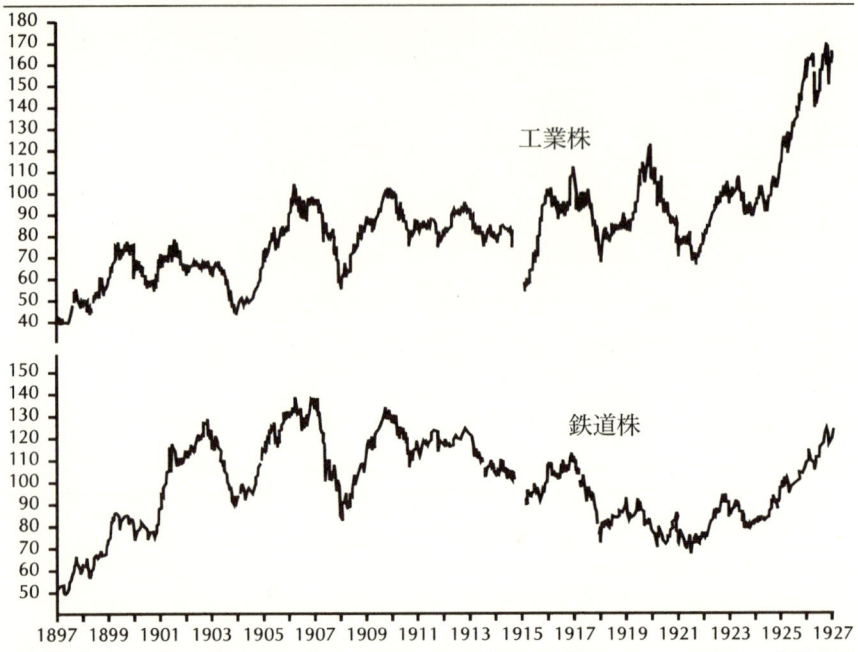

出所＝ラルフ・E・バドガー著『インベストメントメント・プリンシプル・アンド・プラクティス』、ニューヨーク、1935年

競争が起こって運賃が暴落した。一方、鉄道建設には多大な資本が必要とされたため、次々と新株を発行しなければならなかった。しかもこれは米国だけでなく、ヨーロッパ、ロシア、南米でも同じ状態だったため、終わりのない新株発行が既発行株の価格を押し下げていった。鉄道会社はそれ以外に大量の債券もすでに発行しており、19世紀後半のデフレ環境下で大きな負担になっていた。しかし、最も影響が大きかったのは1887年に州際通商委員会（ICC）が設立されたことで、これによって州外通商にかかわる鉄道は規制されるよ

うになった。特に1906年のヘップバーン法や1910年のマン・エルキンズ法によって運賃に関する大きな権限を握ることになった同委員会は、インフレ加速にもかかわらず運賃の値上げを認めなかった。このことは1910〜1921年にかけて鉄道会社の収益に大打撃を与え、鉄道株の人気は1920年まで落ち込んでいった。図4.4を見ると1906年に付けた高値が半値まで落ち込んだだけでなく、1918〜1920年にかけた工業株反発の波にも乗れなかったことがよく分かる。

筆者が米国の鉄道業界に注目するのには、2つ理由がある。ひとつは1920年の初めまでこれが抜きんでて米国最大の業界だったことで、1925年には資本金総額がすべての公共会社を合わせたよりも大きく、鉄鋼業界の2倍以上、自動車業界の10倍近くに達していたからである。これならば、19世紀半ばから1921年にかけて米国最大の業界のパフォーマンスが悪かったと言っても過言ではないだろう。

2つ目の理由は、最近の新興市場のインフラ関連プロジェクトや電話会社の人気上昇に関して、米国の鉄道会社のケースが興味深い洞察を与えてくれるからである。鉄道株が1852〜1869年にピークを付けたあと、1920年までパフォーマンスが低迷したことはすでに見てきたが、この間も業界自体は米国経済同様成長を続けていた。これは会社自体が成長しても、それが必ずしも株価の上昇にはつながらないということで、それよりむしろその業界内の資本に関する需給関係、価格、規制環境などのほうが株価への影響は大きいということになる。資本不足の鉄道会社は新株を発行し続けたため、運賃が下落して利益率が下がると投資家の需要が尽きてしまった（現在電話会社が抱えている問題と非常によく似ている）。さらに、1910〜1920年のインフレの下、業界に友好的とは言い難いICCの政策によって運賃改正が遅れ、コストが収入を上回ったという事情があり、

結局は規制によって大きな損害を強いられたことになった。

　新興市場への投資家のひとりとして、筆者はインフラ関連プロジェクトには極めて大きな懸念を抱いている。実はこれらのプロジェクトには莫大な資本がかかる反面、それを回収するための電気料金や電話料金は競争によって押し下げられる場合がある。仮に適正な料金が取れたり、インフレ率が高くなったりしても、地域の委員会が値下げを要請してくることは間違いない。米国の大学でICCの権力拡大の歴史を大いに学んだような連中が、西側の資本主義というせっかく得た知識を実践しようとこれらの会社の収益に上限を設け、暴走するインフレを抑制しようとすることもあり得る。このような現象はプロジェクトが外国資本で行われたとき特によく起こる。つまり、新興国のインフラ関連プロジェクトの多くは1910〜1920年の米国鉄道業界が置かれていた環境と非常に似ているのである。

　余談だが、鉄道株は1920年代に多少好転した。しかし、1921〜1929年のダウ運輸株平均が70ドルから189ドルに上昇したのに対し、ダウ工業株平均は70ドル弱から386ドルまで上がったので、工業株のパフォーマンスをまたも下回ってしまった。1920年代になると鉄道株の市場でのウエートはさして重要ではなくなっていたが、それでも1929〜1932年の大暴落には注目してほしい。このとき13.23ドルまで下落した運輸株指数は、20世紀の最低水準に陥っていたばかりか、倒産を免れたわずかな銘柄も1857年のパニックの水準まで下げていった（図4.5参照）。

　もし株は長期に保有すれば必ず上がると思っている投資家がいたら、1850〜1932年の米国鉄道証券の惨めなパフォーマンスについて真剣に考えてほしい。また、そのとき鉄道が当時の米国市場で抜きんでて大きく、20世紀初めまで最も人気のある業界だったことも思

図4.5
完全崩壊
ダウ輸送株平均、1915〜1940年

出所＝ザ・プライマリー・トレンド

い出してほしい。

　ただ、1932年までパフォーマンスが低迷したのは鉄道株だけではない。1929〜1932年にダウ工業株平均は386ドルという高値から41ドルまで下落した。これは第一次世界大戦が始まった1914年の安値より低かった1897年とほぼ同じ安さだった！　さらに言えばこの水準は1920年の高値の約50％でもあった（ここでもマニアが終わるときにはブル相場で上げた分以上に、そのあとのベア相場で下がることが分かる）。

　もうひとつ覚えておいてほしいことがある。仮にバイ・アンド・ホールド戦略を追求しようと1820年に鉄道証券を買って今日まで保有していたとしよう。すると、1910年代の自動車ブーム、1920年代

の電気製品、ラジオ、映画、公共事業ブーム、1950年代の最初のドイツ株式市場大ブーム、そして第二次世界大戦が終わってから1989年まで大きな利益をもたらした日本の復興ブル相場、そして1990年代にとてつもない上昇を見せたハイテク企業ブームなどをすべて逃すことになったのである。

　繰り返しになるが、ポイントはただひとつ、経済も産業もそれぞれのサイクルを持っているということである。新興市場（産業、企業）の循環は特に激しいものが多く、それが急成長と急発展を遂げるため、常に資本に飢えた状態にある。しかし、どの程度の資金を調達できるかは投資家の期待の大きさによって変わってくる。もし投資家の信頼を得ることができ、彼らが楽観的であれば必要額以上の資本が集まることになり、消費ブーム、投資マニアと続いていく。しかし、そのあとはブームを狙ってライバルが参入するため、過剰設備による下降が始まり、新産業や新興経済は成長段階の初期に激しい競争と急速な陳腐化にさらされる。また、ハイテクセクターなどの新しい産業の改革とそれに続く陳腐化のペースが、製紙、鉄鋼、化学などの成熟産業に比べてずっと速いことも言うまでもない。同様に、ここ30年の韓国、台湾、シンガポールや1990年以降の中国の例からも明らかなように、変化のスピードも新興経済のほうが、ドイツやスイスのように経済構造がもう四半世紀以上変わっていない成熟した市場よりずっと速くなっている。

　19世紀初めのテキサス、1960年代のシリコンバレー、1990年代の上海やバンガロールなど、急激な変化を続けながら新しい産業や新しい経済を生み出していく世界において、バイ・アンド・ホールド戦略では破滅すると言わざるを得ない。投資先の産業や国の下落や衰退に巻き込まれないために、投資家は定期的に資産のリバランス

を行うと同時に、その時代の新しい産業や地域などに次のチャンスの芽が出ていないかを常に偏見を持たずに探し続けなければならないのである（**訳注**　リバランスは、ポートフォリオを定期的に最初に決めた資産配分に戻すこと）。

　ただ、ここまで述べてきたのはいわゆる「グロース投資」（バリュー投資の反対）の分析ではないことを強調しておきたい。筆者が言いたいのは、もしグロース分野に安値で投資することができれば、成長見込みのほとんどないバリュー分野に投資するよりもキャピタルゲインのチャンスは大きいということなのである。これまで見てきたとおり、新興産業や新興国はブームと破たんの循環という厳しい変動のなかでも成長を維持しており、割安の資産（不動産、株、債券など）を入手するチャンスは危機や景気低迷期に何度も訪れている。反対に、もしブームや投資マニアが殺到する時期に買って保有していても、結局は低パフォーマンスか損になる。これは、ブームのあとに破たんと低パフォーマンスの時期が続くことが分かっているからで、その間にブームもマニアも次々とその対象を変えていくのである。

　言い換えれば、ブームが起こったセクターで別のブームが続いて起こる可能性は極めて低い。むしろブームのあとは別のブームが続くが、それは前回とは違うセクターや地域の経済のなかに起こる可能性が高いといえる。次章では、新興市場の循環に合わせた投資方法を詳しく分析していくことにする。

第5章
新興市場のライフサイクル
The life cycle of emerging markets

◎通常、他人のまねをするということはみんなと同じことをするということで、それは結局愚かな行為といえる。
──ウィリアム・スタンレー・ジェボンズ（1835～1882年）

　今度は新興地域における株式市場の循環に焦点を当てていこう。筆者は、革命的な発明や開発によってもたらされた新しい産業も、マクロシステムにおける「新興経済」のひとつだと考えている。しかし、新しい産業や新興地域にはそれぞれ異なった牽引役がいるため、景気循環については第6章で述べることにして、ここでは経済発展の初期段階にある国の株式市場を見ていくことにする。経済サイクルや市場サイクルと、人間のライフサイクルには多くの共通点がある。最初は経済や株式も胎児の段階にある。そして、青年期に入ると急成長（ブル段階）するが、この時期は事故も多い（恐慌や暴落を経験）。時がたって成熟すると、エネルギーや不安定さが減ると同時にだんだん疲れが出てきて最後に死に至る（衰退とベア相場）。幸い、経済や株式市場の場合には、死のあとにまた人生があることが多い。しかし、生まれ変わった新しいサイクルは、前回とはかなり性質の違ったものになっている。
　図5.1は新興市場がたどるさまざまな段階（フェーズ）を表し、

図5.2は1985年～1998年のソウル総合株価指数のトレンドを比較している。ただ、それぞれのフェーズがこれほどはっきりと表れるわけではないことは警告しておきたい。むしろ極めて複雑ではっきりとは分からないことが多く、筆者を含めた多くの投資家は現在どの段階にいるのかが分かっていない。そのうえ、ひとつのフェーズから次のフェーズへの移行はゆっくりと少しずつ行われるため、図のようにはっきりと区切りをつけるのは実際には難しい。

ライフサイクルの7つのフェーズ（段階）

ここでは新興市場の各フェーズで起こる出来事や、はっきり表れる兆候を見ていくことにする。これらの出来事や兆候は市場の特性によって表れ方の度合いが変わるが、それが強いほどサイクルのどのフェーズに向かっているのかは見分けやすくなる。

フェーズ0──暴落のあと

出来事
- 長期の景気停滞、またはゆっくりだが実質的な縮小期
- 一人当たりの収入の実質的な横ばい、または下降が何年間か続いている
- 高失業率
- 設備投資が少なく、国際競争力が低下
- 政治的、社会的情勢が不安定になる（ストライキ、高インフレ、連続的な通貨切り下げ、テロ、国境紛争など）
- 企業収益の減少
- 外国からの直接またはポートフォリオを通じた投資がない

第5章●新興市場のライフサイクル

図5.1
新興市場のライフサイクル
概略図

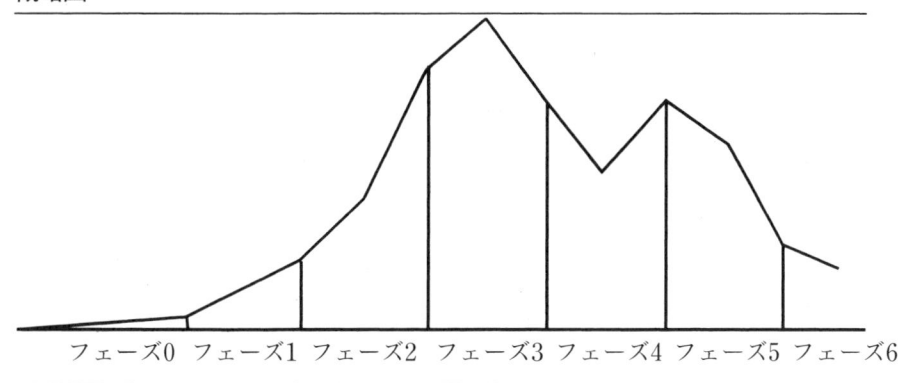

フェーズ0　フェーズ1　フェーズ2　フェーズ3　フェーズ4　フェーズ5　フェーズ6

出所＝マーク・ファーバー・リミテッド

図5.2
生きた手本
韓国総合株価指数　1985〜1997年

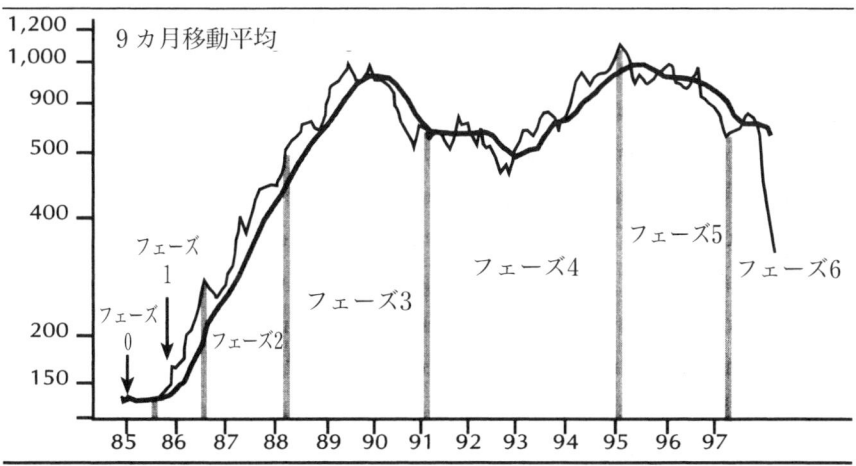

9カ月移動平均

フェーズ0　フェーズ1　フェーズ2　フェーズ3　フェーズ4　フェーズ5　フェーズ6

出所＝データストリーム

- ●資本流出

兆候
- ●夜間外出禁止令
- ●観光客の減少（治安悪化）
- ●ホテルの客室稼働率が30％で、ここ数年新たなホテルが建設されていない
- ●ホテルの倒産
- ●株式取引所の出来高が極端に低い、たいていは前回のピークと比較して90％の下落
- ●前回のブームのあと株式市場は横ばいまたは多少下降して、底堅い状態が数年間続いている
- ●世界の資産価格と比較して、実質的な株価がバカバカしいほど過少評価されている。不況のときは、世界の別の場所でブームが起こっていることが多いため、外国資本も国内預金も別の場所に投入され、フェーズ０の経済は無視される。また、資本がブームの地域に向かうことでフェーズ０の資産価値（株、通貨、不動産）は当然ながらかなり低くなる
- ●外国のファンドマネジャーが訪れない
- ●マスコミが暗い見出しばかり並べる
- ●前回のブームの間に発生したローンの大部分が不良債権化したため、信用基準が厳しくなり、貸し付けも縮小している
- ●外国のブローカーが事務所を開設しない、または前回のブームで開設した事務所を閉鎖しようとしている。また、カントリーファンド（特定の国の証券を対象としたファンド）や投資のための調査レポートが長期間発行されていない

- この先も下落しかないということで、投資家の会議でもフェーズ０の地域、セクター、アセットクラス（商品を含む）にはまったく関心が集まらない
- フェーズ０のマーケットに投資して大損した経験しかないため、投資家は二度とそのような市場への投資はしないと言っている
- ジュネーブのプライベートバンクが、そのようなマーケットへの投資は考えたことすらないと言い張る

実例
- 1980年代のオイルマネーブーム以降の南米、特にアルゼンチン（図5.3参照）
- 1970年代の石油ブーム以前の中東
- 第二次世界大戦以降1980年代末までの共産主義国
- 1980～1985年のタイ、フィリピン、韓国を含む大部分のアジア諸国（日本以外）
- 1997年のアジア危機以降から現在までのインドネシア、タイ、フィリピン、マレーシア
- 過去２～３年の南アフリカをはじめとするアフリカ諸国

　フェーズ０はブームが起きたセクターや経済がそのあと深刻な恐慌に見舞われたときであることが多いということをぜひ理解してほしい。恐慌が一通り終わると、最悪のタイミングで買って手痛い損失を被った投資家がそのマーケットを避ける時期が訪れる。
　フェーズ０の期間が長くなり、経済も金融資産もさらに落ち込むと、何かのきっかけで経済情勢や社会状況が好転したときにフェーズ１が始まる可能性は高くなる。つまり、フェーズ１が始まるため

図5.3
オイルマネー後の憂鬱
月次ボルサ指数（単位:ドル）

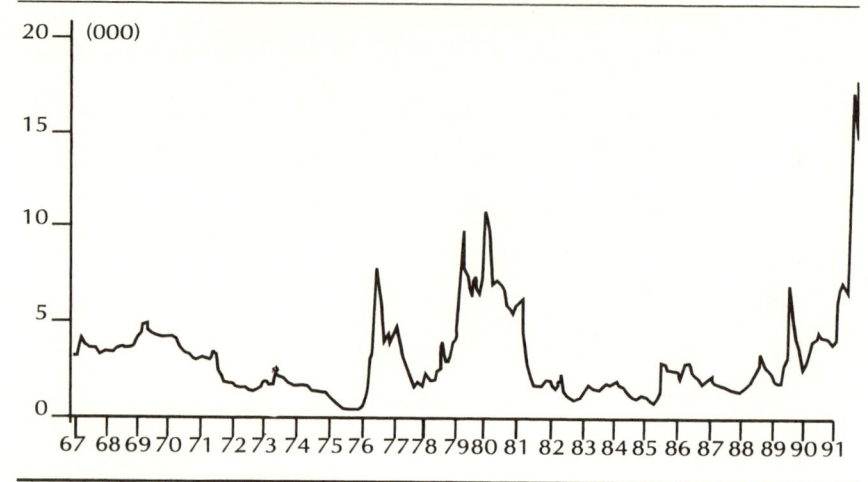

（グラフ：1967年から1991年までの月次ボルサ指数の推移）

出所＝ベアリング証券
注＝ボルサ指数はメキシコの株価指数

に重要なのは停滞から最初の緩やかな成長段階へと転換を促す起爆剤なのである。

フェーズ1──希望の光

起爆剤
- 社会的、政治的、経済的状況が改善し始める（新政府、平和条約、市場経済や資本主義制度の導入、財産権の導入など）
- 新しい経済政策（外国からの直接投資に対する減税や優遇措置、キャピタルゲイン税の撤廃、通貨改変、外国為替管理法の撤廃、不動産などの資産を外国人にも100％保有する許可を与える、関税障壁の撤廃など）

- 外部要因、埋蔵資源の開発、主要商品の値上がり、新しい発明や改革の実用化
- 輸出の増加、資本の本国送還、外国からの直接またはポートフォリオを通した投資の拡大などによる流動性の向上
- 上記理由のひとつもしくはいくつかによって、将来の利益機会が大幅に改善する見通しになる
- 電力、道路輸送、港の整備などの改善につながる大型インフラ関連プロジェクトの着工
- すべての業界の民営化

兆候
- 預金や財産の増加
- 信用状態がよくなることで、消費、設備投資、企業収益、株価が上昇し始める
- 株価の急上昇
- 観光客の増加
- 失業率の低下
- 少数の先見性のある外国のビジネスマンが、ジョイントベンチャーや直接投資に興味を示す
- 少数の外国人逆張りファンドマネジャーが投資を始める
- ホテルの客室稼働率が70％に上昇する
- 外出禁止令が解除される
- ビジネス界の雰囲気や投資家の自信が大きく回復する
- 企業の所有者が割安感に気づき、自社株買いを進めたり非公開にしたりする

実例
- 1973年以降の中東
- 1984年以降のメキシコ
- 1985年以降のタイ
- 1987年以降のインドネシア
- 1990年以降の中国
- 1990年以降のアルゼンチン、ブラジル、ペルー
- 1993年以降のロシアと東ヨーロッパ

　フェーズ1が始まるためには主要商品の急騰や重要な発明の実用化、輸出の急増、投資に関する法律や税制の変化など、何らかの「転移」が起こることで新たな投資熱に火がつき、新しい利益機会に資本をつぎ込む起爆剤になるということを投資家は理解する必要がある。このことについて、偉大な経済史家であるチャールズ・キンドルバーガー教授は次のように書いている。

　転移の原因が何であれ適当な大きさと普及力を持っていれば、少なくとも重要セクターのひとつで利益機会を生み、経済の見通しを変える。転移は新規、もしくは従来のビジネスに利益チャンスを作ってほかのビジネスを締め出す。その結果、貯蓄や信用力のある企業や個人は前者のビジネスの可能性を検討すると同時に後者からは撤退し始める。もし新たなチャンスがかつて損を被った人たちを動かすようになれば投資や産業にも弾みがつく。
　　――チャールズ・P・キンドルバーガー著『金融恐慌は再生するか』（日本経済新聞社）

また、経済成長、政治的統一、社会的向上などを視野に入れた新しいリーダーの出現が驚くべき効果をもたらすということは、いくら強調してもし足りない。シンガポールを見てほしい。明確なビジョンを持ったリー・クアン・ユーの下、この小さな都市国家は過去30年で飛躍的な前進を遂げた。中国も「革命的」な鄧小平が共産党保守勢力に立ち向かったからこそ、世界に開かれた社会になったのである。同じことはウラジミール・プーチンの下、ロシアでも行われようとしている。リーダーが国の統一感と目的意識を作り出せば、情のあるナショナリズムが生まれ、経済情勢も自然に改善していく（ヒットラーのドイツのようにナショナリズムが情のあるものでない場合でも、経済は一時的に上向く）。最後に、インフラ関連の大型プロジェクトとともに、法律面や商業面の機能的なインフラが導入されると、経済はフェーズ０から１に移行する。製品やサービスを効率的に生み出すためには物理的および法的なインフラの両方が必要だからである。

　最後に、もし「転移」が信用の過剰な拡大（信用インフレ）によるものであれば、フェーズ２からフェーズ３の初めにかけて、大ブームが起こる可能性が高い。

フェーズ２——復活サイクル

出来事
- 失業率が下がり、賃金が上がる
- 景気の上昇が永遠に続くという期待から設備投資が拡大し、生産能力が上がる（楽観的な誤り）
- 外国から多額の資本が流入して、株価は割高になる
- 信用力が急拡大して、実物資産も金融資産も急騰する

- 不動産価格が数倍になる
- 株や債券の新規発行がピークに達する
- 外国のブローカーや金融機関が事務所を開設する
- 企業の吸収合併が活発になる
- インフレが加速し、金利が上がり始める
- ただし、例外もある。超インフレとデフレが同時に起こると、その国の復興（たいていは金融改革によって行われている）はインフレや金利低下につながっていく

兆候
- ビジネス街が広大な建設現場と化す
- ホテルには外国人ビジネスマンやポートフォリオマネジャーがあふれており、新しいホテルの建設が進んでいる
- 外国の新聞、雑誌に非常に前向きな見出しが並ぶ
- 多数のカントリーファンドが売り出され、外国のポートフォリオからの資金流入も増える
- 外国のブローカーによる分厚くて強気の調査レポートが次々と発行される
- レポートが厚くなり、開設する事務所やファンドの数が増える。設定されるファンドの数が増えるほど、フェーズ2の末期に近い
- フェーズ2の国は観光地としての人気も高い

実例
- 1970年代末のヒューストン、ダラス、デンバー、カルガリー
- 1978〜1980年にかけたイランを含む中東全域

- ●1987〜1990年の日本
- ●1980年代の南アジアおよび北アジア
- ●1992〜1994年の南米
- ●現在のロシアと中国

　実例リストのなかに新興市場のひとつとしてヒューストンやダラスが入っていたことに驚いたかもしれないが、これは「新興市場」というと発展途上国だけを考えるような独善的な考えに陥らないためである。現代の先進国のなかにも新興の産業、サービス、あるいは地域が必ずあり、それらは全国平均を上回る成長を遂げる可能性を秘めている（ただし永遠にではない）。そのため、「新興経済」への投資を考えるときは偏見を捨て、発展途上国だけでなく先進国の新興部分にも目を向けるようにすることを勧めたい（第6章参照）。
　フェーズ2と3の重要な特徴のひとつは、ビジネス界に浸透する上向きムードである。フェーズ2では実際の景気状況が改善すると、ビジネスマンは利益見通しを多めに見積もって楽観的な誤りを犯す傾向がある。これについて経済学者のA・C・ピグーは次のように書いている。

　楽観的な誤りは（中略）ビジネス界のあちらこちらでさまざまな反応を引き起こしながら、拡散する傾向がある。これには2つの理由がある。ひとつは経験から言えることだが、ビジネスマンは金銭面以外でも密接にかかわっており、精神的にも相互依存の関係にあるということで、ビジネス界のどこかで風向きが変わると、それがまったく関係のないところで理由もなく広がっていくのである。（中略）2つ目は（中略）ビジネス界のあるグループが楽観的誤り

を犯すとそれがほかのグループの誤りを正当化してしまうことである。

——A・C・ピグー著『厚生経済学』（東洋経済新報社）

　群衆のなかでは他人のまねをしてしまうことが多く、楽観ムードが広がりやすい。同様に、密接なつながりを持つビジネスマンのなかで前向きな雰囲気は素早く広がっていく。また、現在ではテレコム、インターネット、CNBC、ブルームバーグ、ロイター端末、CNNなどが投資家の気分を簡単に外国へも広めてしまう。多大な期待はブームの原動力になると同時に批判を抑え込む特徴があり、それが不健全なビジネスの決定につながっていく。結果として楽観的な誤りがさらに広まることになる。熱烈に望んでいるとやがてそれが信念へと変わることはよくある。また、簡単に儲かってしまうと、さほど注意せず簡単に信じてしまうようになるが、その状態が最も幸せなときでもある。

フェーズ3——ブーム

出来事
- ●過剰投資はいくつかのセクターで過剰な生産力を生む
- ●賃金や不動産価格の上昇によってインフラの問題、ボトルネック（解決されないと経済発展に支障が出かねない特定の分野の問題）、過度の金融緩和が賃金や不動産の上昇を通じて強力なインフレ圧力になる
- ●しかし、インフレ圧力は消費者物価には向かわない。デフレ環境下では消費者物価は安定しているが、卸売物価は下げることが多い。ただ、この場合には金融政策が引き締められるわけで

はないため、信用力はさらに拡大してGDPを超え、株や不動産などの資産価格のインフレが明らかになる
- 企業利益成長率の伸びが鈍り、業界によってはマイナス成長に変わる
- 金利の急上昇、大掛かりな詐欺、企業の倒産、大手投機筋が追証の支払い要求に応じられない、あるいは外国の悪材料などによるマーケットのショックが必ずではないが突然株価の全面的な下落につながることがある
- 時には物価が上がりすぎたというだけの理由で下げに転じ、ブームが永遠ではないことを知っている投機筋やインサイダーは利益見通しが悪化してきたことを見越して利食いを始める
- このようなケースでは、ある時点で企業やインサイダーからの株の供給が「愚か」でだまされやすい大衆の需要を上回るが、大衆はマスコミや企業に洗脳されて価格に関係なく買い続ける

兆候
- フェーズ3の頂点は一世代に一度程度起こる投資マニアの発生と、その大破たんである。投機熱が手をつけられなくなるこのフェーズは、サイクル中最も分かりやすい
- ただ問題は、巨大な利益を上げることができる期間がフェーズの終わりに近い破たん前のほんの短期間だけだということ
- 多くの場合、外国人の売りによって株価が下がると同時に通貨も崩壊する
- 信用取引が爆発的に増え、金融システム全体のレバレッジが非常に高くなる
- コンドミニアムや住宅関連のプロジェクト、ホテル、オフィス

ビル、ショッピングセンターなどの建設が完成する。また、世界有数の高層ビルや最も贅沢なビルが完成間近である場合も多い（図5.4参照）
- ビジネスの中心地が「ブームの街」になり、ナイトクラブは株や土地で大儲けした投機筋やブローカーで大盛況、日中はひどい交通渋滞に陥っている
- 多くの場合、新空港が落成して次の計画段階に入っている
- 「新しい都市」や工業地帯の計画や、建設が進む
- 成功したビジネスマンや、株や不動産投機で名をはせた投機家が民間ヒーローとして雑誌の表紙を飾る。そのうちの何人かは雑誌の「今年の人」に祭り上げられる
- 株や不動産マーケットの話で持ちきりで、一般投資家向けに無数の「株や不動産のマーケットが下がらない理由」といったたぐいの議論が次々と紹介される。これらは誤った前提に基づいて楽観的すぎる研究を発表している学者などの無知と見当違いの自信に裏付けられている。株式トレードは活発な個人と投機筋の活動が中心で、その多くが借金で行われている。このフェーズの株の出来高や土地の売買契約高は、フェーズ１のときの何倍にも跳ね上がっている
- LBO、M&A、レッドチップ（中国本土系香港企業の株）、タイガー・エコノミー（香港、台湾、韓国などアジアの高度成長国）。タイガー・カブ・エコノミー（タイガーの前段階）、新時代、ニューエコノミーなどの専門用語が次々と生まれ、流行する。しかし、投機をしている連中が知っているのは、買った会社の証券コードだけで、会社名や業務内容などまったく理解していない

図5.4

タワー建設で見るピーク
18年間のニューヨーク摩天楼サイクル

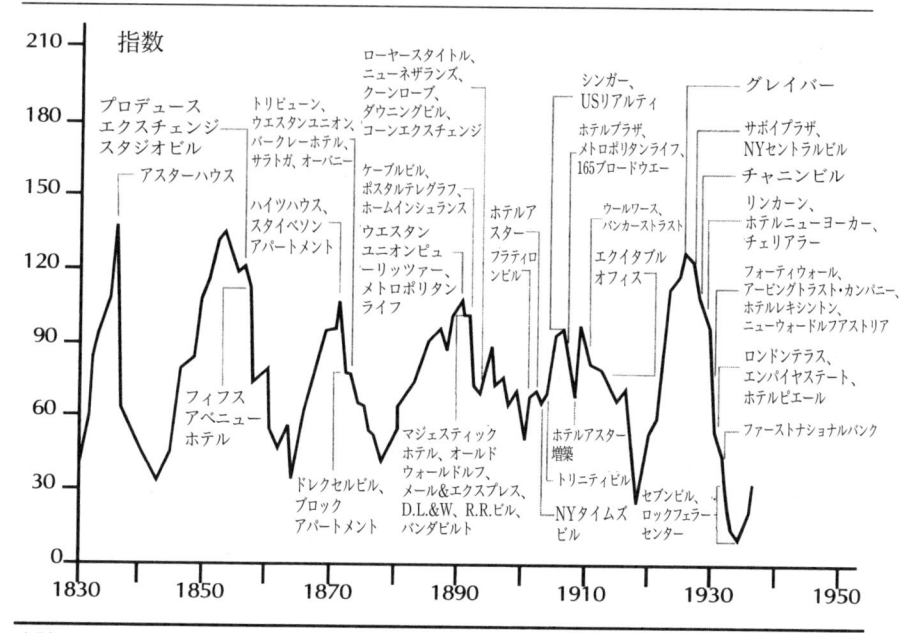

出所＝エドワード・デュウイー著『サイクルス―ザ・サイエンス・オブ・プレディクションズ（Cycles-The Science of Predictions）』、ニューヨーク、1947年

- 家庭の主婦も活発に株の売買を始め、その多くがパートをやめてマーケットに集中しようとする。美容師、売春婦、20歳代のポートフォリオマネジャー、裕福な家の子供などが、経験豊富なプロのマネーマネジャーを上回るパフォーマンスを上げてマスコミに登場し、なかには指南書を書く者まで現れる
- 企業幹部の買収意欲が高まり、多くの場合、新たな借金によって実行される
- 成功したビジネスマンや投機筋が外国投資やほかのセクターへ

の分散を進める。しかし、新しい投資先についての知識がないため割高で買うことになる（美術品、不動産、株、ゴルフ場会員権など）
- 外国資本の流入が非常に多くなり、記録的な数で開設された外国ブローカーの事務所によって今回のブームはだれもが知るところになる。新興市場のサイクルのなかで、ブローカーの調査レポートの比重も厚さも最高潮に達している

実例
- 1980年の産油地域
- 1973年、1980年、1997年の香港
- 1992～1994年のタイ
- 1980年と1981年のシンガポール
- 1989年の日本
- 1990年のインドネシア
- 1990年の台湾
- 1994年の南米
- 1999年と2000年のTMTセクター

ブームは、人々の壮大な妄想のうえにわき起こることが多い。1980年の投資家はまだフェーズ2が終わっておらず、インフレがさらに加速すると信じていた。そこで、1オンス850ドルの金や50ドルの銀を買い、石油価格は80ドルまで上がると信じてエネルギー関連銘柄の割合を大幅に増やした。1989年には日本の株式相場にマーケット動向は関係ないと本気で信じて、大した成長見通しもない会社の株に収益の100倍も支払った。また、日本は土地不足に苦しん

でいるため、不動産価格はどこまでも上がるという妄想にも取りつかれていた。1990年代初めのアジアは観光客が毎年30％ずつ増え続けるという考えの下、ホテルやゴルフコースが過剰に建設された。そして、1997年には香港系中国人が中国の開放政策によって香港がアジア（あるいは世界）のハブとして多大な恩恵を受けると本気で信じて、土地の競売にバカバカしいほどの高値を支払った。最近では、空想としか思えないような価格をハイテク、テレコム、インターネット、バイオテクノロジー銘柄に投じた投資家の例がある。

　しかし、幸福な時間や行きすぎた繁栄は、永遠には続かない。何か思ってもみなかったような出来事で宴は台無しになり、高騰しすぎた価格はそれ自体の重さに耐えかねて下がり始める。ただ、フェーズ3では最初の価格ショック（急激なことが多い）のあとでもマーケットでは楽観ムードが続くのが典型的な特徴になっている。そして、価格低下は買い得とみなされ、急落も長期上昇トレンド調整期にすぎないと誤解される。人々は、最後には儲かると思っているため、最初の下落によるキャピタルロスを心配することもない。この時点でトレンドが上昇から下降に変わったことを認識している人は、ほとんどおらず、まだフェーズ2だと信じて押し目買いを続ける投資家は、このとき以降、損失を膨らませていくことになる。

フェーズ4──ダウンサイクル疑惑

出来事
- 信用拡大のスピードが鈍る。ただし、金融当局が無責任にマニアやブームを長引かせようとしない場合に限る
- 企業収益の悪化
- いくつかの業界で過剰設備が問題になり始めるが、経済全般は

まだ好調を維持しているので減速も一時的なものだとみなされる
- 最初の急落のあと、フェーズ1と2で買いそびれた外国投資家が資金投入するのと金利低下が始まるのとで、株価は回復する
- 投資の世界ではいつも遅れてくる外国人投資家が、フェーズ4で株を買い増すのは珍しい現象ではない
- 投資家を引きつける何らかの「鍵」の存在によってマーケットは生き延びている。この鍵は例えば経済が成長を維持している、金利が急落している、企業が収益成長を維持している、あるいは単に財界人や役人が楽観的な見通しを持っていることなどが考えられる
- 新規発行が続いて需要が満たされているため、大部分の銘柄が高値を更新しない（売っているのは国内の事情通かキャッシュが必要な人）
- ただし、わずかな数の銘柄で構成されている株価指数が高値を更新する可能性はある（図5.2参照）。騰落指数や史上最高値を付けた銘柄数が新高値を裏付けているわけではないのである

兆候
- 金融圧力が高まり、多数の投機案件を抱えていた連中は売却を余儀なくされる。銀行は一部のセクターへの貸し出し基準を引き締めるが、不良債権が出始める
- コンドミニアムの価格が国内の購買力を超えたため、宣伝活動が外国人向けに切り替わる
- ビジネス街の地価や家賃が、多少または大幅に下がり始める
- 観光客の数が見通しを下回る。ホテルの空室率が上がり、割引

料金が設定される
- ブローカーは強気のレポートを作成し続け、株価の下落は一生に一度の大チャンスだと主張する
- 政治情勢や社会情勢が悪化する（クーデター、強力な反対派リーダーの出現、ストライキ、社会的不満、犯罪率の増加など）

実例
- 1980年代の南米
- 1994年以降のタイとマレーシア
- 1997年とそれ以降の香港の投資家
- 1930年代初め、1973年秋、2000年と2001年の米国投資家

　フェーズ4のリバウンド（図5.1参照）はかなり分かりにくい。経済はいまだ好調で、反発はかなりの慎重派までマーケットに引き寄せるほど力強い。しかし、フェーズ3の高値からの下落があまりにも大きいと、投資家はもうフェーズ6（最終的な安値）に達したと思ってしまうこともある。
　フェーズ4から5への移行はとても微妙で、フェーズ3と違ってパニック売りもない。価格はゆっくりと下がり始め、出来高も低いまま下降トレンドが長期間続く。

フェーズ5──認識

出来事
- 信用力が低下、債券の利ざやが拡大して倒産が増える
- 経済以上に社会と政治情勢の悪化が深刻になる。消費も大幅に鈍るか低下する（車、住宅、家電の売り上げが落ちる）

- 企業利益の崩壊
- 外国人投資家の撤退で株は長く厳しい下降トレンドに突入する
- 不動産価格が急落
- 「ビッグプレーヤー」の1社、または数社が倒産（多くはフェーズ3でマスコミをにぎわせた会社）
- 企業はキャッシュを必要としているため、投げ売り価格で新株を発行せざるを得ない。そのため株の供給が増えて株価はさらに低下する

兆候
- オフィスビルやホテルに空室が目立つ
- 工事が中断したり、未完成のまま放置された建設現場をあちらこちらで見かける
- 失業率が上昇し始める
- フェーズ2や3で見られた財政黒字が赤字に変わる
- 株式ブローカーが一時帰休や閉鎖に追い込まれる
- 調査レポートが薄くなる。フェーズ2や3ではプレミアムが付いていたカントリーファンドが、ディスカウントで売られるようになる
- 治安が悪化して観光地としての人気がなくなる

実例
- 1982年と1983年のシンガポール
- 1998年のインドネシア、マレーシア、タイ、フィリピン
- 2002年のアルゼンチン

フェーズ5は、フェーズ3と4の金融狂乱が終わったあとの二日酔いのようなものである。もともとブームが起こる主な理由は判断ミス（過剰な信用拡大の原因）であり、清算日になって突然計算が合わないことに気づいた投機家は、巨大利益の夢が崩れて現実に直面する。人々は酔いから覚め、ブームの間に株や不動産にかなり割高な金額を投じたことが分かると音を上げる。このフェーズまでは、下落は買いのチャンスとして利用されてきたが、フェーズ5の終わりから6の初めにかけては反発がマーケットから逃げ出すチャンスとして利用されるようになる。

フェーズ6──降伏と底

出来事
- 投資家は株をあきらめる。出来高はフェーズ3で付けたピーク時から大きく落ち込み、たいていは90％程度下がる
- 設備投資も急速に減る（悲観的な誤り）
- 金利がさらに下がり、サイクル中最低になる
- 外国投資家は新しい投資に関心を示さず、売り続ける
- 通貨が弱まったり切り下げられたりする

兆候
- マスコミに暗い見出しが並ぶようになる。外国のマスコミも、フェーズ6の国については悪いことばかり書き立てる
- 外国ブローカーも弱気になって、事務所を閉鎖し始める
- 株式ミューチュアルファンドの資産価値が、数年間続くと思われる資金流出とキャピタルロスによって約90％下がる
- 飛行機、ホテル、ナイトクラブに客がいない

- 出勤すると言って家を出たサラリーマンが、1日中公園で時間をつぶしている
- タクシー運転手や小売店主やナイトクラブのホステスが、株の投資で自分や自分の親戚がどれだけ損を出したかを話したがる

実例
- 1932年と1974年末の米国
- 1974年と2002年の香港
- 1997年以降のアジア
- 2002年の南米、特にアルゼンチン

フェーズ6はさまざまな点でフェーズ3と似ている。フェーズ2の終わりからフェーズ3にかけては楽観的で上昇気分が満ちている。しかし、フェーズ6では楽観的な誤りによるブームと欲望に満ちた空気が、恐慌が間違いなくやって来るという確信と恐れである悲観的な誤りに変わっている。ここで再度ピグーを引用しよう。

新しい誤りが生まれようとしている。それも小さい誤りではなく巨大なのが。産業ブームで興奮状態に陥った人は、その興奮が鎮まるより先に別の興奮に取りつかれてしまうことが多い。

フェーズ6では悲観的な誤りがビジネスを落ち込ませ、それが長引く不況をもたらす。ここでは「利益機会は期待したほど大きくなかった」あるいは「マーケットがこれ以上上がらない」ということにある時点で気づいた投機家たちの気分が「急変」し、パニック売りに走るということを理解する必要がある。ほんの2～3年前には

だれもがマニアに便乗しようとしていたのに、今はみんな逃げ出したがっている。しかし、株価はフェーズ6の時点ですでにかなりの安値圏にあることが多いことを指摘しておくべきだろう。つまり、状況が悪化しても株価はこれ以上下がらずに、新たな前進に備えた長期の底固めに入ることが多いのである。底固めの過程は、1980年代の南米のケースでは数年間におよんだ（図5.3参照）。

マーケットがフェーズ4かフェーズ6かを判断するとき、時間、心理、出来高などの要因が重要だと筆者は考えている。フェーズ4は、マーケットがピークを付けてから6〜18カ月あとに起こることが多いが、フェーズ6はそれよりずっとあとの4〜6年後、あるいはもっとかかることもある。人々の心理状態にもはっきりとした違いが表れる。フェーズ4では、だれもが楽観的で経済の見通しに自信を持っており、損することよりも次の上げがいつになるかを気にしている。しかし、フェーズ6では富の崩壊で悲観主義が蔓延して、投資家はもうマーケットの話など聞きたくないと思っている。加えてフェーズ4の出来高はフェーズ3よりわずかに少ない程度だったのが、フェーズ6になるとピーク時の90％も減少している場合が多い。こう考えると、今日の米国はフェーズ4か場合によってはフェーズ5に入っている可能性もあるが、大部分のアジア市場はすでにフェーズ6を終えてフェーズ0もしくは新しいサイクルのフェーズ1にすでに入っているのかもしれない。

フェーズを見極める

先に紹介したフェーズについては、ある程度柔軟に考えるようにここでもう一度念を押しておきたい。かつて新興市場でこのモデル

にぴったりと当てはまるサイクルを見つけたこともあるが、別のケースでは下降サイクル（フェーズ4と5）が凝縮されて急速に過ぎていった。実は後者はアジア危機のことで、このときの下降サイクルは1年以下という短いものだった。さらに、この危機の場合、現在フェーズ6が終わっているようにも見えるが、不透明なグローバル経済のなかでそれを断言するのは難しい。つまり、アジア市場はまだ次のブル相場に備えた底固めの時期に当たるフェーズ6にある可能性もないとは言えないのである。

　現在のフェーズを見極めるのに、GDP（図5.5参照）における時価総額の割合と回転率（図5.6）を見る方法もある。1992年の南米のようにGDPに占める時価総額の割合が低い市場は、その割合が極めて高い市場（図5.5の香港やマレーシア）よりもフェーズ0か1にある可能性は高くなる。また、回転率の高さはそのマーケットがフェーズ0ではなく、すでに3か4に入っていることを示唆している。

　新興市場のライフサイクルの限界については筆者も十分認識しているが、フェーズ3だけは素人でも簡単に見分けられることが多い。投資に関する大きな問題点のひとつは、株を買うことばかりに集中して売ることには十分な注意を払わない人が多いことだと筆者は考えている。投資家は安く買うために長い時間をかけて企業を分析して「バリュー」銘柄を探しても、その「バリュー」をいつ売るか、つまり資産のリスク・リワード比率が魅力を失うときがいつになるのかの分析にはほとんど時間をかけていない。もちろんフェーズ3は短期間で大きな利益を上げることができる時期だが、フェーズ2ならほとんどの銘柄が上がるのに対し、マーケットが息切れし始めるフェーズ3では上昇する銘柄が大幅に減ってリスクも高くなって

図5.5

低い時価総額比率は低フェーズ
DGP（1992年の予想GDP）に対する時価総額の割合（1992/12/30現在）

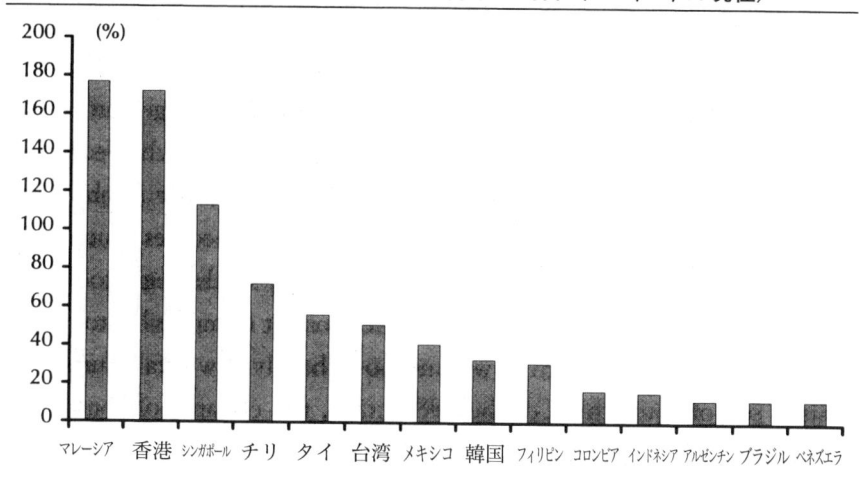

（棒グラフ：マレーシア、香港、シンガポール、チリ、タイ、台湾、メキシコ、韓国、フィリピン、コロンビア、インドネシア、アルゼンチン、ブラジル、ベネズエラ）

出所＝ベアリング証券、ウニバンコ、ベネコノミア、ラ・ノタ・エコノミカ、アルゴス

図5.6

高回転率は高フェーズ
1991年の平均時価総額に対する出来高の割合

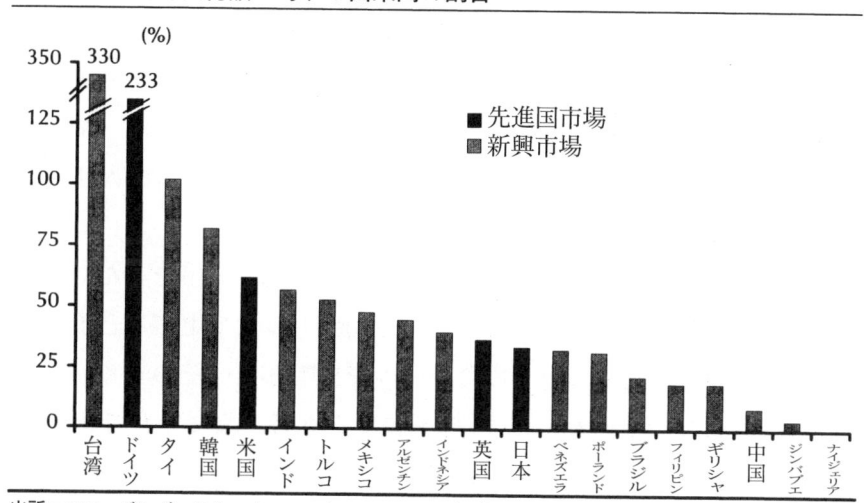

（棒グラフ：台湾330、ドイツ233、タイ、韓国、米国、インド、トルコ、メキシコ、アルゼンチン、インドネシア、英国、日本、ベネズエラ、ポーランド、ブラジル、フィリピン、ギリシャ、中国、ジンバブエ、ナイジェリア）

■先進国市場
■新興市場

出所＝エマージング・ストック・マーケッツ・ファクトブック

いる。つまり、多くの銘柄はマーケットが最後の高騰に至る前に下がり始めるのである！　また、マーケットがいつ反転して最初の下げ相場を迎え、どのくらい急激に下げるのかを予測するのは不可能だといえる（1987年の大暴落や1980年代初期の商品相場の崩壊、1997年と1998年のアジア株市場の崩壊、2000年以降のナスダックの崩壊を思い出してほしい）。

　これらの高リスク要因を考えると、一般投資家はフェーズ３のマーケットには手を出さないほうがよいだろう。また、このことは株の空売りと買いの両方に当てはまる。フェーズ３では躁状態のなかで一部の銘柄がほんの２～３カ月のうちに５～10倍に跳ね上がることがあり、空売りをしていると大金を搾り取られることになる（筆者も自らの経験から痛いほどよく分かる）。空売りをしていると、たとえブームが崩壊すれば95％下げたり倒産したりする会社であっても、マニアの最終段階では高い追証の支払いに応じなければならないからである。同様に、このような株を買った場合もバブルがいつ崩壊するかは分からないため、最初の下げは単なる利食いチャンスに見えてたいていの投資家はそのまま保有し続ける。そして、すでに下降トレンドが始まっていたことに気づくころにはマーケットは50％かそれ以上下げているのである。過剰な投機の波は、マクロ経済や社会の富に恩恵をもたらすどころか、市場参加者の大部分を打ちのめしてしまうのは間違いない。

　最近、あるスーパー・ブル派の有名人が書いた記事を読んだ。この人物は2000年にはダウが一気に３万6000ドルまで上がると予言し、いくつかの「素晴らしい」投資ルールを提唱した。そのうちのひとつは次のようなものだった。「株を買うときは、常にそれを永遠に保有するつもりで買う。もし売らなければキャピタルゲイン税を払

う必要もないし、いつ何を買っていつ売っていつ買い戻すかという3つの難しい決断のうち2つを省略できる」。

筆者はこのルールにはまったく反対で、株はその「本質的な」価値の数倍以上になったら売ることを想定して買うべきだと思っている。もちろん株の「本質的な」価値を知ることは不可能かもしくはかなり難しいということは認める。ただ、マーケットがフェーズ3に達して価格が垂直に上がり、投機の嵐が吹き荒れて先に挙げた兆候がすべて現れるとき、時価がその「本質的な」価値ではないことだけは断言できる。さらに言えば、これは「バカげた」価格であり、この状況は長くは続かない。

つまり新興市場の投資家にとって、その地域やセクターや企業がどれほど成長の可能性を秘めていたとしても、買いと売りのタイミングは極めて慎重に考慮しなければならない。新興市場がたどるさまざまなフェーズを定義するのはそのためである。本項と第4章が新興市場投資の落とし穴を明らかにし、市場がサイクルのどのフェーズにあるのかを見極める手助けになるだろう。

いつ飛び込むか、いつ飛び出すか

理想的な仕掛けと手仕舞いのポイントは、それぞれの投資家の戦略によってかなり違ってくるが、筆者自身はフェーズ0で買うようにしている。このフェーズには、価格がすでに下げきっているために大きな価格リスクがない。ただ、その代わりにマーケットの底固めの時期が上下しながらも数年間続くかもしれないというリスクはある。それでもフェーズ1が突然始まったときに、供給がほとんどない株価が一夜にして2倍やそれ以上に跳ね上がるメリットは大き

い。ここで強調したいのは、キャピタルゲインの割合としてフェーズ1と2は非常に有望だということで、この間銘柄によっては20～50倍にまで跳ね上がるチャンスもある。そこで筆者はたいていフェーズ2の間に売ってしまうようにしている。これには多少時尚早だという見方もあるが、一般投資家の無知と強欲、そして投機（もちろん借金が元手の）が価格を押し上げる力をいつも過少評価してしまう傾向がある以上、やむを得ない！

筆者は新興市場への投資には、数多くの落とし穴が待ち構えていると思っている。また、「ブルにとって高すぎる価格はない」という言葉があるように、金融市場は上方にも下方にも度を越えた動きを見せる。そのため、フェーズ3で付ける高値はそれから8～15年か、あるいはそれ以上たっても更新されない記録的な価格になることも多く、これはその間にフェーズ4と5の落ち込みから比較的早期に回復していた場合でも変わらない。例えば、米国のGNPは1938年までに1929年の数字を上回ったものの、株式市場が1929年の高値を超えるのには1955年までかかっている。

フェーズ3の新興市場を買うということは、特定の株や業種を人気が頂点に達したときに買うのと同じことである。1973年の「ニフティ・フィフティ」、1980年の石油株や南米株、1990年の日本株、1994年のアジア株を買った投資家はそれから何年もの間みじめなパフォーマンスに耐えなくてはならなかった（**訳注** ニフティ・フィフティは米国で1970年代に異常人気を集めて高騰した「素晴らしい50銘柄」）。1990年代のアジア市場や2000年のTMTセクターなどの最高値で買った銘柄も回復するのにいつまで待たなくてはいけないのかは分からないが、恐らくかなり長い時間になるだろう。いずれにしても、大きな価格スイングが起こる新興市場への投資に関して

はマーケットが現在、サイクルのどのフェーズにあるのかということを真剣に分析し、検討する必要がある。

1991年に筆者は新興市場を経済発展や繁栄の段階で分類して「富の泉」を描こうとしたことがある。このアイデアは、「お金は水と同様高いところから低いところに向かって流れる」という説を唱えたフランスの経済学者、リシャール・カンティヨン（1680〜1734）から来ている。この説を現在のグローバル経済に当てはめると、お金は高値圏の国（豊かな国）から安値圏の国（発展途上国、貧しい国）へ流れるということを意味しているのではないかと思えてきた。すると貧しい地域の経済活動が伸びて裕福な国の成長が平均以下になることで、1990年代にはアービトラージ効果が生まれることになる。だが、残念ながらこの考えは間違っていた。1990年代の裕福な西側工業国は競って前進し、新興経済は深刻な景気後退に直面したのである（ただし中国だけはまったくの例外）。

ただ、ある日突然、先頭とビリが入れ替わることもないとは言えず、富の泉の主旨は今もってある程度有効だと筆者は考えている。だから、底辺にある国の大半が明らかにフェーズ0に止まっているなか1990年代に中国とロシアが一気に飛躍して、今日ではベネズエラ、インドネシア、ペルー、インド、フィリピン、アルゼンチンよりも高いレベルにいることをうれしく思っている。さらに次の10年程度で恐らくベトナムが急速に泉の段階を駆け上がり、ミャンマー、北朝鮮、キューバ、モンゴルがそれに続く可能性もある。これらの国々が本当に必要としているのは、外国からの直接投資を引きつけ、より効率的な資本主義体制（「泥棒貴族」資本主義の反対）につなげていくための経済的および法的インフラであり、それがフェーズ1に移行するための起爆剤にもなる。

各国を経済や社会の発展段階で分類するのには、明らかにいくつもの問題がある。20年前に泉の一番下にいた中国、インド、ベトナム、旧ソ連が、今日では急速にその段階を駆け上っている。また、インドのようにさまざまな点でまだ後進的であってもITやジェネリック薬（特許切れのした医薬品）など、ひとつもしくはいくつかの先端産業を持っているような国もこの分類法をさらに複雑にしている。そこで、投資先は経済見通しが最も良い国や最も魅力的な株式市場がある国で探すのではなく、地域全体で最も期待できるセクターや企業を探すことを強く勧めたい。

＊　＊　＊

　本章では新興株式市場にサイクルが存在すること、株には常に買うべきときと売るべきときがあること、そしてバイ・アンド・ホールド戦略はほとんどの場合まったく不適当だということを強調してきた。しかし、まだ株式市場循環の原因については説明していない。そこで、まず株式市場サイクルや投資マニアと関連の深い景気循環について見ていくことにしよう。次章では経済とマーケットを動かす要因を理解するためのいくつかの理論を紹介していくことにする。

第6章

生きている景気循環
Business cycles – Alive and well!

◎景気循環は一世紀を優に超えて続いている。大きな経済変革があっても、社会改革があっても、工業、農業、銀行、労使などの問題があっても、国政が変わっても、変わることなく継続する。そしてその間、数えられないほど予想屋を困惑させ、「新しい時代の繁栄」に関する予言には常に矛盾し、繰り返し起こる不吉な「慢性的不況」をも克服してきた。
──アーサー・F・バーンズ（1904～1987）

　前回のブル相場では、一部の経済学者や多くのオピニオン・リーダーから従来の景気循環の存在自体を疑問視する声が上がった。FRB（連邦準備制度理事会）やそのほかの中央銀行がグローバル経済を「操縦」してインフレのない年率2～3％の緩やかな成長を軌道に乗せており、この「完璧な世界のシナリオ」の下、投資家はますます不況やベア相場が単なる過去の遺物だと思い込むようになったからである。しかし、これは単なる妄想にしかすぎない。景気循環論は過去だけでなく、現在の経済環境にも当てはまるのである。
　不思議なことに、1980年代の南米不況や1990年以降の日本の景気後退やアジア危機のあとでさえ、人々は景気変動が取り除かれたと思っている。それも無知な各国中央銀行のおかげで！　しかし、それが世の中というものだ。米国で記録的な長さにおよんだ景気拡大が終わったとき、学者たちの関心はもはや景気循環論にはなかった。この状態は1920年代の繁栄期のときも同じで、これについては何冊かの本も書かれている。景気循環論に関して大きな進展があったの

は1930年代の不況のさなかで、当然ながら百戦錬磨の投資家たちも大きな関心を寄せていた。現在と同じ状況である。

景気循環のあらまし

　景気循環の最初の記録は、旧約聖書に残っている。創世記第41章には、ヤコブの息子ヨセフがエジプトでファラオの夢の謎を解き、7年間の大豊作のあと7年間の大飢饉が来ることを教えたという話が書いているのである。つまり、古代から農業循環は紛れもない事実として存在していたということになる。実際、景気循環論も初期の段階では、天候が農業循環と経済循環に与える影響についての議論が中心になっている。19世紀イギリスを周期的に襲った恐慌（1825年、1837年、1847年、1857年、1866年）について研究していた経済学者のウィリアム・スタンレー・ジェボンズはその原因を太陽活動の周期だと確信していた。ジェボンズは19世紀に10年ごとに起こった恐慌は、天候の変化によるもの、ひいては宇宙の変化によるもので、その証拠として太陽の黒点、オーロラ、磁気の摂動などの周期を示した。

　カール・マルクスは『資本論』のなかで天候が文明に与える影響について書いている。マルクスはナイル川の水量の増減を予測する必要性がエジプトの天文学を発展させたことを見抜き、聖職者が農業の責任者として支配権を握っていたと書いている。さらに、この天候説を引き継いだエルスワース・ハンティントンは景気循環が人々の精神状態に影響されるもので、その精神状態は天候の影響を受ける健康に左右されると仮定した。また、ピグーも景況感の動きが産業の周期的な変動の主な要因になっており、天候の変化が景気

に与える影響を見過ごしてはならないと書いている（最近では占星術によるマーケット予測で人気を博したアーチ・クロフォードなどがいることも書き添えておこう）。

　もちろん現代の景気循環論において、天候仮説は無意味なものとして片づけられている。しかしこれは、今日の工業化、脱工業化時代においては妥当な判断かもしれないが、19世紀末までは農業が経済を左右する主要セクター（たいていの国では人口の約90％が従事していた）で、産業革命前の経済が天候に左右されやすい食糧生産に大きく依存していたことは紛れもない事実なのである。中国人も戦争と平和の循環を信じており、それぞれの段階を食料のある時期（平和）と食糧難の時期（戦争）としてみている。最近の経済書には、過少消費、過少貯蓄、過剰生産、農業的、心理的、過剰投資（資本効率は低い）、財政、移転、改革などに関するさまざまな景気循環論が載っている。このうちのいくつかは今日の経済トレンドを解明する助けになるかもしれない。

過少消費理論

　この理論の大半は、根拠のないものとして無視されてきたが、ジョン・A・ホブソン著『失業経済学』（同人社）は例外だった。ホブソンはこの本のなかで収入の格差が広がると、消費に対して生産量が大きくなりすぎる傾向があることに注目し、それがいずれ不況につながると書いている。貧富の格差が極めて大きくなると、低収入層は消費したいができない、高収入層は消費意欲がないという矛盾した状態を生むと考えたのである（ここでの過少消費は過少貯蓄、過少投資の意味も含んでいる）。この説を裏付けるためホブソンは

1910年の収入に対する貯蓄の割合を推定している（表6.1参照、ホブソンは貯蓄総額の4分の3は富裕層によるものだと想定した）。そして「収入が均衡に近づけば、貯蓄と消費の割合の差も縮まる」ため、過少消費、ひいては不況は避けられると考えたのだった。

ホブソンの説は1920～1930年にかけた米国の生産高、コスト、価格、賃金、利益の動きによって証明された。P・H・ダグラスも『コントローリング・デプレッションズ（Controlling Depressions）』のなかで、これを支持するかのように1922～1929年にかけて製造業について調べている。ダグラスによると、当時の1時間当たりの生産量は30％も増加したのに、労働者の1時間当たりの賃金上昇は約8％だったため、（生産量は37％増に対して）利益は84％増え、それが過度の生産設備拡大につながったという（しかしその反面、生産量と消費量の不均衡を生むことになった）。また、1922～1929年にかけて生産量の増加は37％だったが、都市部に住む低所得層の実質的な収入の増加は18～20％程度だった（農業労働者はそれよりずっと低い）。製造業の増産に占める給料や賃金の割合は1923年の53.4％から1929年の47.7％へと着実に減っていったことになる。このことと、この時期企業収益が83％上昇したことを考え合わせて、ダグラスは消費財供給の伸びを購買力が吸収しきれなかったことが1929年の崩壊につながったとしている。A・D・ゲイヤーも『マネタリー・ポリシー・アンド・エコノミック・スタビリゼーション（Monetary Policy and Economic Stabilisation）』のなかで同様の結論に達しており、不況の原因は製品を吸収できるだけの収入が最終消費者にないことだと書いている。また、耐久消費財産業の生産力拡大は、最終消費者の資金力をはるかに超えていたとも書いている。

表6.1
富が不況を生む
家計の消費パターン（1家庭当たり）

貯蓄額	平均収入	平均消費額
5000ポンド以上	12100ポンド	7600ポンド
700〜5000ポンド	1054ポンド	690ポンド
160〜700ポンド	357ポンド	329ポンド
52〜160ポンド	142ポンド	138ポンド
52ポンド以下	40ポンド	40ポンド

出所＝ジョン・A・ホブソン『失業経済学』（同人社、ロンドン、1931年）

過少消費論について述べる理由は2つある。この理論に批判的なハーバラーによると、同理論には次のような意味があるという。

……購買力が経済制度のなかである意味置き去りにされ、それは収入ではなく消費財市場の需要で表されるようになっていった。市場から消えたお金は貯蓄され、所得増加率が減速することを考えると、過少消費は言い換えればデフレなのである。デフレにはもちろんブームを崩壊させる力があり、不況の主な原因でもあるが、これは景気循環による金融拡大で回復することも可能である。
　　——ゴートフリード・ハーバラー『好況および不況の理論』（清和書店）

過少消費やデフレの語意や原因についての議論は経済学者たちにゆだねるとして、ここではグローバル経済がこれから何年間かのうちに直面する重要課題がデフレ拡大の可能性だということを理解しておけば十分だろう。実は経済環境に「デフレブーム」という特徴がある中国ではこれがすでに始まっていることを付け加えておきたい。ゲーリー・シリングなどの経済学者やロバート・プレクターなどの予想家は、デフレはすぐそこまで来ていると言っている。1990

図6.1

減速
グローバルGDPの実質成長率

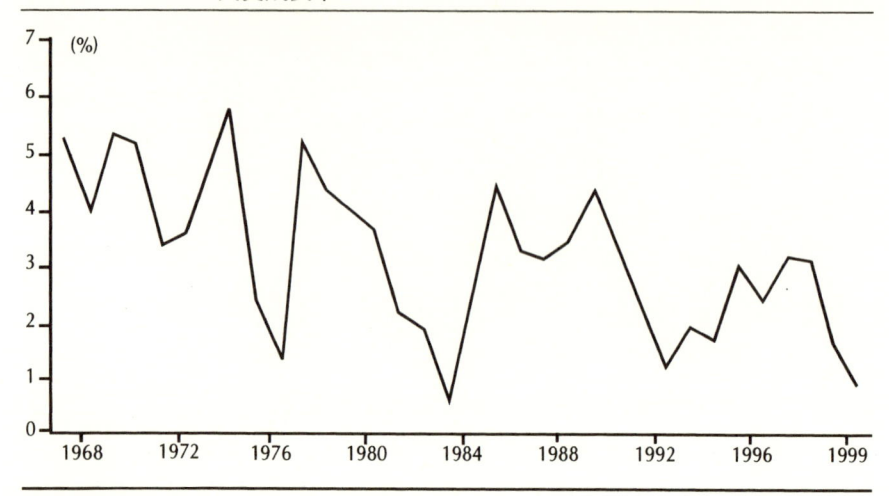

出所＝IMF

　年代の富の格差は米国だけでなく、裕福な先進工業国と新興地域の間でもはっきりしたものになっていった。西側諸国では、CEOの報酬がオプションと連動したり、株の保有が高所得層に集中したことで富裕層の収入が労働者のそれより速いペースで増えていった。しかしその間、1990年代の新興経済は急激な通貨の切り下げのため、2000年の一人当たりの収入は（ドルベースで）1990年を下回ってしまっていた（恐らく中国とベトナムは例外だと思うが、この地域の人口の約半分が住む地方では1990年代を通して一人当たりの収入がほとんど増加していないことや1994年に中国が55％の通貨切り下げを行ったことを考えれば、都市部のドルベースで見た賃金もさほど上がってはいないということを忘れないでほしい）。

富の不均衡は現代の中心的な問題のひとつだと筆者は考えている。世界には比較的人口の少ない裕福な国が少しと、膨大な人口を抱えた貧しい国が数多くあり、貧しい人々は消費したくてもそれができずにいる。このことは、1990年代が世界全体として見れば不本意な成長にとどまった要因のひとつであることは間違いない。図6.1を見ると、1990年代の経済成長率が鈍り、2001年には過去30年以上も付けたことがなかった最安値まで下げている（富の不均衡については「エピローグ」で再び取り上げることにする）。

　だが、広がる収入の格差だけが消費の伸びを鈍らせていたわけではない。先進工業国の多くが抱える大きな負債を抱えた家計（図6.2参照）と人口の高齢化が、今後西欧諸国や日本の需要拡大に歯止めをかけていくことになるだろう。

　経済成長の下、企業収入が増えれば設備投資も増え、雇用も賃金も上がって労働者の消費力も上がると考えることも可能ではある。しかし、過少消費論者はこれを否定する。企業収入が拡大すればまずフェーズ1への新しい投資が大幅に増えるため、資本財の建設が必要以上に進んで繁栄期を長引かせるが、生産設備が完成して消費財が産出されるようになると挫折に見舞われるのは避けられないというのである。

　シュンペーターもブームが終わるのは新しい生産過程が完成して増産された製品がマーケットにあふれ出すときだと考えていた（アルベール・アフタリオン著『レ・クリーズ・ペリオディック・デュ・シュールプロデュクシオン [Les crises périodiques du surproduction／過剰生産の周期的再発]』も参照）。別の言い方をすれば、利益が急増すると過剰投資が増え、それがやがてブームを終わらせることになり、その意味では過少消費理論は「金融緩和」は

図6.2
購買意欲
個人可処分所得に対する消費と住宅ローンの割合

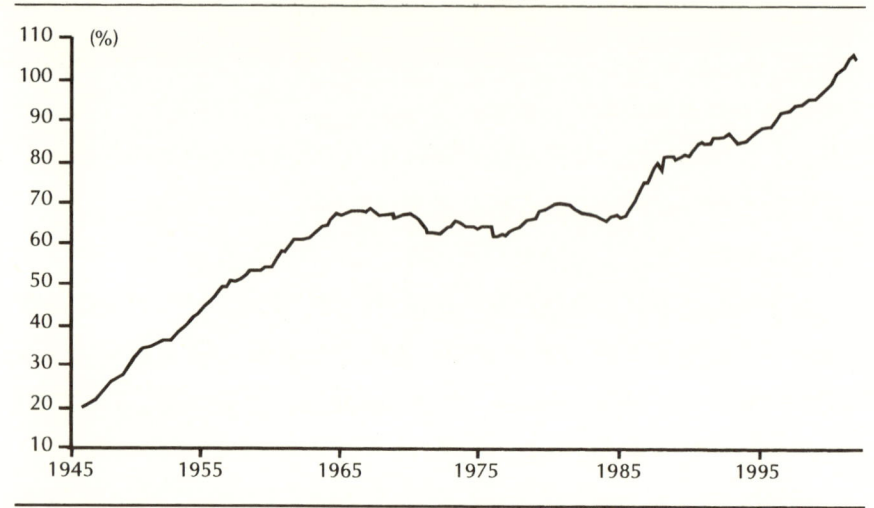

出所＝FRB資金循環口座、ブリッジウオーター・アソシエーツ

悪者だと決めつける過剰投資理論と多くの共通点があることになる（過剰投資理論では、賃金の遅れによる過剰利益が害になる唯一の理由は過剰投資につながる信用インフレの原因だからだとしている）。ただ、理論に関係なく最近は供給量に比べて需要が少ないことが崩壊の原因になっている。

　収入格差の拡大、消費者が抱える高額の負債、低貯蓄率、人口高齢化以外にも将来の先進工業国の消費の伸びについて悲観的になる理由がある。今日の設備投資のなかで大きな割合を占めるのが省力化を進めるための支出で、多くの場合これは賃金の伸びを抑えることになる。さらに、中国など製造費の安い外国での生産が拡大すると、米国や西ヨーロッパ（こちらのほうが深刻）の労働者の収入の

伸びはかなり控えめ、あるいは減ることも考えられる。先進工業国の消費需要の減少は、新しい生産設備が次々と移転されている新興地域の収入の倍増と相殺されるという説もある。

　もちろんこれは妥当な議論であり、筆者が次に述べようとしていることでもある。過少消費理論の探求を終わる前に1990年代の米国の賃金と利益のトレンドが、世界大恐慌直前と非常に似ていることを思い出してほしい。過少消費理論と過剰投資理論の両方にかかわる景気循環論関連の本にも、ブームが終わって縮小期に入ると消費財市場が供給過剰になり、設備投資は加速原理によって行き詰まるため、景気後退とデフレ（利益も含む）が同時に起こるということが書かれている。

心理的および金融的過剰投資理論

　フランスの経済学者イブ・ギーヨの『プリンシプルズ・オブ・ソーシャル・エコノミー（Principles of Social Economy）』（ロンドン、1884年）によると、心理的要因こそ景気変動の原動力であるが、彼の時代にはそれがまだ十分に考慮されていなかったため、商業危機について数多くの誤解を招くような説明がなされていると述べている。簡単に言えば、心理的景気循環論は、繁栄が広がり企業収益が伸びる時期には起業家が利益見通しを人より多めに見積もると言っているのである。第5章で述べたとおり、心理的景気循環論の主唱者ピグーは楽観的な誤りが起こると、売買を通して心理的にも金銭的にも密接なつながりを持つビジネスマンの間でそれが広がる傾向があると考えた。そしてその結果、ビジネス界では「一定の心理的依存」が生じたり「ビジネス界のあるグループが楽観的な誤りを

犯すと、それがほかのグループの誤りを正当化してしまう」と言っている。ピグーはこうも書いている。

　……大きな誤りが、特に新分野の企業で起こりやすいのは、その限界が投資家にも、判断力がある経験豊富な資本家にもはっきりとは分かっていないからである。（中略）新しい発見や新大陸の開発において、この誤りは大いに役立った。
　　——A・C・ピグー『インダストリアル・フラクチュエーションズ（Industrial Fluctuations）』

　ラビントンは自信と楽観主義でお互い影響し合うビジネスマンと、池の氷で滑るアイススケーターを比較して次のように書いている。

　自分の安全に関するスケーターの自信は、スケーターの数が増えるとなくなるどころか大きくなっていく。（中略）スケーターの数が多いほど安全だという無意味な自信が伝染して、人数が増えればリスクも大きくなるという合理的な判断はどこかに埋もれてしまう。（しかし）自然の法則によって氷にひびが入る音が響くと、自信は不安へと変わる。このときひとりひとりのスケーターの不安は小さくてもそれが次々と反響することで急速に強化され、累積されていく。そして、この流れを抑えるような出来事があると、逃げ出そうとする力によってパニックが起こるのである。
　　——F・ラビントン『ザ・トレード・サイクル（The Trade Cycle）』

　ほかの経済学者も投資してからその結果が出るまでの期間が長い

とき、あるいは投資の最終的な実用性や価値が不確定であるときに、間違いも多くなると主張している。製品の開発から完成までの「懐妊期間」について書いたのはシュンペーターだが、生産過程が長くなると需要の見積もりが狂いやすくなるだけでなく、ライバルの出現で生産者がマーケットにおける自分のシェアをそれぞれ見誤ることになる（今日、パソコンメーカーはどこも自社のシェアが増えると期待している）。

楽観的な誤りは、新しい概念やアイデアに関して特に起こりやすい。歴史上有名なブームとその破たん劇のなかには、新しい産業が拡大しすぎたり（運河、鉄道、超大型タンカー、ラジオ、自動車、パソコン、インターネットサイト、携帯電話など）、新しい領地の開発（サウス・シー、米国西部、19世紀後半の南米など）によって起こったものもある。第4章で19世紀の鉄道がもたらした熱狂とそれに続いた新しい領地の開拓、そして将来の利益に対して誤った予測を繰り返したことで生じた大きな損失について詳しく述べた。しかし、起業家は需要や期待利益を多く見積もるだけでなく、コスト（よくある楽観的な誤りのひとつ）や新規参入のライバルによる供給（ブームになると急増する）も低く見積もってしまう。

心理的景気循環論者は次のように主張する。景気が拡大したりブームが起こるとビジネスマンや投機家の期待が膨らむが、これには何の根拠もないため、いずれは失望する運命にある。そこで「楽観的な誤り」から来るブームと強欲ムードは自信喪失と恐怖に変わる（悲観的な誤り）というのである。

ほかの景気循環論者はフェーズの拡大や収縮において需要曲線を上昇期には右、下降期には左にシフトさせる心理的要素が重要だということは認めつつ、それが経済変動のすべての原因ではないと主

張する。金融過剰投資理論によれば景気拡大は必ず最初に過剰投資を招き、次にそれが崩壊するのだという。ウィルヘルム・レプケはこれについて次のように書いている。

　……ブームにつながる金融緩和は、金利が「低すぎる」ことから始まる。低すぎる金利によって全般的に投資が増え、それが漂流しながらも最終的には崩壊に至るブームというメカニズムにつながっていく。（中略）ブームのなかの金融緩和は低すぎる金利が経済を過度に拡大させるプロセスや、一般的に過剰投資が経済システムの均衡を崩すということを示している。このようなときは資金は貯蓄より投資に向かうが、そのもととなる信用は預金ではなく銀行システムから何の根拠もなくもたらされる。（中略）ブームの間の金融緩和が過剰投資につながることを証明すれば、信用創造が資本形成を促すことも同時に証明されるが、それによって生産が拡大されると危機と不況という手痛い反動が待っている。実はこの反動はさらなる信用を供給することで先送りすることができるが、遅れた分いずれ訪れる反動が悪化することは避けられない。つまり、「永遠のブーム」などあり得ないのである。
　　　——ウィルヘルム・レプケ『経済恐慌と景気変動』（実業の日本社）

　レプケの言う「低すぎる」金利とは、「自然金利」より低い水準ということで、クント・ウィクセル（『利子と物価』東洋経済新報社ほか）は、これを借入資本の需要と貯蓄の供給がちょうど同じになる金利水準と説明している。レプケはさらにこうも書いている。

……経済システムにおける均衡金利が上がったときに、銀行が金利を変更しない（あるいは十分長期間上げない）と、信用インフレが進むことが考えられる（この場合、均衡金利とは投資した資本に対するおよその利益見通しという言ってみれば架空の数字を指している）。ブームの間はたいていこのようなことが起こっている。また、ブームの初めにその経済システムの期待利益が上がっても、銀行が貸付金利を以前と同じ水準に保った（あるいは妥当な水準まで上げない）場合は、金利と資本に対する利益のギャップが広がることで信用の需要は当然高まることになる。

レプケはまた、ブームや不況を起こすのは資金量や信用量だけでなく、それらの資金の分配の質も不安定な状況を生む要因になると言っている。これについては1920年代末の米国のケースを例に、次のように書いている。

……史上最も厳しい恐慌を控えたこの時期、価格は全体として上昇するよりむしろ下げ気味になっていた。しかし、それでなぜインフレが起こったのだろう。（中略）技術の進展によってコストが下がり、経済システムにさらなる信用力が投入されなければ価格は低下するというほかに例を見ないタイプのインフレが起こったのである。しかし、ここでも信用が質的に不自然な分配のされ方をしたことが金融緩和インフレを招いたことは十分考えられる。このようなケースのひとつに分割払いの急増があり、これはFRBがヘロインを口から入る分だけでなく直腸から吸収される分まで管理しようとしているような印象を与えた。（中略）もうひとつのケースは、信用が過剰に供給されていた不動産市場だった。この最悪かつ最も目立

ったケースの実態は、惨事への牽引役である株式市場の投機だった。参考までに付け加えておくと、ブローカーのローン残高は1921〜1929年にかけて約900％増加している。（中略）これらのことから前回の米国のブームは、信用の流れを形成する質的な特徴が信用量の変動と均衡を大いに悪化させた可能性を示すぴったりの例といえるだろう。

　ここでもうひとつ指摘しておきたいことがある。金融過剰投資理論では、1980年代末の日本経済と日本株のブームをみんなが期待するようなソフトランディングで終わらせるのは不可能だったとしている。また、1990年代末のハイテクブームが永遠に続いて巨大な破たんは避けられるなどという説も問題外だと言っている。しかし、ここで知りたいのは、かつての日本や現在の米国がブームのあとに迎えようとしている不況の時期について、である。

　果たして不況やデフレトレンドは大型リフレによって調整されるのだろうか（**訳注**　リフレはデフレを脱したが、インフレには至らない状態。また、景気回復のため行われる通貨拡張政策）。レプケは次のように語っている。「ブームの時期の金融緩和は過剰投資を生むと同時に、信用創造に促された資本形成とそれによる生産拡大が危機と恐慌という手痛い反動につながるということも証明している」。この反動は、「さらなる信用の供給によって」先延ばしできるが、そうすることで最終的な反動も悪化する。つまり「永遠のブーム」などあり得ないのである（前出資料）。ハイエクは、当時進行中だった1933年の不況について次のような答えを提案している。

　現在進行しているデフレ過程が永遠に続けば、計り知れない損害

をもたらすことにもちろん疑いの余地はない。しかし、これは必ずしもデフレがわれわれの抱える苦悩の原因ということではないし、デフレ傾向を是正するため今できることとして経済システムにさらなる資金を強制的に循環させることでこれを克服できるということでもない。しかし、だからといって金融当局が故意にデフレを起こすことで金融危機を起こしたとか、デフレがブームに適応できず取り残された業界から生まれた二次的な現象だなどと仮定する理由はどこにもない。もしデフレが収益性の悪い業界の原因ではなく、むしろ結果なのだとしたらデフレ過程を逆転させれば持続的な繁栄を取り戻すことができるなどと期待するのはまったく無意味だということになる。デフレ政策とは裏腹に、中央銀行（特に米国の場合）は不況との戦いに備えて早期、かつ広範囲にわたる金融緩和策を試みてきた。しかしその結果、不況は長引き、それまでのどのケースより厳しいものになった。このような時期に必要なのはデフレ開始以前に収益性が落ち、借り入れに頼れば利益が出ない業界の生産構造や価格構造をひとつひとつ再調整していくことではないだろうか。しかし、実際には過去3年間にブームに適応できなかった部分の清算を進める代わりに、あらゆる手段を使って再調整を阻止する政策が取られてきた。そのひとつが意図的な金融拡大策で、不況のごく初期の段階からつい最近まで繰り返し実施され、いずれも失敗に終わっている。（中略）不況と戦うために金融緩和を強制するのは、悪を退治するのにそれをもたらした原因を用いるようなものである。誤った生産計画によって苦しんでいるのに、それをさらに狂わせても金融緩和が終わったときにはそれ以上に厳しい危機が待っているだけである。（中略）つまり、1927年にFRBがたどったのと同じ道を、規模を拡大して繰り返しているだけなのである。当時の政策は、

FRBの唯一かつ最高齢エコノミストだったA・C・ミラーの実験と呼ばれ、「FRB始まって以来の偉大かつ大胆な作戦」だが「過去75年間にFRBやそれ以外の銀行システムがもたらした最もコストのかかる過ち」という評価は正しいといえる。この実験がもたらした危機によって清算を食い止めようとする動きが生じ、不況の厳しさも長さもいっそう悪化した。過去6〜8年間、世界中の金融システムが安定化政策に従ってきたが、そろそろこの十分害をもたらした政策の影響を投げ捨ててもよいころではないか。
　——フリードリッヒ・ハイエク著『貨幣理論と景気循環』（春秋社）

　もちろん、1930年代の災難の前や最近の経済、金融トレンドがストを起こす前にはさまざまなことが平行して起こっている。2000年に入って経済成長が鈍り始めると、FRBは全力で「2003年か2004年に起こると考えられるさらに深刻な危機につながりかねない清算を阻止するための強制的な金融緩和」を画策した。
　ここでレプケの「低すぎる金利」が経済均衡を崩し、それが通常とは違う信用力の質的変化をさらに悪化させるという理論を思い出してほしい。1980年代もそうだが、1990年代は特に信用力が通常のGDPより速いペースで拡大した時期として知られている。図6.3からも分かるように、1950年代と1960年代は負債の増加が名目GDPとそれほど変わらなかったので、米国の金融市場全体の負債がGDPに占める割合である「負債／GDP比率」はほとんど変わっていない。しかし、1980年代に入ると負債の増加はGDP成長率をはるかに超え、この比率は史上最高になっている。
　実は1929年の負債／GDP比率は、今日よりずっと低かった。

図6.3

史上最高
米国の年間GDPに対する信用市場の負債の割合

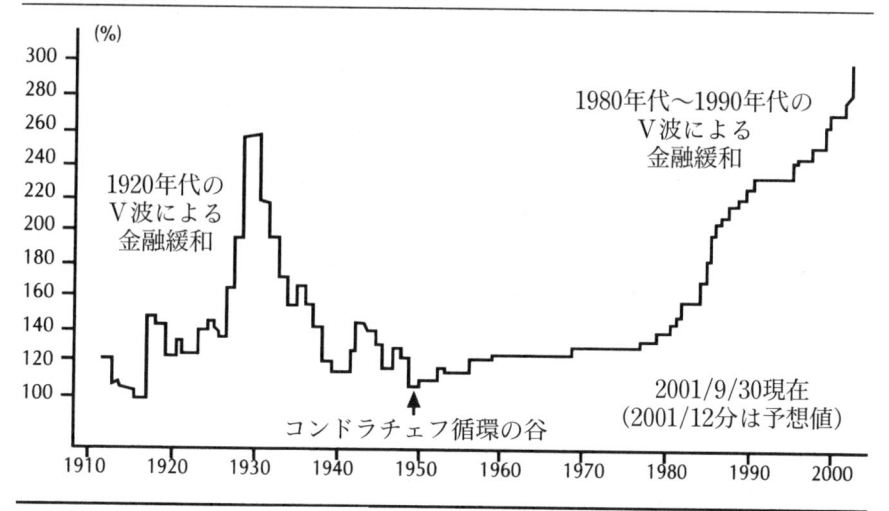

1920年代のV波による金融緩和

1980年代〜1990年代のV波による金融緩和

コンドラチェフ循環の谷

2001/9/30現在
（2001/12分は予想値）

出所＝「ザ・エリオット・ウェーブ・セオリスト」2002年2月号

1929年以降この比率が高騰したのは、負債額が変わらないなかGDPが崩壊したからだった。また、GDPが1790億ドル拡大した2001年には非金融負債が1兆1000億ドル、金融負債も9160億ドル増加した。言い換えれば2001年に負債はGDPの10倍の速さで増加したのである。

金融システムの質的破たん

ここまでが景気循環論の導入部分になるが、本章を終わる前にもうひとつ、レプケも懸念していた「資金の流れに関する質的分配」が今日の世界の安定をさらに危うくしているという説を取り上げた

い。前述のとおり1920年代末には不動産や株取引に関する分割ローンが異常に拡大した。ところが今日の米国（やそれ以外の先進工業国）では強力な金融拡大にもかかわらず、経済パフォーマンスはせいぜい貧血気味という程度なのである。1920年代と同様、資金の流れは生産的な投資から金融資産、財政支出（財政赤字対策）、分割ローンへとシフトしている。企業の吸収合併は1999〜2000年に最高件数を更新し、企業は自社株買いを進めているが、それさえ借りた資金が使われている。

　結果として信用「分配の質」は近年低下し、将来のある時点ですでに不安定な金融がさらに悪化するのは運命づけられていると言ってもよいだろう。

　1980年代、増え続ける財政赤字が負債を増加させていったが、1990年代は末期の財政黒字によって国債残高の増加が多少緩やかになっていった。しかしその反面、企業と家庭の負債は急増したのである。驚くべきことに史上最長の景気拡大が終わってみると、企業や家計の負債（信用度の低い顧客に高金利で貸し出すサブプライム融資）の質が比較的低かったため、国債に比べて社債の利回りがかなり高くなっていたのである。また、2002年の米国には格付けがトリプルAの企業がわずか8社しか残っていなかった（ゼネラル・エレクトリック、UPS、AIG、エクソン・モービル、ジョンソン＆ジョンソン、バークシャー・ハサウェイ、ファイザー、メルク）。ちなみにトリプルA企業の数は1990年には27社、1979年には58社もあった。2002年第1四半期は、史上最も社債のパフォーマンスが低かった時期のひとつにもなっている。47もの発行体が債務不履行に陥り、340億ドル相当が不良債権になったのである。

　J・R・ヒックスはこう指摘している。「本当に壊滅的な不況は、

実質的な促進を進めるための対策程度では起こらない。それが起こるのは、金融の不安定さが深刻なレベルまで進み、金融システムの腐敗が深く進行しているときなのである」(『ア・コントリビューション・トゥ・ザ・セオリー・オブ・ザ・トレード・サイクル／A Contribution to the Theory of the Trade Cycle』)。貨幣的過剰投資説では、過度の「金融緩和」は悪だと言っている。「ブームにおける金融緩和によって低すぎる金利が経済を過度に拡大させるとともに、過剰投資が経済システムの均衡を崩す」。ちなみに、市場金利が借入需要に当てられる貸付資本が貯蓄金額と同じ水準である「自然利子率」を下回るとき、金利は低すぎるという。そして現在、多くの国、特に大きな経常赤字を抱えた国がこの状態に陥っている。

　貨幣的過剰投資説でも、「信用分配の質」を強調している。つまり、1920年代と同様、この何年間かは不動産、分割ローン、財政赤字の穴埋め、金融市場などに過剰な信用が迂回して流入しているのである。

　心理的景気循環論では、人々の典型的な反応、主に起業家や預金者のそれに重点を置いている。これらの心理的要因は通常、貨幣やそれ以外の経済要因を補足したり強化したりするものであって、その代わりとなるものではない。最近では、予想や期待にかかわる心理的要素にさらに注目が集まっている。

結論

　景気循環論は非常に複雑な現象であり、ひとつの要因だけで説明できるものではないということをぜひ理解してほしい。そこで、多くの学者がさまざまな要因を組み合わせて（何を組み合わせるかは

人によって違うが)、それが周期的な繁栄と不況の繰り返しを生むのだと説明してきた。しかし、「経済変動が常に存在し、経済政策の失敗によって直接または金融当局を通じた政府の介入が経済変動を取り除くことは不可能だということは十分証明されている」点だけははっきりしている。これについては200年前に書かれたジョン・スチュアート・ミルの意見に賛成したい。

　……さらに進んだ社会では、その分野に強い関心を持つ個人にまかせれば、たいていは政府の介入を上回る対策や予防策を打ち出すことができるだろう。
　──『経済学原理』(春秋社)

　経済が常にトレンドを上回る成長とトレンドを下回る成長を繰り返していくことで、景気循環はこれからも生き続け、絶えることはないということを述べてきた。一時的な静止状態のあとに来る不況がどのくらい厳しいものになるかは、コンドラチェフの波(第7章参照)のどの段階にあるのかなど、いくつかの要因によって決まってくる。現在、もし実際に長期波動が上昇に転換していれば、一部のアナリストが言うように不況はすでに終わっていて、2003年や2004年には景気が上向くことが期待できることになる。しかしもし今、1920年代末と同様、シュンペーターの言うコンドラチェフの波の下降と9年周期のジュグラー循環の下降とキチンの在庫投資循環が同時に起こっている状態なのであれば、景気が落ち込んで長期にわたる深刻なデフレ不況が近い将来起こることが予想される。
　ここまで景気変動の原因とその周期に関するさまざまな説を紹介してきたが、循環の存在という点に関して景気循環論者の意見は一

致している。拡大と繁栄の時期のあとには必ず縮小と不況が続くということである。

　そこで次は景気の長期循環について、その存在と現在われわれがいる段階について解明していきたい。ただし、これはあくまで「解明する」のではなく「解明していきたい」ということに注意してほしい。景気循環は極めて複雑な現象ではあるが、長期循環の段階によって上昇や下降の意味が大きく違い、投資戦略にも重要な影響を及ぼすことになる。そこで、現在いる段階を理解することは、すべての投資家にとって最も重要なことだと筆者は考えている。

第7章

景気における長期波動
Long waves in economic conditions

◎われわれの分析によると、不況は自らの力でのみ健全な回復を達成できる。意図的な刺激策だけに頼って復活したとしても、不況が部分的に残りむしろ変化に適応できなった未消化部分を新たに発生させることになる。
──ジョセフ・A・シュンペーター（1883～1950）

　長期の景気循環は歴史全般を通して見ることができる。聖書にはヨベルという50年ごとに過去の負債が特赦される年について書かれている。また、中央アメリカのマヤ族は54年ごとに災難を振り払うための祭りを開催し、小麦価格の54年サイクルは13世紀までさかのぼることができる。そしてエドワード・デューイは1947年に発表した『サイクルズ──ザ・サイエンス・オブ・プレディクションズ (Cycles - The Science of Predictions)』のなかで1790年以降の米国卸売価格に見られる54年指標とその将来予想を紹介している（図7.1参照）。このなかで最も注目すべき点は、同書が出版された1947年にデューイが次の卸売価格の高値は1979年（次の安値は2006年）だと予想したことで、このあと市場を観測してきた多くの人たちが経済状況が54年のリズムを持っているというデューイの考えを支持するようになった。ただ、コンドラチェフ循環はこのグループとは別で、これよりずっと複雑なうえ、正確な予想も示していない。

図7.1
長期波動？
米国の平均卸売り価格　1780〜1947年

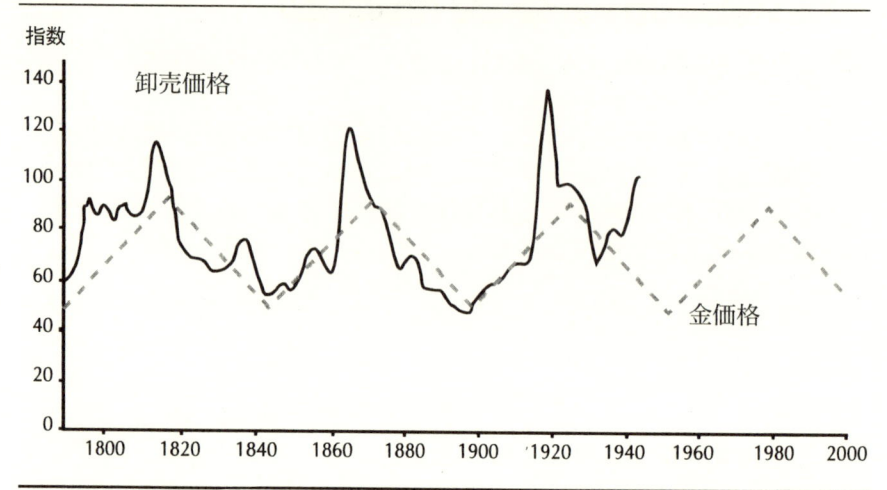

出所＝エドワード・R・デュウイー著『サイクルズ―ザ・サイエンス・オブ・プレディクションズ（Cycles-The Science of Predictions）』ニューヨーク、1947年

コンドラチェフの波

　1925年、当時あまり知られていなかったロシアの経済学者が「長期景気循環」という小論文を発表した。それには次のようなことが書かれていた。

　……反復する資本主義の危機をさらに研究するうちに、ひとつひとつの危機は大きな資本主義循環（上昇スイング、危機、不況で構成されている）の1フェーズであることが明らかになってきた。また、これらの危機を理解するためには循環のすべてのフェーズにつ

いて研究する必要があるということも分かってきた。(中略) 資本主義社会の力学について研究を進めるうちに、経済情勢の長期循環の存在を仮定しないかぎり説明のつかない現象にぶつかった……
　　──ニコライ・コンドラチェフ『ザ・ロング・ウエーブ・サイクル (The Long Wave Cycle)』

　ここでぜひ強調しておきたいのは、ほかの経済学者（特にシュンペーター）と違ってコンドラチェフの長期波動への関心は理論的なものではなく、経験的なものから来ていたということである。1925年の論文にも書いているとおり、コンドラチェフは長期波動についての理論を打ち立てようとしたのではなく、自らの経験に基づいてその存在を提示したかっただけだった。コンドラチェフは1790～1920年にかけての商品価格、金利、賃金、外国貿易、生産、石炭消費、個人貯蓄、金の生産、そして政治的な出来事を調べあげ、長期波動が48～60年の周期で変動しているという結論に至ったのである。
　経済学者のなかには経済活動における長期波動を認めない人たちもいるが、それでも世界が価格の上下サイクルとともに推移している事実は変わらない（図7.2は1200～1900年の西ヨーロッパの穀物価格で、13世紀に上昇、1500年ごろまでは下降、16世紀に再び上昇、1750年ごろまで下降、ナポレオン戦争まで上昇、1900年ごろまで下降という具合に上下している）。また、コンドラチェフ以外にも、アレキサンダー・ヘルファント・ハルブス、J・フォン・ゲルデレン、ジャン・レスキュール、アルベール・アフタリオン、アーサー・シュピートホフ、グスタフ・カッセル、サイモン・クズネッツ、クント・ウィクセル、ウィルヘルム・アベルなどの著名な経済学者も長期波動を観測していたため、シュンペーターもその存在を認め

図7.2

昔を振返ると
西ヨーロッパの穀物価格　1201〜1901年

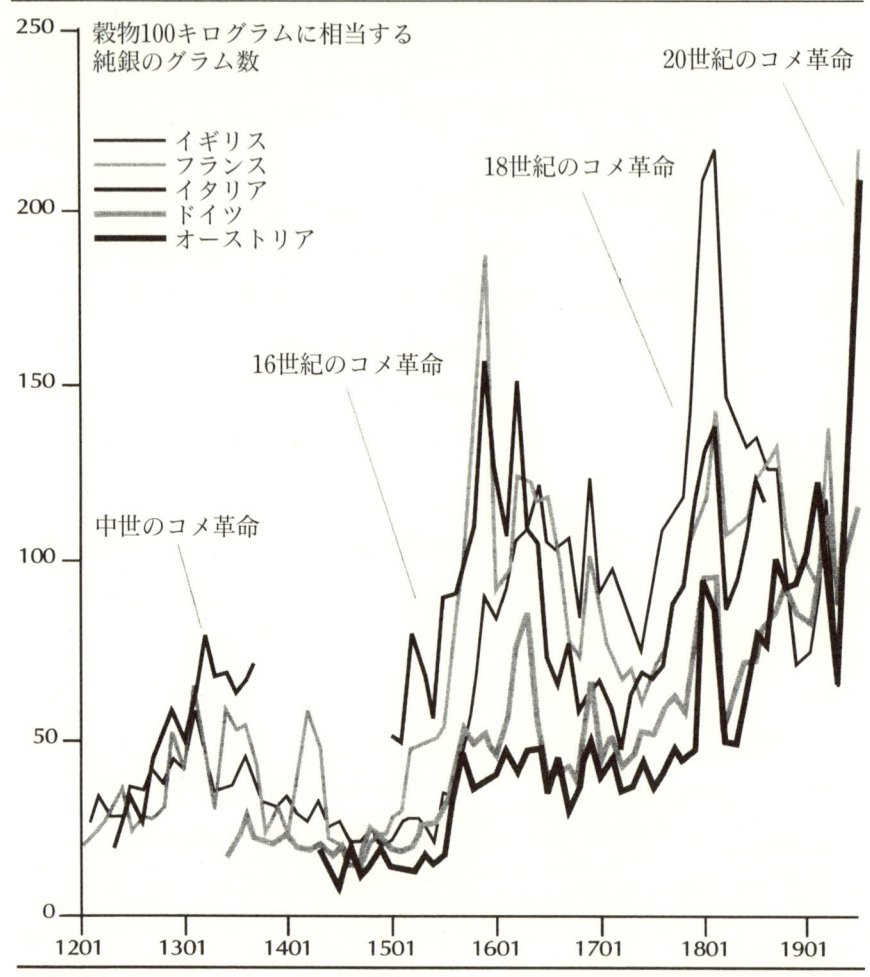

穀物100キログラムに相当する純銀のグラム数

― イギリス
― フランス
― イタリア
― ドイツ
― オーストリア

中世のコメ革命
16世紀のコメ革命
18世紀のコメ革命
20世紀のコメ革命

出所＝デビッド・ハケット・フィッシャー著『ザ・グレイト・ウエーブ（The Great Wave）』

るようになった。

　歴史上知りえるかぎりにおいて、産業という有機体のどの段階のどの出来事をとっても、それがどのようにして起こったのかを考えても、まず気づくのは通常「長期波動」と呼ばれている54〜60年の周期の存在である。これらのサイクルはシュピートホフをはじめとする学者たちによって認識されたり観測されてきたが、コンドラチェフによってさらに詳細に解明されたため、これをコンドラチェフ循環と呼ぶことにする。
　　　――ジョセフ・シュンペーター『ザ・アナリシス・オブ・エコノミック・チェンジ（The Analysis of Economic Change)』、The Review of Economic Statistics、Vol.17、No.4、1935年5月)

　シュンペーターはコンドラチェフの波をさらにいくつかの「9〜10年周期」の循環に分け、それに現代景気循環理論の父と呼ばれ、7〜11年周期を提唱したジュグラーの名をつけた。そして、このジュグラー循環をさらに3つに分けて、約40カ月の「キチン循環」とした（ジョセフ・キチンはビジネスマンで、1923年に1890〜1922年にかけたイギリスと米国のサイクルについての研究を発見した。この研究でキチンは40カ月周期の小循環と7〜11年周期の主要循環を区別して考えることや、トレンドは世界の資金供給の流れによって決まることなどを述べている)。
　コンドラチェフは長期にわたってトレンドやそれ以外のさまざまな価格や生産に関する数値を調べ、観測を行った。

図7.3
循環に乗って
商品価格指数　1780〜1920年

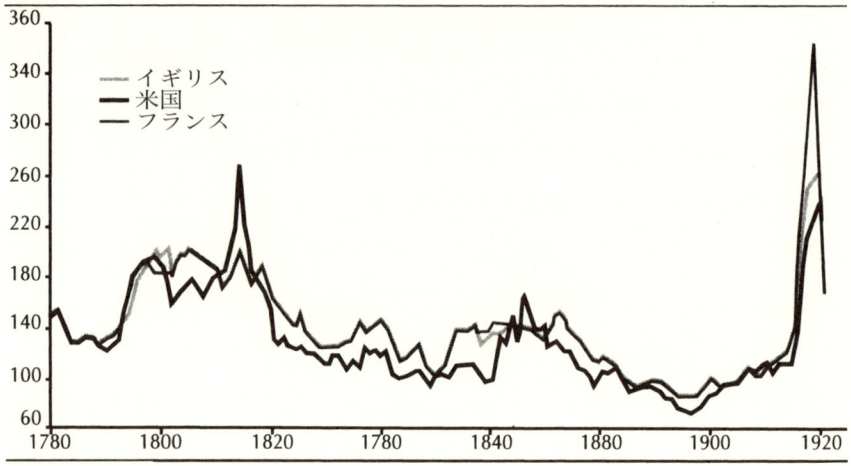

出所＝コンドラチェフ

商品トレンド

● 第一の上昇（図7.3参照）で商品価格は1789〜1814年の25年間上昇し、1814〜1849年の35年間下降した。第1の波（サイクル）は60年間続いた

● 商品価格の第2の波は1849〜1873年（24年間）上昇し、1873〜1896年（23年間）下降した。第2の波は47年間続いた

● 第3の波は1896〜1920年（24年間）上昇した。コンドラチェフは1920年から下降が始まったとしている（**訳注**　第3の波の終わりの時期については学者の間でも意見が分かれている）

図7.4
ピークを目指して
米国長期金利の歴史（％）

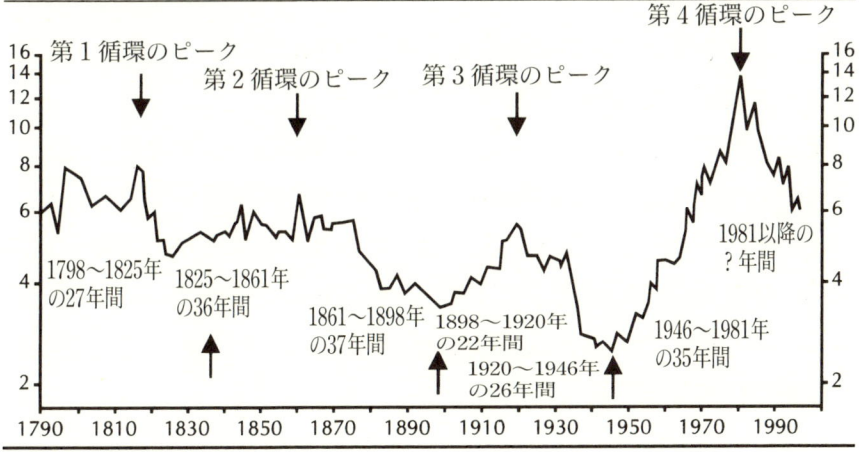

出所＝メリルリンチ

金利

　コンドラチェフはフランスの家賃やイギリスのコンソル公債（債券）の価格の動きも研究した。金利は1790〜1813年にかけて急上昇した（コンソル国債は1792年には90.04だったのが1813年には58.51に下がっている）あと1844年まで下降を続け、「金利の第1の波」が完成した。一方、債券価格の下降の波（言い換えれば金利上昇の波）の第2波は1840年代半ばから1870年代初めまで続き、その間、金利は1870年代半ばから再度下がり始め、1897年になると第3波の上昇に転じて、それが1921年まで続いた。「つまり金利変動の長期循環は非常に分かりやすい。また、このサイクルは同時期の商品価格の変動と一致している」といえる。1970年以降の米国金利につい

ても同じような動きを見ることができる（図7.4参照）。

賃金

コンドラチェフは1790年以降の賃金のトレンドについても観測し、ピークに達した1805～1817年が1812～1817年と重なっていることを発見した。賃金はピークに達すると上昇率が緩やかになり、それが賃金の第1の波である1840年代末から1850年代初めまで続いた。1840年代末になると賃金の上昇は再び加速し始めたが、1873～1876年になると今後は減速に転じて、それが1888～1895年の第2波の終わりまで続いた。そして次の加速期は、コンドラチェフによれば1920～1921年まで続いたということになっている。

石炭生産と消費

コンドラチェフはイギリスとフランスの石炭消費と価格循環についても詳しく調べている。消費は1840代に下降したあとは1870年代まで急上昇したが、1880年代に入ると上昇は緩やかになった。それに対して消費と生産は1890年代に上昇スイングが再開したため、コンドラチェフは石炭の消費率と生産率が長期波動の存在を裏付けるさらなる証拠になると考えた。

コンドラチェフはさらにフランスの鉱物エネルギーの消費量やイギリスの鉛、銑鉄の生産高、フランスの銀行預貸率（総貸出額÷総預金）なども分析して、次のような結論に達している。

長期循環が転換する正確な年を決めるのは不可能であるため、データを分析するなかから算出した5～7年間の誤差を考慮し、循環の範囲として最も可能性の高い時期を選んでいる。

表7.1

波動をとらえる
コンドラチェフ循環

第1循環	第2循環	第3循環
1．上昇波：1789年ごろから1810-17年まで	1．上昇波：1844年ごろから1870-75年まで	1．上昇波：1890-1896年から1914-20年
2．下降波：1810-17年から1844-51年まで	2．下降波：1870-75年から1890-96年まで	2．下降波と思われる波：1914-20年から
		（この研究は1920年代半ばに発表された）

出所＝ニコライ・コンドラチェフ著『ザ・ロング・ウェーブ・イン・エコノミック・ライフ』ロンドン、1925年

　コンドラチェフは次に長期循環に認められる4つのパターンを検証している。

　1．長期循環の上昇波の前か途中に社会経済状況の深刻な変化が起こる。これは大きな技術の変化（技術的な発見や発明による大きな進展など）、新しい国の世界経済への参入、金の生産や流通通貨の変化などによって明らかになる。

　2．長期循環の上昇波には最大数の社会的な激変（戦争や革命）が発生する。コンドラチェフはそれまでの定説だった戦争や革命が長期の経済的波動の原因になるという説を否定し、「戦争は経済のペースが加速して緊張が高まり、マーケットや素材に関する経済闘争が過熱するときに起こる可能性が高い、社会的なショックは新しい経済の力によるプレッシャーのもとで簡単に起こる」と主張した。

　3．長期循環の下降波は農業の長期大型不況と商品価格の下落を伴う。また1810～1817年に始まり1844～1849年に終わった波動や、1870～1875年に始まり1895～1898年に終わった波動で見られるように、波動の最中の農業関連価格の落ち込みは工業関連価格の下落よりも大きい（1930年代の厳しい農業不況がこの観測を裏付けている）。

表7.2

ブームと闇
長期波動パターン

期間	アップスイング年数	不況年数
1822-43年の長期循環の下降波	9	12
1843-74年の長期循環の上昇波	21	10
1874-95年の長期循環の下降波	6	15
1895-1912年の長期循環の上昇波	15	4

出所＝ニコライ・コンドラチェフ著『ザ・ロング・ウェーブ・イン・エコノミック・ライフ』ロンドン、1925年

4．長期循環の上昇波の間に起こる中間的な資本循環は不況の短さと上昇スイングの強さに特徴がある。長期波動の下降波の形状は、上昇波のちょうど反対になる。

（この4点については、のちほどさらに詳しく見ていく）。

先にシュンペーターが長期波動を中期のジュグラー循環（7～11年）と短期のキチン循環（40カ月）に細分化したことを紹介した。コンドラチェフも中間的なサイクルについては認識しており、上昇スイング中の不況は比較的短いことや、長期サイクルの下降期に起こる中間サイクルは特に長く厳しい不況を伴い、転換しても上昇は短くて弱いとしている。これを裏付けるため、コンドラチェフはシュピートホフのデータ（表7.2）のなかにある「下降波の途中では不況の年が多い反面、上昇波では上昇スイングが増える」という点を指摘している。

コンドラチェフの長期波動論はレーニンやレオン・トロツキーなどのボルシェビキ（ロシア社会民主労働党の多数派）に受け入れられるように、やはり長期波動について研究していたカール・カラツキー、J・フォン・ゲルデレン、サム・デ・ウォルフなどの社会主

義者と非常によく似た手法を用いていた。しかし、長期波動をめぐるトロツキーとコンドラチェフの有名な論争では、資本主義システムの安定について議論が集中し、トロツキーは「世界的な危機」が資本主義の存続を脅かすという見方を示したのに対し、コンドラチェフ（カラツキーも同じ立場）は危機も安定した資本主義の1フェーズにすぎないと主張した。コンドラチェフの理論では、1929年以降ますます厳しさを増す不況も、マルクス主義者が期待するような「資本主義最後の危機」ではないのだった。だが、この主張はジョセフ・スターリンの怒りをかって1930年にコンドラチェフは逮捕され、シベリアの収容所に送られ、そこで亡くなった。

長期波動の原因

　長期波動に関する分析が経験に基づくものだということを繰り返し強調してきたコンドラチェフは、最終的には長期波動の上昇波が「基本的な資本財の交代と拡大およびその社会の持つ生産力の根本的な再編と変化を伴う」という結論に達した。また、長期波動にコンドラチェフの名前をつけることで、その業績を復活させたシュンペーターは「改革」と「主要セクター」の概念に関する次のような長期波動の統一理論をまとめた。

　自然現象や追加的な経済活動は別として、もし人々が儲けることと貯蓄しかしなければ、世の中の様子はずいぶん違っていただろう。現在の発展はもちろん生産方法や商業に関する希望とたゆまない努力（生産技術の変化、新しい市場の開拓、新しい商品の投入など）の積み重ねによるものである。この歴史的かつ逆戻りはできない手

順の変化を「改革」と呼び、これを「生産機能をそれ以上のステップに細分化できない変化」と定義する。郵便車をどれほど連ねたとしても、鉄道の代わりにはならないのである。
　——ジョセフ・シュンペーター、1935年（前出資料）

　シュンペーターの教えは大きな改革と新「主要セクター」がそれまでの主要産業に代わって新たな上昇波を生むということで、コンドラチェフの上昇波はそれぞれが何らかの技術革新を伴っているということを指摘している。彼はまた、改革を資金的に補足するものとして「信用創造」も重視していた。ただ、金融市場の重要性は認めつつも、「それは資本主義という有機体の心臓ではあっても、頭脳になることはけっしてない」と言っている（『景気循環論』有斐閣）。シュンペーターもコンドラチェフと同様に1787〜1842年を資本主義時代における最初の長期循環だと考え、この時期に運河や道路や橋の建設、銀行の拡大などの新しい発明に工業が適応できるようになったと考えた（産業革命、図7.5参照）。また、第2のコンドラチェフの波（1842〜1897年）は蒸気（鉄道）や鉄鋼の時代と、第3の波（1898年〜）は電気、化学、モーターの時代とそれぞれ重なっているとしている（シュンペーターが1939年に『景気循環論』を出版したときにはまだ第3の波の終わりの年は定まっていなかった）。
　シュンペーターによると、改革は経済均衡を崩し、社会を「繁栄から逸脱」させたあとには「不況からの逸脱」が続くとしている（シュンペーターは全体を繁栄、景気後退、不況、復興の4つのフェーズに分けていた）。不況の逸脱が起こるのは、改革が（解体期間を経て）消費財の生産量を順当に増やすだけでなく、コストや価

図7.5
第5の波の到来
長期循環—コンドラチェフの波　1787-2058年

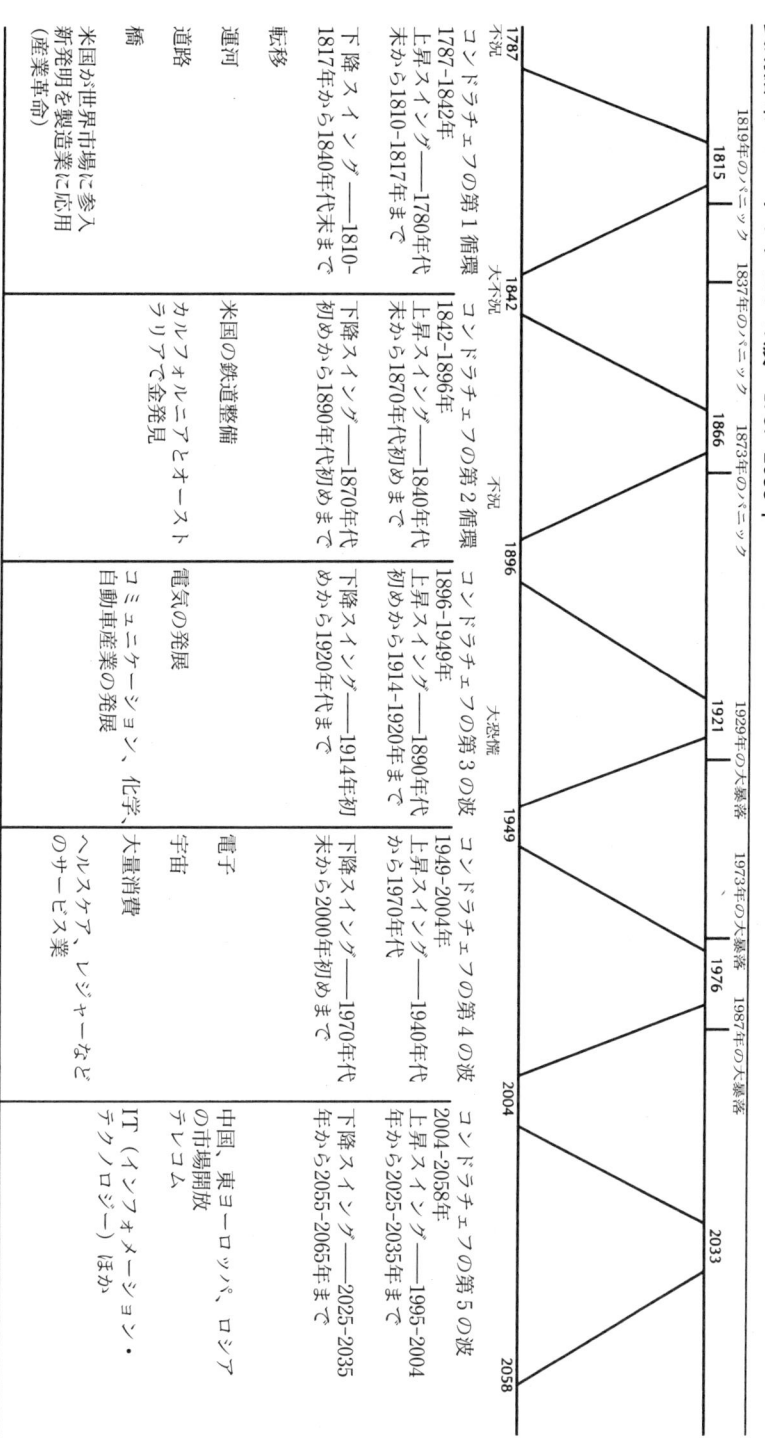

	1787	1842	1896	1949	2004	2058
	不況	大不況	不況	大恐慌		
	1815	1866	1921	1976	2033	
	1819年のパニック	1837年のパニック	1873年のパニック	1929年の大暴落	1973年の大暴落	1987年の大暴落

	コンドラチェフの第1循環	コンドラチェフの第2循環	コンドラチェフの第3の波	コンドラチェフの第4の波	コンドラチェフの第5の波
	1787-1842年	1842-1896年	1896-1949年	1949-2004年	2004-2058年
	上昇スイング—1780年代末から1810-1817年末まで	上昇スイング—1840年代末から1870年代初めまで	上昇スイング—1890年代初めから1914-1920年代まで	上昇スイング—1940年代から1970年代	上昇スイング—1995-2004年から2025-2035年まで
	下降スイング—1810-1817年から1840年代末まで	下降スイング—1870年代初めから1890年代初めまで	下降スイング—1914年初め末から1920年代まで	下降スイング—1970年代末から2000年代初めまで	下降スイング—2025-2035年から2055-2065年まで
転移					
運河		米国の鉄道整備	電気の発展	電子	中国、東ヨーロッパ、ロシアの市場開放
道路		カルフォルニアとオーストラリアで金発見	自動車産業の発展	宇宙	テレコム
橋			コミュニケーション、化学、	大量消費	IT（インフォメーション・テクノロジー）ほか
	米国が世界市場に参入			ヘルスケア、レジャーなどのサービス業	
	新発明を製造業に応用（産業革命）				

出所＝マーク・ファーバー・リミテッド

図7.6
破壊の波につかまる
シュンペーターの長期、中期、短期循環

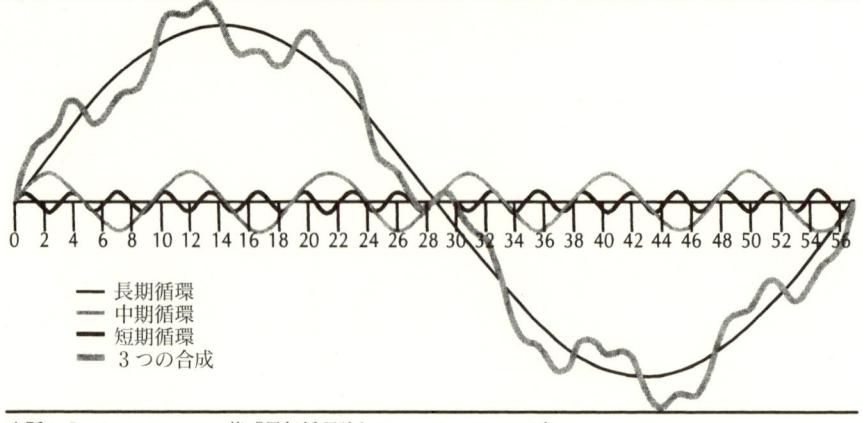

凡例：
― 長期循環
― 中期循環
― 短期循環
― ３つの合成

出所＝Ｊ・シュンペーター著『景気循環論』ニューヨーク、1939年

格の新たな水準や、革新者による新たな生産方法を強いるからである。革新者は古い生産方法を排除する強力なライバルで、力のないライバルからその市場を奪い、経済的に抹殺する。つまり、改革（と信用創造）がブームを起こし、それがやがて不況につながっていくのである。そして、不況からの逸脱は、苦痛を伴う改革への適応期間が終わるまで続く。しかし、この調整過程が終わると、社会は新たな均衡点を見つけ、経済は落ち着くのである。

　シュンペーターは、下落は均衡点より下で継続し、負債の構造が正常な状態に戻ったときに初めてまた均衡点に戻るとしている。これは循環の長さを計るときに、ピークから次のピークまで、あるいは谷から次の谷までではなく、均衡から次の均衡で計るべきだということを意味している。シュンペーターがコンドラチェフの波をジ

ュグラー循環とキチン循環に細分化したことは前述したが、さらにこの3つが同時に下降に転じたことで1930年代初めに大不況が起こったとしている（図7.6参照）。

意図的ではないが、アービング・フィッシャーも長期波動と景気循環の理解を進めるのに一役買っている。「景気循環」を俗説と呼んでいたフィッシャーだが、景気変動を海に揺られて横風にあおられる船の動きになぞらえた発想は面白い。

波打つ海に浮かぶ揺れ動く船のデッキに置いた揺り椅子を想像してほしい。この揺り椅子はさまざまな動きの影響を受けており、そのリズムは単純ではない。椅子の動きにはリズムが重なるときとまったくないときがあり、リズミカルなときもあればまったくリズムのないときもある。いずれにしてもこれを「揺り椅子循環」と呼ぶ者はいないだろう。

　　——アービング・フィッシャー『ブームズ・アンド・ディプレッションズ（Booms and Depressions）』

フィッシャーはのちに、経済は負債の増加と清算がもたらす意地の悪い拡大スパイラルと収縮スパイラルによって変動すると認めている（負債デフレ理論）。

大きな負債による負担は価格の下落でさらに大きくなり、結局デフレ過程を激化させる。するとそれが投げ売りにつながり、さらに価格が下がるというのである。また、「過剰負債」がブーム崩壊の原因になる場合もあり、その原因は新しい発明、産業、資源開発、土地、市場など、投資チャンスだと指摘している（フィッシャーの言う過剰負債とは「ほかの経済的な要因と比較して並外れて大きい

負債」を指している）。

　また、フィッシャーは「あぶく銭」が過剰借り入れの大きな原因だと考え、新発明や新発見（カリフォルニアの黄金）や新しいビジネス手法（有料高速道路、蒸気船、農耕具）など、投資家を「魅惑する」例を挙げている。そして「負債を増やし、借り入れ前より多い資金をつぎ込んだ投資家は、投資と浪費した分を投資リターンで返済するつもりでいる。このときの投資家の心理は、不幸な人間のそれではない。そのムードは恐れでも憂鬱でも警戒でもなく、熱意と希望にあふれている」（前出資料45ページ）とも書いている。この考えは心理的景気循環論に非常に近い。さらに1830年代初めの恐慌については、現代の投資マニアにも当てはまる観察をしたトーマス・トゥック（『物価史』東洋経済新報社ほか）を引用している。

　小さなリスクで大きな利益を得られる可能性があればそれは抵抗しがたい誘惑で、人間が持つギャンブル好きな性質によって常に行動に移される。だまされやすい人、無知な人、王子、貴族、政治家、愛国者、弁護士、医者、聖職者、哲学者、詩人、あらゆる階級や立場（未婚、既婚、未亡人）の女性などあらゆるタイプの人たちが、名前しか知らないような計画にこぞって資産の一部を投入して、それを危険にさらすのである。

　そのほかの不況の要因も認識しつつ、フィッシャーは過剰負債こそ1929年の崩壊の原因だとしている。

　ブームは信用通貨や負債や世界戦争から始まり、そのブームから不況が生まれる。また、戦争から生じるのは戦争負債だけでなく、

それに続く平和負債のほうがむしろ大きい。これ以外にもあらゆるたぐい（長期、短期、公共、民間）の国際債務があって米国のみならずあらゆる方面への支払いが生じる。実際、多くの米国人も外国に金で返済可能な短期債務を抱えている。また、どの債務にもそれに対応する信用がどこかから供与されており、世界中の負債はネットでは常にゼロになる。しかし、もしAがBに100万ドル借りてBがCに100万ドル借りるというように連鎖的に借りていって、それがどこかの時点でAに借りているZにつながるとすれば、Aが破産するとそれがB、Cへと続き、結局は全員が破産することになる。つまりネットではゼロの負債が将棋倒しのごとく2600万ドルもの破産につながるのである。
　——アービング・フィッシャー『インフレーション？（Inflation?）』

　フィッシャーは、1920年代の負債拡大を引き起こした主犯が、借金による株式投資、外国投資、そして投資銀行の強引なセールスマンだとも言っている。

　1921～1929年のブームに乗って、企業は社債ではなく株の発行によって資金調達を行うのが金融の新しいトレンドになっていた。この社債の割合を減らす方針にはあるメリットがあった。負債に縛られないため、不況にもかかわらず多くの企業が財務体質を弱めることなくこの時期を乗り切ることができたことである。しかし、企業の負担が軽くなった分以上に株主の負担は重くなった。これらの株を借金で買うということは、負債を企業として共同で負うかわりに個人で抱えることになったからである。（中略）株式投資が債券投

資より好まれる理由は、過去の債券からの収入がほぼすべてのケースにおいて普通株分散投資からの収益（あるいは想定利益）を下回っていたことがいくつかの研究で明らかになっているからである。このトレンドは、顧客の資金を早急に株に分散投資させることを目的とした投資信託の設立によってさらに強化された。投資信託はきのこのように突然現れ、すぐに人々を虜にしたが、その多くは借入資本で運営され、残ったのは怪しげな株券だけだった。（中略）このとき投資と投機に熱中していた米国人が国内市場に満足していたわけではけっしてない。ヨーロッパや南米などかつての米国のように意気揚々と再建の苦しみに立ち向かっている国々は資本を求めており、その多くを提供したのが米国人だった。資金は政府、地方自治体、民間企業などに投入された。イギリスのある議員によると、1931年までの60年間にイギリスの投資家はこのような貸し付けによって100億ドルの損失を出しているということだったが、大戦が終わると米国人投資家は十分な経験もないままこの分野に飛び込んで主導権を握ってしまった。結局、米国は外国にも不健全なブームを持ち込み、悪化させ、そのあとの落ち込みに自分たちばかりか近隣諸国まで巻き込んでいった。［ある情報筋によればフィッシャーは］米国の投資銀行こそ、この事態を招いた首謀者だと考えていた。（中略）彼らは債務者の支払い能力、外国の債務者からの返済、債務者の再編や合併などさまざまな懸念材料があることや、その時期に資金の大部分を調達している事実などを無視して、投資先に飢えた人々に新株を割り当てていった。また、それに対する政府の態度も「新株は儲かるのか？」という程度のものだった。

　　——アービング・フィッシャー著『ブームズ・アンド・ディプレッションズ（Booms and Depressions）』

フィッシャーは「米国が不況に突入したことを示す最初の鮮烈な証拠」を1929年のニューヨーク株式市場の暴落だったとして、その理由を次のように述べている。

……もし何らかの理由でみんなが一斉に清算に走ったら、信用通貨は消滅し、（デフレに陥り）価格水準が下がることで利益も低下する。そうなるとビジネスはさらに清算され、さらなる価格低下、利益低下、ビジネスの清算を繰り返しながらデフレに向かう。（中略）もし負債が大きくなると清算される企業が増えて負債がさらに大きくなるというパラドックスが起こる。（中略）未払い金は清算によって補塡されるよりもはるかに速いペースで増え、これこそ大不況の本質だといえる。（中略）事態は価格水準のデフレで悪化するが、そのデフレは清算によって引き起こされる。返済は「実質的な」負債に追いつかず、返しても返しても借りは増える。（中略）実質的な負債は1929年や1932年3月どころか歴史上のどの時期よりも重くなっていた。また、金利、家賃、税金も人々に重くのしかかると同時に、収入や財産は実質的に減っていた。
——アービング・フィッシャー著『インフレーション？(Inflation?)』

ここまで、フィッシャーの言葉を広範囲にわたって引用してきたのは、彼が偉大な経済学者だったということだけでなく、1920年のブームや世界大恐慌の時代に生きた人物ということで、その文書や公式声明には時代の感情が反映されているからである。1929年、フィッシャーは「株はそのまま上昇し続け米国は新たな繁栄の高原に達する」と宣言した。フィッシャーの株に対する考えは『アメリカ

株式恐慌と其後の発展』（同文館）を書いた1929年の大暴落のすぐあとも変わっていない。このなかには大暴落が「普通株に途方もない痛手を与えた」にもかかわらず、投資信託が普通株への投資をこれまでよりも安全なものにしたと書かれており、最後は「少なくとも直近の見通しは明るい」と結ばれている。

しかし、フィッシャーもそれ以外の人々も1933年（『インフレーション？（Inflation?）』）になると、過剰投資や負債の蓄積によって1920年代末ごろから金融市場が行きすぎの状態に陥っており、それが本格的なデフレ不況につながっていったことを認識するようになった。第5章でも述べたとおり、ベア相場や不況の初期には経済的なファンダメンタルも好調で、上向きムードが残っていることがここでもはっきりと分かる。

1920年代のFRBの政策に関するフィッシャーの考えは、元委員のポール・ウォーバーグの発言に対するコメントに表れているが、まずはその発言から見ていこう。ウォーバーグは「FRBが金融緩和政策で金利を下げる代わりに、米国の投資ブームを抑えるために金利を上げていればパニックは回避できたかもしれない」と指摘したり、金利改定の影響に関する次のような言葉を残している。

　もし大量の新発明が今の金利以上に儲かるチャンスにつながるのであれば、みんなそれに投資しようとするため負債が増える。このとき多くの投資家は株を買うのだが、このような時期にはコストに対して高リターンを提供すべく金利も高くなっている。しかし、投資の期待リターンと借り入れるための金利の間に大きなギャップがあれば、借金はどんどん増えていく。
　——アービング・フィッシャー著『アメリカ株式恐慌と其後の

発展』（同文館）に引用されているポール・ウォーバーグ著『ザ・セオリー・オブ・イントレスト（The Theory of Interest）』

フィッシャーは戦争のあと「金利は投機を促すため意図的に低く抑えられている」ため「2年前（1927年）に公定歩合を思い切って急上昇させたときにはビジネスにある程度打撃を与えたかもしれないが、代わりにその先の市場崩壊を阻止できた可能性はある」と書いている。

さらに付け加えるとすれば、1929年に安値を付けたあと株価は大きく反発したが（図7.7参照）、1930年4月以降は1932年6月までずるずると下げていった。このとき指標の多くが1929年11月13日に付けた安値からさらに80％も下げており、ピーク時には純資産価値を100％以上上回るプレミアムが付いていた投資信託のほとんどが破産したり、保有銘柄が99％も値下がりしていた。ところがこの株の大暴落が、財界人や政治家の楽観主義と自信の続くなかで起きていたということは驚くに値する。ハーバード・エコノミック・ソサエティも1929年にマイナス予想を出していたにもかかわらず、暴落直前にそれをプラスに変更し、明るい見通しは1930～1931年にかけても変わっていなかった（1930年1月18日には「不況の最も深刻なフェーズは終わったことを示す兆候」、1930年5月17日には「今月か来月には好転し、第3四半期には本格的な回復、年末には平均を大きく超えるだろう」、1930年11月15日には「今回の不況はそろそろ力尽きた」などとコメントしている）。1930年5月にはフーバー大統領が自信たっぷりに「最悪の時期は過ぎ」、秋までには通常レベルに戻るだろうと宣言していることからも、フィッシャーの1929年の楽観姿勢が当時のムードとかけ離れたものではなかったことが分

図7.7

上昇するのは…
ダウ工業株平均　1920-1935年

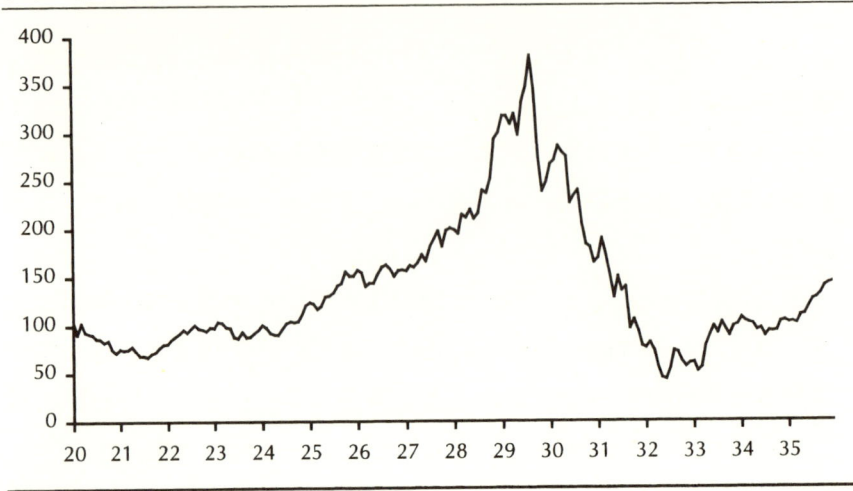

出所＝ロングターム・パースペクティブ

かる。そこで、このあとの不況と悲惨なベア相場が人々を大いに驚かせることになった。

　1920年代と1990年代には、注目すべき共通点が数多くある。企業合併熱、高レバレッジ、金融緩和政策、外国ファンドの存在、人員削減（かつてはフォード方式）、良好な労働条件、価格安定、商品相場の下落、ミューチュアルファンドや銀行の投資部門（かつては投資信託）、パソコン（かつてはラジオ）、ソフトウエア（かつては映画会社）、インターネット（かつては電力会社）、記録的な特許申請件数、株や投資を勧める本、楽観的な予想家、スター扱いされるウォール街の著名人、途切れることのない政治家や財界人の楽観的な発言、米国経済は回復しているという信念などほかにもいろいろ

ある（訳注　フォード方式は流れ作業を基本とする低コスト大量生産方式のこと）。

現在は長期循環のどのフェーズなのか？

　現在、われわれが景気循環のどこにいるのかを判断する前に、歴史、地理、進化論のデータに基づいた現在の位置を見ておこう。この地球が宇宙のどこに位置するのか、ほかにも文明が存在したのかなど、まだ分かっていないことは数多くある。言い換えれば「未知のもの」という観点から見ると、分かっていることは本当に少なく、これは経済についてもいえる。われわれの「経済的な位置」を1930年代の不況や1974年のベア相場の底、1980年の商品相場のピーク、2000年の米株式市場のピークと比較することはできるが、資本主義の歴史全体として見たときの現在の位置はよく分からないのである。

　果たしてわれわれは現在、資本主義発展の初期段階にいるのだろうか、それともラビ・バトラをはじめとする一部の経済学者が言うように資本主義時代は終わりかけているのだろうか（学会では真剣に取り上げられてはいないが、社会が労働者の時代、武人の時代、知識人の時代、富裕者の時代と推移していくというバトラの社会循環論は非常に興味深い。いずれにしても、バトラが1970年代末に発表した共産主義の崩壊はこの理論に基づいていた）。つまり、長期や中期サイクルのどこにいるのかということは、あくまで暫定的な観測にしかすぎないのである（図7.5参照）。

　これまで見てきたとおり、コンドラチェフやシュンペーターによると、コンドラチェフの第3の波は1914～1920年がピークになっている。そして、それに続く商品相場の下落、農業不況、金利低下と

大恐慌によって下降波動が1930年代末から1940年代初めまで続いたことが分かる。

商品相場は1930年代に、金利は1940年代半ばに底を脱したことから（図7.4参照）、コンドラチェフの第4の上昇波は1940年代のどこかで始まっていると考えるべきだろう。これは第3の波が1890年代半ばに始まって48～60年続いたことを考えると、終わるのは1943～1955年になることとも一致する。そしてコンドラチェフの第4の波の高原状態が1970～1980年に当たることも一人当たりの収入増加率を裏付けている（表7.3参照）。1950～1973年にかけてGDPは2.9％上昇したのに対し、1973～1995年は1.11％しか伸びなかったのである（この率はアジアや南米など新興市場の危機やそれ以外の地域の景気低迷によって最近さらに下がっている）。

ここで、一部の経済学者が過去2～3年でコンドラチェフの波はすでに上昇に転じたと主張していることも紹介しておかなければならない。MIT（マサチューセッツ工科大学）システム・ダイナミックス・グループのJ・フォレスターは、第4の波は1970年代がピークで1990年代半ばには「経済システムの不均衡を淘汰する」景気下降によって底を打ったとしている。「バンククレジット・アナリスト」（著名な調査リポート）の1995年6月号も「米国の景気は20世紀に入って三度目になる長期波動を展開している」とし、ロンバート・ストリート・リサーチのブライアン・リーディングも「1993～2013年にかけた世界的大ブーム」について語っている。

つまり、一部の経済学者が言うように、もしコンドラチェフの第4の波が1970年代にピークを迎えてそのあとの底もすでに終わっているのであれば、世界的な経済成長が始まるはずなのである。

しかし、コンドラチェフの波が上昇に転じたとする説にはいくつ

表7.3

成長率
資本主義時代の到来で平均化するGDP一人当たり年間複合成長率(%)

	1820-1950	1950-1973	1973-1995
西側諸国	1.27	3.64	1.8
西ヨーロッパ	1.06	3.89	1.72
北米	1.58	2.45	1.54
日本	0.81	8.01	2.53
それ以外	0.50	2.89	1.38
その他のヨーロッパ	1.06	3.82	(0.75)
南米	1.01	2.50	0.62
中国	(0.24)	2.87	5.37
その他のアジア	0.32	2.78	2.49
アフリカ	0.56	2.01	(0.32)
世界全体	0.88	2.90	1.11

出所＝A・マディソン『世界経済の成長史』(東洋経済新報社)、1995年

かの疑問点もある。ひとつはシュンペーターの「サイクルは均衡点より下（ここが重要）でも下がり続け、負債の構造が平常に戻ったとき初めて均衡点に戻る」という説である。現在、負債構造が平常だという者はいないだろう。実際、ほとんどの先進工業国では負債の増加率が経済成長を上回っており、米国経済も住宅と連鎖的な消費者金融の伸びに支えられているなど、むしろ日々悪化していると言ってよい。

　前述したとおり、1930年代の不況の要因のひとつは1920年代に世界経済の中心セクターだった農業を担う農民の購買力が落ちたことだったが、当時の米国における農業人口の割合こそ今日の世界経済における新興市場だった。先進国で製造された製品価格は下降気味だが、彼らがほかの先進国から輸入した製品価格は横ばいか上昇している。そして、その結果多くの発展途上国が貿易赤字を増やし、1997年のアジア危機やこれらの国々の一人当たりの収入の大幅な低

下をもたらした。筆者は、裕福な先進工業国と発展途上国の富の不均衡が現在の世界的な成長率低下を長引かせ、過少消費や過剰生産による経済の厳しい縮小を招いていると考えている（エピローグ参照）。1997年以降のアジアや最近の南米における一人当たりの収入の実質的な崩壊、構造的な高失業率が続くヨーロッパや不況の日本、そしてここ何年かの設備投資と経済成長を支えてきたハイテクセクターの世界的な崩壊を見るかぎり、とても上昇する第5の波に乗っているとは思えない。むしろシュンペーターの言う下降波か、よくても底に向かいつつある状態に近いように思える。

経済トレンド以外にも、世界経済が下降波に乗っていると考える理由はある。コンドラチェフが経験に基づいて発見した長期波動の4つのパターンを思い出してみよう。

1．長期波動の上昇波の前（あるいは始まってすぐ）には社会の経済状況に大きな変化が生じる。これらの変化は大きな発明、世界経済が新しい国との関係を築く、金の生産や流通通貨の変化などによって明らかになる。コンドラチェフによると、上昇の10年ほど前に技術革新の動きが活気づき、それが上昇期の初めに実用化されるという。下降波の時期に入ると景気の悪化を反映してコスト削減に関する研究が活発になるため、大きな発明や改革が行われる。企業にとってもこの時期はマーケットも価格力も停滞するため、コスト削減と効率化、あるいはライバルをなくすために大型合併や事業統合に関心が向く。逆に上昇波に乗ってビジネスに活気があるときというのは、当然ながら停滞期に比べてコストがさほど問題視されることはない。つまり、最近の記録的な吸収合併件数は下降波がまだ終わっていないということを意味しているとも考えられるのである。

同様に、多くの経済学者やストラテジストが共産主義崩壊以降、

グローバル経済に新しい国や地域が参入してきたことで第5の波が始まるのではないかと指摘している。しかし、資本主義体制下で先進工業国が新たな市場を強く求めている時期にこそ、新しい地域は開拓される。19世紀には安い原材料を求めて次々と新しい地域が開発され、最近では安い労働力と未開拓のマーケットを求めてさまざまな国との新しい関係が広がっている。まだはっきりとしたパターンを見つけるには至っていないが、先進工業国が新たな市場の開拓に特に熱心になるのは余剰設備で過剰生産した製品を抱えて新しい市場を必要としているとき、つまり自国のマーケットは停滞して下降波に向かっている時期なのではないだろうか。

そう考えると1990年代にグローバル化が加速したのは、単なる一時的な動きではないことになる。裕福な西側諸国は自国の消費財市場が飽和状態に達して低迷していたため、余った製品を発展途上国に売り込むべくWTO（世界貿易機関）を通じて新興市場の輸入税を撤廃させるよう圧力をかけた。つまり、新しい国を開拓することで上昇波が始まるわけではないが（最近のような米国保護貿易主義的な対策が採られないかぎり）、グローバル貿易が活発化することは下降波が何年か先に迎える底入れの時期に影響を与える可能性はある。

　2．コンドラチェフは2つ目の経験的観測として、下降期に比べて上昇期は社会的に大きな出来事、あるいは根本的な変動（戦争、革命など）が頻繁に起こると言っている。世界経済に参入した新たな国々が先進国の資金によって拡大してくると、政治的および経済的主導権をめぐって国際的な政治関係が悪化し、軍事衝突も増えていく。同時に新たな生産力が急拡大することで台頭する社会階級と、廃れて進歩や発展の障害になる社会経済機関との間にも軋轢が生じ

てくる。

その意味ではフランス革命、ナポレオン戦争、1948年のヨーロッパ革命、クリミア戦争、米国の南北戦争、普仏戦争、1904年の日露戦争、第一次世界大戦、ロシアの2月革命がすべて長期循環の上昇波の期間中に起こっていることは非常に興味深い。ただし、例外は第二次世界大戦で、これは第3循環の下降期最後から第4の波の初めにかけて起こっている。それでも第4の波の上昇期には植民地の独立運動（1838～1849年ごろから1973～1980年ごろまで）、朝鮮戦争、ベトナム戦争、そして上昇波後期には1978年に中国の開放政策発表によって共産主義崩壊の最初の兆候が現れた。

しかし、1980年になると下降波が始まったため、目先の問題（中東やユーゴスラビアなど世界経済にはさほど影響を与えない件）にしか対処できなくなった。次のミレニアムの初めごろに下降波が底入れするか長期波動が上昇に転じるとき、最近のテロとの戦いが社会や国際間の緊張の高まりにつながっていくのかどうかは分からない。しかし、中国の経済力と政治力の強さやプーチン大統領によるロシアの復興の意義を考えると、世界の地理的および政治的緊張が高まっていくのは間違いないだろう。

3．コンドラチェフの3つ目の経験則は、下降波が常に長期で深刻な農業不況を伴うということである。特に前述のとおり農産品のほうが工業製品より値下がりが大きいため、転換点直後（下降波が始まってすぐ）、つまり下降波の第1段階で最も苦しいのは農業セクターということになる。

しかし、農産品価格の下落は、銀行、工業、貿易にとっては好環境になることを覚えておいてほしい。また、農産品価格の下落は金利低下にもつながる。1920年代や1980年代のように下降波の最初の

段階で金融市場ブームが起こるのは珍しいことではないのである。

　4．コンドラチェフの4つ目の経験則は、経済、社会、政治におけるトレンドの歴史を分析することによって景気循環論の発展に多大な貢献をしたアーサー・シュピートホフの研究に基づいた中期循環（7～12年周期のジュグラー循環）が上昇波、下降波の両方で起こるという観測である。しかし、上昇波のなかで中期循環の下降がもたらす不況はまれなうえ、あっても短くて景気に大きな影響を与えるようなものではない。その反面、下降波のなかの中期循環は特に長く深刻な不況で、反転しても短く弱いのが特徴になっている。そしてこのことからシュンペーターは前述の1930年代の不況が長期波動の下降波にジュグラー循環とキチン循環が重なったためだという説を考えたのである。

　さらに、第4の波（1938～1949年ごろから1973～1980年ごろまで）の上昇波を見ると、不況が比較的短くまれであることが分かる。実際、最初の深刻な不況は1973～1974年に起こっており、そのあと下降波の動きとともに厳しい不況と弱い反発が繰り返されていった。1981年以降は1980年代後半まで続いた南米の不況（実際には高インフレと不況の組み合わせ）、1982年の深刻なグローバル不況、1990年以降に始まって現在も続いている日本経済の低迷、共産主義政権後の東ヨーロッパとロシアの経済破たん、1991年の不況以降伸び悩むヨーロッパ、そして最近ではアジアの極めて深刻な景気低迷と2001年に記録した過去30年間で最も低い世界経済成長率と続いている。

　これらの要素に、商品相場や金利の下降トレンドと実質賃金の伸びが1980年代初め以降低迷していることを考え合わせると、長期波動はいまだ下降しているといえるが、下降波が工業社会や脱工業化

社会に与えるマイナスの影響はかつての農業社会とは違う。つまり、長期循環が続いても、かつてのように農産品相場の変動が上昇波や下降波における景気状況を知る手掛かりにはならないのである。いずれにしても、コンドラチェフの研究は農業生産が中心で地方の人口が都市部を上回っていた19世紀の経済統計をもとにしたものであり、彼自身、新しいサイクルは新しい歴史と発展や生産力の新しい水準のうえに成り立っているため、前サイクルの繰り返しにはなり得ないと書いている。

そこで、資本主義社会の力学を分析するときには、20世紀後半に起こった変化を考慮して調整していくことが必要になってくる。19世紀には小麦、トウモロコシ、綿が最も重要な商品だったが、現在の工業社会における原油のほうが価値としても、コスト要因としても、地政学的に見たとしてもはるかに重要な地位を占めている。賃金にしても19世紀には農業製品の価格がそのまま反映される場合が多く、農業が栄えれば農業賃金が上がり、農産物の価格が下がればその逆になっていた。しかし、今日の工業社会に農業セクターの雇用状況を当てはめることはできず、農産物の多くが下がって農業セクターに不況が起こったとしてもそれが経済全体の実質賃金の増加率に影響を及ぼすわけではない。しかし、偶然かどうか分からないが、1970年代以降の世界の一人当たりの収入の増加は、1950～1970年にかけた資本主義の黄金時代を下回っている（表7.3参照）。

経済活動に与える下降波の影響を減らすもうひとつの要因に、工業社会に伴う移転支出や赤字財政を含む財政支出の重要性が増したことが挙げられる。慣性と硬直性によって政府の関与が増えることが下降波を長引かせたり激化させたりするのかどうかには議論の余地がある。しかし、自由市場の経済学者は、政府の介入が経済の法

則によってできた流れをせき止め、景気循環の変動にも影響を及ぼすと主張している。1990年代のヨーロッパは経済に対する財政赤字の割合が特に大きく、高失業率が続いていた。日本の場合も政府の経済政策が不景気を長引かせていることに疑問の余地はなく、1990年代に実施された巨額の財政赤字に対する政策がなければ現状はもっとましだったはずである。また、もし公共セクターが下降波の安定剤になり得るという説が本当ならば、上昇波では経済活動の緊張を和らげることもできるはずである。

　最後に、可能性は低いが金融市場が長期循環をかなり陳腐化させてしまったということも考えられる。ただ、主要株式市場ブームがすべて下降波の間に発生していることは興味深い事実であり、もちろん偶然ではない。1834〜1837年の運河株や銀行株ブーム、1868〜1873年の鉄道株ブーム、1921〜1929年や1982〜2000年のブル相場はすべて下降波の間に起こっており、そう考えると最近の株式ブームも多少長くて強力だったこと以外は特に珍しくない。コンドラチェフによると工業製品価格に対する農産品価格の値下がりは、下降波の間に起こるという。農産品やほかの原料（特に石油）価格の下落と金利低下の恩恵に実質賃金の伸び率低迷が加わって、企業利益は最初のうち急増する。さらに、商品相場も下がって金利も下降すると債券や株には好環境になる。そこで、これまで下降波の最初のフェーズでは金利低下と企業増益も加わって株式市場が力強く上昇することが多かった。また、繰り返しになるが、上昇波のベア相場は短く、経済に与える影響も少ないことが多い反面、下降波のそれはずっと厳しく経済に与える影響も大きい。1873年と1929〜1932年の大暴落や1989年以降の日本、そして最近のアジアがその好例といえる。そうなるとわれわれが今、コンドラチェフの下降波にいるのか、

それともすでに上昇波に入っているのかは最も最近のグローバルなベア相場が経済にどのくらい悪影響を与えたかによって判断できるのかもしれない。

上昇シナリオのもうひとつの反論は投機サイクルに関するもので、過剰投機やバブル（不動産、商品、チューリップ、運河、鉄道、株など）はすべて景気循環のピーク（底ではない）と重なっていることである。景気循環のピークが近づくと、投機先が素早く別のマーケット（不動産、収集品、日本株、新興市場、円、米国株など）に移り、その動きは世界中に広がる。長期波動の底では反対に投資家やビジネスマンはリスクを嫌ってピグーの言う「悲観的な誤り」を犯す。つまり、世界中を巻き込んだTMTセクターや史上最高の出来高、あらゆるたぐいの金融商品やレバレッジの拡大、リスク回避、一般投資家、新規公開株の初日の高騰などはコンドラチェフの言う経済活動の底というよりも、行きすぎた投機の兆候と言ったほうがよいのである。

長期波動理論にはもうひとつ注目点がある。コンドラチェフは当時、経済における役割が現在よりもずっと大きかった商品市場の動きをもとに分析を行っていた。19世紀後半の工業発展にもかかわらず、1900年当時の農業は雇用の40%を占め、製造業よりもはるかに多い労働者を抱えていた。しかし今日、西側先進国で農業が占める雇用の割合はわずか3%にすぎず、逆にサービスセクターや公務員は80%を超えている。つまり、以前は商品相場、特に農産物の価格が上がると賃金、ひいては経済全体に好影響を与えたが、先進工業国においてもはやそれは当てはまらないのである。

それでは、世界全体として見た農業はどうだろう。石油がかつての農産物に変わって最も重要な工業商品の地位についていることは

前述した。実はこれは部分的には正しいが、世界にはまだ石油セクターよりも農業セクターの労働人口のほうがはるかに上回っている発展途上国も数多くある。アフリカやアジアでは人口の60％以上が農業を主な収入源としており、もしこれと原油、天然ガス、材木、ゴム、ココア、コーヒー、コカイン、アヘン、鉱業まで含めるのであれば、世界人口の3分の2が直接もしくは間接的に商品価格の上昇によって潤い、下落によって打撃を受けることになる。

　現在仮に世界のGDPの3分の2が世界人口の25％に当たる先進工業国によるものだとしても、貧しい国の購買力が急上昇しないかぎりグローバル経済の急成長は望めない。そして、このことも西側の多国籍企業は儲かって、新興国は繰り返し厳しい通貨の下落にあえいでいた1990年代とは違っている。ちなみに、中国を除く大部分の新興国では、一人当たりの収入が激しい通貨切り下げにもかかわらず、ドルに換算するとほとんど変わっていなかった。さらに、19世紀には（運河や鉄道などの交通手段が発達したため）新しい領土が開拓されたことで農産品価格への圧力が強まり、農業セクターは何度か厳しい不況に見舞われているが、今日では人口の多い中国、インド、ブラジル、メキシコなどが（現代の通信手段やコンテナ、ボーイング747などによる交通手段によって）工業化されると、製品価格が下がるまで供給量は増えていく。そして19世紀に農産物価格の下落が農民の賃金を悪化させたように、今日の製品価格の下落が世界中の単純労働者の賃金を下げることになる。

　長期循環が新たな社会的、政治的、経済的状況の下で進行していく以上、前回の繰り返しにはなり得ないものの、長期波動の上昇波や下降波を動かす力はやはり存在するように思える。そこで、筆者のような長期波動論者は現在の景気下降のきつさ（緩さ）やそのあ

とに続く復活の勢いに特に注目しているのである。

　世界が変われば変わるほど、変わらずに残るものもまた多くなる。社会は上昇と下降を繰り返し、産業も新しく生まれ、消えていく。富は蓄積されてもいずれは崩壊し、人は長生きしても病が長引けば苦しむことになる。大軍同士が面と向かって戦う戦争はもうないが、テロや禁輸措置、供給調整（石油カルテル）、海外債務の不履行、没収、コンピューターウイルスなどを通じた戦いは続いている。また、19世紀の西側諸国は銃の力で植民地を獲得したが、現在はマクドナルド、コカコーラ、ハーゲンダッツ、スターバックス、ハリウッド、CNN、高利資金、新市場開発が必ず繁栄につながるという信念などが銃の代わりになっている。しかし、1990年代にグローバルな自由市場経済に限られた資金で参入した国々が、世界を相手にできるだけの競争力をつけることはできたのだろうか。

　景気低迷を懸念する中央銀行の介入や政策によってこの状況を先送りすることはできても、これを完全になくすことはできない。つまりコンドラチェフの（主に農業）循環の性質が多少変わったことは認めるとしても、20世紀のデータを見るかぎり循環がまったく健在であることは間違いないのである。

金融市場──それ自体の終わり

　もしすべての商品を分析の対象にするのであれば、巨大なグローバル金融市場こそ1990年代の世界の主要商品であることは間違いない。19世紀に最重要市場としての農業が長期波動を起こしたように、ここ何年かの間に金融緩和と株価上昇によってさらに拡大している金融市場がグローバル経済に与える影響は、今日極めて大きくなっ

ている。1980年代以降、金融市場は実体経済と比較しても桁違いに大きくなり、かつての実体経済が市場を引っ張る構図は逆転してしまった。19世紀に農産物の価格が経済を活性化したのと同様に、今日では金融市場の上昇がグローバル経済に恩恵をもたらし、トレンドを上回る成長を促す反面、下落すれば1990年代の日本や最近の新興地域のように景気低迷をもたらすことになる。つまり最近の世界的なベア相場もいつか（金融緩和政策の効果がなくなったとき）悲惨な状態に突入することは想像に難くない。

さらに付け加えると、過去の例では下降波半ばの不況が特に厳しかった。これは新しい発明と金利低下によって投資ブームが起こったあと、商品相場が崩壊したことによる。しかし、1990年代のケースでも見られたように、今日では投資ブームが起こったあと負債の増加と金融緩和政策によって下降期が先送りされるため、経済が最も大きな打撃を受けるのは長期下降波の一番最後になる。この仮説は過剰投資の原理とも、過剰投資や過剰負債が経済の破たんを招くとするフィッシャーの負債デフレ理論とも一致する。

先に、景気循環論を批判するフィッシャーの言葉（波と風に揺られる船の上の揺り椅子の例）を引用したが、たしかに動きにはリズムがあるときもあればないときもある。また、シュンペーター（図7.6）の長期波動とジュグラー循環とキチン循環の下降期が重なったことで大恐慌が起こったという主張も学んだ。そこでこれらの考えから過去20年ほどに起こっていたことを推測すると、次のようになる。1974年の厳しい不況を皮切りに、ジュグラー循環が1982年の不況まで8年間続いた。1982年からは次の力強いジュグラーの上昇波が始まって1990年半ばの不況まで8年間続いたが、この原因は増加する米国の財政赤字と貿易赤字によって成長が日本や新興市場に

シフトしたためだった。そして次のジュグラー上昇波は（日本が厳しい不況下にあるため）前回ほど活発ではないが、2000〜2003年のどこかの時点であると考えられる。

　1990年代初めに力強い成長を遂げた新興市場も1997年の危機以降はグローバルな成長を支えきれず、TMTセクターのブームで沸いた米国経済も1998年以降のグローバル経済を牽引し続けられるかどうかは疑わしい。2001年と2002年は負債の急増によって現状を維持しているだけの状態だからである。そこでこう考えてはどうだろう。大量の在庫が清算されたことによってキチン循環は2001年のどこかの時点で下降に転じる。ジュグラー循環もハイテクバブル崩壊で2000年以降の株価が弱含んでいるため、まだ下降期にある。もし今、本当に下降波にいるのであれば、これらの出来事のすべては長期の厳しい経済縮小につながっていき、それこそ典型的な長期波動の下降局面が出来上がるのである。

　景気循環論が極めて複雑であることはこれまでも繰り返し述べてきた。筆者もすべての答えを持っているわけではないが、すでに次のコンドラチェフの上昇波に突入したのか（短くて軽い不況になる）、あるいはいまだ下降波が続いているのか（不況は壊滅的なものになる可能性が大きい）を知る手掛かりは現在の不況の厳しさと長さだけだということは確信している。その答えは、すでに1990年の不況以降始まった景気拡大がはっきりと終わりを告げている以上、ほどなくして分かるだろう。

　そこでもう一度、コンドラチェフが長期波動の仮定を打ち立てたのではなく、価格、賃金、生産、貿易などの実際のトレンドを長期間にわたって観察することで、経済には長期循環が存在する可能性が高いということを発見したということを強調しておきたい。また、

コンドラチェフは景気変動の長期波動を説明するのに、景気循環論の説明には「かなり難しい」部分のあることを認めている。

しかし、だからといって一部の学者が言うように工業化および脱工業化社会において経済の長期波動が時代遅れだという主張は間違っていると思う。歴史家のアーノルド・トインビーは「経済の長期波動は妄想ではないかもしれないが、イギリスの産業革命が起こる300年以上前から近代西側諸国は政治情勢を反映した順調な経済を維持してきたなどという考えはそうかもしれない」と書いている。トインビーは「社会的遺産の伝達から見た世代循環」に続く戦争・平和循環について述べるなかで、繰り返し起こる経済の長期波動にも当てはまる最も説得力のある説明を行っている。

戦争時代を過ごした世代の生き残りは、この悲惨な経験を自分や自分の子供が繰り返してはいけないと終生思い続ける。（中略）そのため平和を乱す動きには心理的な抵抗があり、（中略）これは次世代にも強く受け継がれる。（中略）しかし、次世代が成長するころには戦争の記憶は薄れ始め、戦争世代が平和な時代に育った世代に入れ替わると、彼らはいとも簡単に戦争に突入していく。
　　――アーノルド・トインビー『歴史の研究』（社会思想社）

金融市場にもこれと同じ「世代循環」が存在する。1929年の大暴落やそのあとの不況で大金を失った投資家は、恐らく二度と株に手を出したり家を抵当に入れたりせず、終生保守的な生活を貫くことになる。反対に、今日の投資家の大部分は長くて厳しいベア市場や不況の苦しみを経験していないため、リスクを避けようとはしない。

現在、長期波動がすでに上昇に転じたかという質問に対する満足な答えは出ていないが、ここまで述べてきたようにこれに反する経済状況はいくつもある。ただし、これが今後2～3年の間に上昇に転じる可能性は高いと思う。また、そうなれば上昇波の下で商品相場は上がり、インフレ加速と金利上昇によってこれまでの投資ルールは完全に変わってしまう。そのため、投資家はまず、上昇期には株のパフォーマンスを常に下回る債券を清算する必要がある。また、長期波動が上昇するときには、株と商品が連動して投資環境はまったく新しくなる。例えば、資源の豊富な新興市場のパフォーマンスが西側先進国市場を大きく上回ることなどが考えられる。

　コンドラチェフとシュンペーターが観察し、分析した19世紀の価格変動と景気循環についてはあとひとつ述べておきたいことがある。図7.3（商品先物指数）と図7.4（1790年以降の金利トレンド）からも分かるとおり、19世紀は激しいデフレ状態だった。1800～1900年にかけて米国の人口が400万人から8000万人に増え、実質経済成長率は年率4％に達して世界最大の工業国に浮上したにもかかわらず、商品指数は1800年の140（1910～1914年を100とする）から1896年には70に下がっていた。価格水準の全般的な下落は長期金利の動きからも見てとれる。連邦政府が発行する新発債の利回りは、1800年の8％から1900年には2％に下がっている。19世紀に価格が下落した原因は農産品だけではない。1872～1898年にかけてベッセマー鋼の価格も約80％下落した。しかし、価格は下げても経済の急成長に大きく貢献した要因が2つあった。ひとつは農地面積を数倍に広げた草原地帯の開拓、もうひとつは（新発明や改革による）農業と工業の生産性の飛躍的な向上と北米に建設された大規模な鉄道による輸送費の下落である。これによって、例えば1850年と1914年の鉄鋼労

図7.8

昇給
実質賃金の上昇　1800-1896年

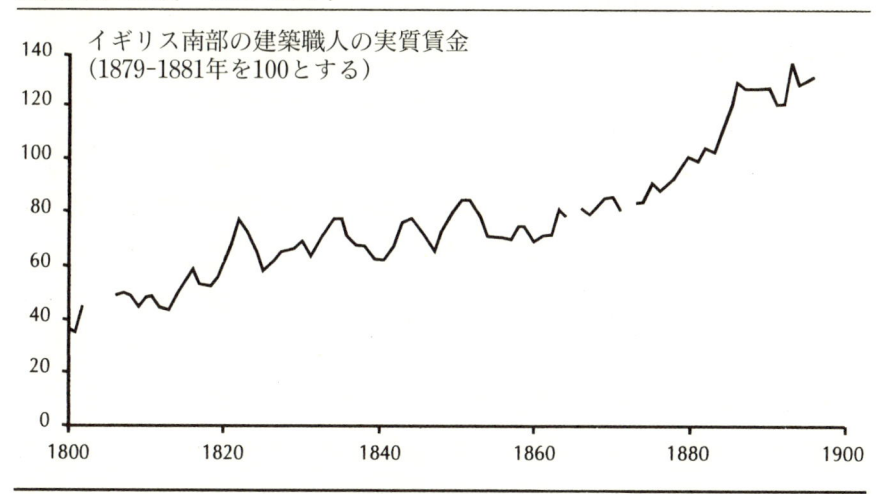

イギリス南部の建築職人の実質賃金
（1879-1881年を100とする）

出所＝デビッド・ハケット・フィッシャー著『ザ・グレート・ウエーブ』

働者一人当たりの生産高は30倍以上に跳ね上がった。

　商品価格の下落が特に激しかったことから「デフレ・ブーム」と呼ばれることもある1873～1900年だが、これが国民にとって繁栄の黄金時代だったわけではない。イギリスの「農業革命」やロシアを含むヨーロッパ全域に広がる農業不安、さらには米国の人民党の活動などを含む政府の方針で農民、特にヨーロッパの穀物生産者は困難に陥っていた。農地からのリターン（不動産としても、家賃としても）は下落する反面、農業と工業の「有意義な生産性向上」によって実質賃金はどこでも1800年から1875年の上昇率を上回る速さで急騰した（図7.8参照）。そのため、ヨーロッパの地主階級は地代や農産物の値下がりと実質賃金の上昇によって、さらに損失を拡大し

ていった。しかし、新しい地域の経済が開発されたことと輸送コストの低下（1869年に開通したスエズ運河）でミシシッピー州の綿、アルゼンチンの牛肉、オーストラリアの小麦、ニュージーランドのマトン、アフリカの鉱石、カナダの材木がグローバル市場の主要商品に成長し、世界貿易の拡大とスケールメリットをもたらしたことも忘れてはいけない。つまり、地主は別として、新しい技術や発明によるデフレ・ショックがアメリカ大陸やそのほかの地域の発展を促し、米国を世界一の工業国に押し上げたことを考えればデフレ・ショックというよりむしろデフレ・ブームといえるのである！　さらにヨーロッパでは農地を所有する地主たちがパフォーマンスの低迷にあえいでいた反面、都市部では急速な都市化を受けて1873〜1878年の不況以降、不動産価格は再び上昇に転じていた。特に米国では南カリフォルニアの不動産価格が1886年まで急騰し続けた。デフレの現在、不動産に魅力はないが（特に金融街の高値地域など）、1995年末以降50％以上も資産価値が低下している上海や北京などいくつかの厳選した市場であれば、かなりのパフォーマンスが期待できる可能性はある。

　1873〜1900年の期間は債券保有者がデフレによって大きな恩恵を受けていた。イギリスのコンソル債の利回りは1866年に付けた3.41％から1897年には2.21％まで下がり、米国でも質の高い鉄道債が1861年の6.49％から1899年には3.07％まで下がってしまった。デフレが企業収益にとって望ましくないことは明らかで、1876年以降債券は株のパフォーマンスを上回ることになった。

　結局19世紀は全体としてはデフレ・トレンドだったにもかかわらず、人口が大幅に増加したことで経済は大きく進展した。つまり、基本的にはデフレを恐れる必要はないのである。多くの経済学者が

デフレを恐れるのは、本当にデフレが破たんを招いた1930年代の惨状だけを見るからで、もし1929年以降の破たんにつながった原因を分析していれば、不況は単に1920年代の投機的な信用ブームが行きすぎた結果だということが分かるはずである。

　景気循環や価格の長期波動の分析は、投資マニアの現象を抜きにしては完成しない。景気拡大や株、商品、不動産などの資産価格の上昇トレンドが長引くと、投資マニアの熱も上がる可能性が高くなる。次章では、このマニアの特質について見ていくことにする。

第8章

新時代とマニアとバブル
New eras, manias and bubbles

◎順調な企業活動のうえに成るバブルで投機が行われても問題は生じない。しかし、企業が投機バブルの渦に巻き込まれればその国の資本発展はカジノ営業の副産物でしかなくなり、まじめに働く者はいなくなるだろう。
——ジョン・メイナード・ケインズ（1883〜1946）

　筆者は以前からマニアという現象に、大変興味を引かれている。十字軍も宗教裁判も魔女狩りも錬金術も、催眠術も赤狩りもすべてマニアだった。資本主義体制のなかで投資マニアはこれまで何度も生まれ、景気循環の不可欠かつ飛び抜けて刺激的な一部分を形成してきた。本書の目的は1980年代の日本株や1990年代の米国株に匹敵するような次の主要投資テーマを探すことではあるが、同時に景気後退、不況、恐慌が大きな投資（買い）チャンスであるように、マニアが一生に一度の売りのチャンスだということも理解してほしいと思っている。

　投資家にとっての理想はもちろんマニアのピークにぴったりと合わせることだが、最後の追い込みは急であることが多く、ピークと同時に利食えることはまずない。しかし、一度マニアが始まってしまえばどこで売るかはさほど大きな問題ではない。なぜなら、筆者の知るかぎり、ピークに至るまでの数年間のうちにすべての儲け（あるいはそれ以上）を回収できなかったケースはないからである。

そこで、本章ではマニアがどのように起こるのかと、投資家はそれをどのように見つけ、売りのチャンスとして活用すればよいのかについて述べていくことにする。

　前述のとおり、楽観主義は折に触れて世界中に山火事のごとく広がり、人々は想像もつかないほどの富と繁栄を、みんなが手に入れる新時代の夜明けが訪れたと錯覚してきた。

　「新時代」機運は、たいてい繁栄期の初めではなく最後に近い時期に広がるという特徴があり、その時期には何らかの「ラッシュ」、言い換えれば投資マニアが起こっている。1720年のミシシッピー計画とサウス・シー・バブル、19世紀の運河と鉄道と不動産ブーム、オーストラリアとカリフォルニアの金発見、1920年代末の米国株の高騰、1970年代末のクウェートの株と不動産マニアなど、有名な例は多い。

　そして近年、楽観主義と新時代機運の波が市場に広がりつつある。共産主義の崩壊、数多くの新市場の開放、有望な新技術、企業の人員削減や一時解雇、大きな軍事的脅威の不在、低インフレ、金利低下、グローバル化、自由貿易などが永遠の利益機会という期待につながっているのである。投機性の高いナスダック指数に代表されるウォール街も、1990〜2000年にかけて驚くべきパフォーマンスに沸いた。しかし、今ではこの上昇期の最終段階だった1997〜2000年が一世代に一度程度の割合で起こる巨大な金融バブルだったことが分かっており、今回も過去の「新時代」ベア相場と同様に終わっている。

投機的市場と非投機的市場

　投機的な市場をよく理解するために、まずその反対を見ていくことにしよう。非投機的市場の好例は1980年代半ばから末までのアルゼンチン（第5章　図5.3参照）で、当時この市場では出来高はわずか、株価は簿価や取替原価（資産を売って再調達するのにかかる原価）以下、新規公開株（IPO）も新株株主割当発行もない、外国人投資家もいない、経済全体における株式資本比率も低い、株式ブローカーや金融のプロになろうという人もいない、ブローカーの事務所は非常に地味、そして意気消沈した人々は株のリターンにはほとんどあるいはまったく期待していなかった。ちなみに、1980年代のアジア市場も非投機的市場の特性をすべて備えていた（第2章図2.2、2.3、2.4参照）。

　簡単に言えば、非投機的市場とは不景気で従来の水準より過少評価されている市場を指している。第二次世界大戦以降の米国市場を見ると、平均株価は1929年の高値を下回り、出来高も少なかっただけでなく、1930年代初めの大暴落や不況がまだ記憶に新しかったため、戦争に勝利したにもかかわらず投資家の期待はかなり低かった。戦争の終結は、「新時代」の機運ではなくむしろ戦争景気というブームが終わってまた不況に逆戻りするのではないかという不安が広がった。これは当時の株と債券の利回りの違いにもはっきりと表れており、その差が最も大きかった1947年の株の利回り（配当利回り）は債券利回り（成長期待がほとんどないことを反映して）の3倍以上になっていた。株式投資のメリットや、株が債券やキャッシュのパフォーマンスを上回ると主張するような本も、この時期はほとんど書かれていない。

非投機的市場のもうひとつの例は、1950年代の不動産である。当時、人々は住むために家を買い、農民は農地にするために土地を買い、投資家はキャピタルゲインやインフレヘッジのためではなく利回りを求めて商業ビルを買った。また、1950年代や1960年代の商品市場（特に金と銀）も非投機的だった。これらの市場はこの業界に携わる人（インサイダー）の取引が中心で、金属業界とは関係のない（アウトサイダー）価格変動によって儲けたいだけの参加者はほとんどいなかった。

　最後に、美術品や収集品市場も、絵画やベースボールカードを買うのが純粋なコレクターだけであれば非投機的といえる。例えば、祖母と大叔母が1900年代初期のパリに留学中、小遣いで印象派の絵画を買っていたという友人がいるが、祖母たちはキャピタルゲインを狙ったわけでも、逆張り投資家でみんなが欲しがらないものを買ったわけでもなく、単に変わった趣味を持っていてその絵が気に入っただけだった（今日、この友人の一族は個人としては世界有数の印象派絵画のコレクションを所有している）。実際、非投機的市場の神髄といえば生前売れた絵画はたった1枚しかなかったというゴッホの絵かもしれない！

　言うまでもなく、非投機的市場にはレバレッジがかかっていないという共通点がある。株も債券も不動産も絵画も金も、ローンではなくキャッシュで購入される。そこで、次のような定義を考えてみた。非投機的市場とは、キャピタルゲインの期待が低く、出来高も比較的少ないうえ取引の中心は限られた少数グループ（インサイダー）で、一般の人はほとんど参加していない市場である。

　それならば投機的市場というのは何なのだろう。かなり以前から金融市場が全体的に極めて投機的になっていくように感じてはいる

が、それでも過剰投機を定義するのは難しい。17世紀のチューリップマニアや、1720年のサウス・シー会社株の取引が悲惨な結末を迎えたから投機だというのは簡単だが、1929年の米国や1973年の香港が果たして過剰投機だったのだろうか。たしかに両方とも高値を付けたあと90％下落して多くが倒産もしくは以前の高値を回復しなかったが、このときの投資が間違いだったとは言いきれない。仮にもし当時の高値（1929年のダウ平均の381ドル、1973年初めのハンセン指数の1700ポイント）で買ったとしても長期投資であれば十分利益は上がっていたからである。同様に、1836年のシカゴの不動産、1886年のカリフォルニアや、1926年のフロリダなどのブームでピークで買っていれば、そのあと完全に価格が崩壊したにもかかわらず、今日のその価値は買値を大きく上回っているのである。

　過剰投機をどのタイミングで定義するかも難しい。1988年の日本株市場は、すでに投機的になっていたが、それが分かっていても1989年12月に付けたピークの12カ月前に30％上昇するのを止められたわけではない。1970年代末の銀市場を見ても、1979年12月に銀の価格は18ドルまで上がっており（12カ月で2倍以上の値上がり）貴金属市場はすでに極めて投機的な状態にあったが、それでも大量の踏み上げ（空売りの売り方が損を承知で買い戻したため相場が上がること）によってわずか4週間で40ドルに急騰したあと、1980年5月に11ドル、1992年には4ドル以下まで下がるのをだれも止めることはできなかった。1999年初めのナスダックにしてもそれまでの4年間にすでに4倍になっていたにもかかわらず、そこから2000年3月10日に付けた5132のピークまでにさらにその2.5倍上昇している。

　つまり、これから述べる特徴に基づいて投機的市場を見分けることはできても、投資マニアがいつまで続くのか、もしくは価格がど

こまで上がればバブルが破裂するのかを知るのは不可能に近いのである。実際、筆者も30年以上投資ビジネスにかかわっているが、1720年に「天体の動きについてなら計測できるが、人々の狂気については無理である」と語ったアイザック・ニュートンと同じ気持ちになったことがこれまで何度もある（ニュートンはサウス・シー・カンパニーの株を売って100％の利益に当たる7000ポンドを儲けたが、不幸にもピークで再度参入して最終的には2万ポンドの損をした）。そこで、これから投機マニアとバブルの兆候についてできるだけ詳しく見ていくことにする。とはいえ新興市場のライフサイクルの項でも述べたとおり、一般投資家にとっては投機的市場より非投機的市場のほうが向いている場合が多いということは覚えておいてほしい。

過剰投機の兆候

　ブームやマニアや過剰投機は、景気循環や投資循環の最後の上昇スイングで起こる。また、マーケットの上昇トレンドが長く続けば価格の上昇がずっと続くような見方が強まるため、マニアが現れる可能性は高くなる。マニアには、ミニマニアと主要マニアがあり、筆者は破裂しても経済にさほど大きな打撃を与えない投機バブルをミニマニアと呼んでいる。ミニマニアでは急激だが短い下降相場のあと、上昇トレンドが回復する。そこで、1983年の米国のテクノロジーマニア、1987年のグローバルな株式市場バブル、強力だった1988～1990年の新興市場ブームはミニマニアに分類されることになる。

　反対に主要マニアはだいたい一世代に一度の割合で起こり、崩壊

すると経済に深刻な打撃を与える。1920年代のマニアは世界的な不況につながり、1980年代の日本株ブームはこの国に長期にわたる厳しいデフレ不況をもたらした。また、1970年代の商品先物バブルの突然の終焉はテキサス、メキシコ、中東の一部など、世界の産油地域を深刻な窮地に陥れた（このときテキサス州のすべての銀行や石油掘削会社の多くが倒産もしくはリストラを余儀なくされた）。最後に、2000年まで続いたTMTセクターと米国株の流星のような上昇については単なる主要マニアではなく、「すべてのマニアの母」と呼ぶことにする。主要マニアは頻繁に起こるわけではないが、一度破たんするとそのときの投機対象に対するその世代全体の信頼が揺らぐことになる。

　ミニマニアは数年ごとに発生（マニアにつながる上昇トレンドは短いものなら2～3年）するが、主要マニアは10～25年におよぶ長期上昇トレンドの最終段階、または全盛期を表している。1920年代末のバブルも10年におよぶ上昇トレンドのあと発生し（「狂騒の20年代」）、1960年代末や1970年代初めの株マニアは20年近く続いたブル相場を終わらせた。また、1980年代末の日本株ブームは1974年以降、ほとんど中断されずに約16年続いた上昇トレンドの頂点だった（図8.1参照）。一方、2000年に米国で発生したバブルは1982年夏に800ドル以下だったダウ平均を1万2000ドルまで引き上げたブル相場を終わらせた。正確に分析するとこのブル相場は1974年に始まり、1982年には1974年の安値を超えていたが、ドルのインフレや下落を考慮すれば1982年の底は実は1974年の底よりも低かった（図8.2参照）。言い換えれば、2000年3月にブル相場が終わったとき、このトレンドは18歳になっていたのだった。

　株式市場循環の「時間的要素」が筆者の強い関心を引くのには、

図8.1
破滅への長い道
日経平均225

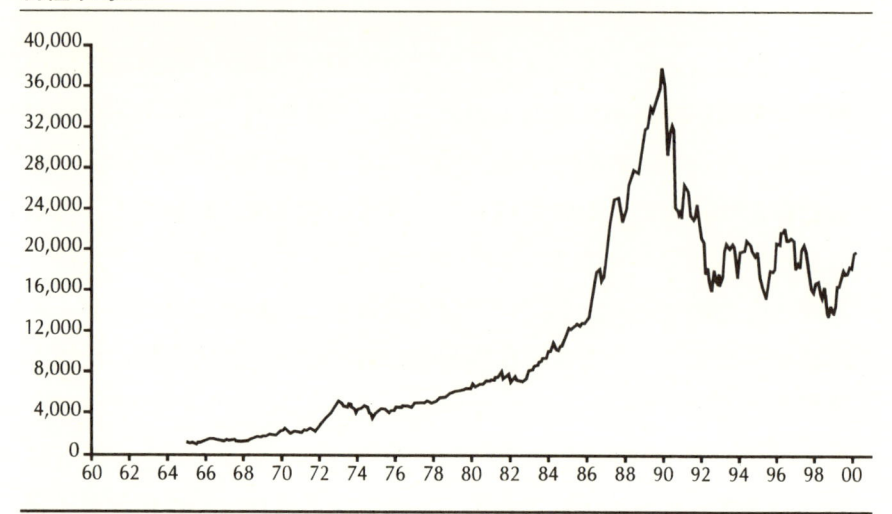

出所＝ザ・ビジネス・ピクチャー

図8.2
本当の底
実質株価＊

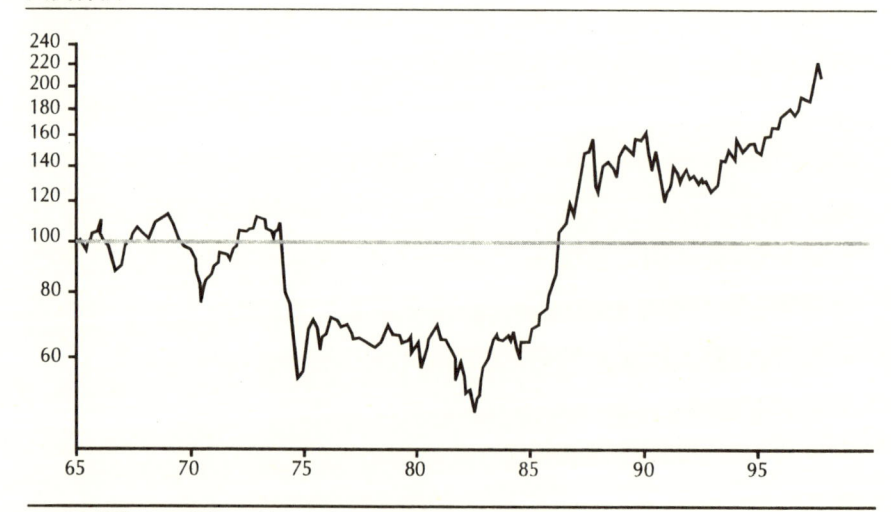

＊MSCI指数（ドル換算）、米国の消費者物価指数によって調整済
出所＝ザ・インターナショナル・バンク・クレジット・アナリスト

いくつかの理由がある。ひとつは先に述べたとおり、ブル相場が長引くとその終わりは派手な投機騒ぎと激しい破たん劇で終わることが多いことである。10年も20年も続いたブル相場の最終段階は価格が急上昇して記録的な高値を付けることが多い。1929年に米国で付けた高値や、恐らく2000年の高値、そして1989年の日本の高値がそのあと10〜20年間抜かれていないのは驚くに値しない（米国では1929年の高値を超えるのに1954年までかかり、日本では13年たっても1989年の高値を約70％下回っている）。

　バブルのあと必然的に続くベア相場には、さまざまな形態がある。1929〜1932年にかけて米国株式市場はわずか2年で90％近く暴落し、香港でも1973〜1974年に90％下落した。日本に至っては12年以上たってもまだ安値を更新しているという状態である（2000年初めの日本の平均株価は2万円を維持していたが、そのあとさらに約50％下落して最近の安値に至っている）。下落が急であるほどその期間も長くなり、ある時点で必ず売り圧力が力尽きるため、その市場で買うリスクも少なくなる。ただ、セクターに関してこのルールが必ずしも当てはまるわけではない。さまざまなセクターで構成される市場は分散されており、90％下落したあとでも陳腐化（ここで思いつく例はモバイル・ページング）、レバレッジ過多、そのほかの要因で消滅したのはたったひとつのセクターだったということもあり得る。

　第2章でも述べたとおり、今日アジア市場を見わたすと、その大部分が1990年のピークのあと長期にわたる主要ベア相場が今も続いており、70％かそれ以上下げている（すべてドル換算で）。そこで「時間的要因」の観点から考えればすでに大底に達したか、テクニカル的な底固めが進んでいて（図8.3参照）、いずれ力強いブル相場

図8.3
調整？
米国と比較したアジア株式市場のパフォーマンス

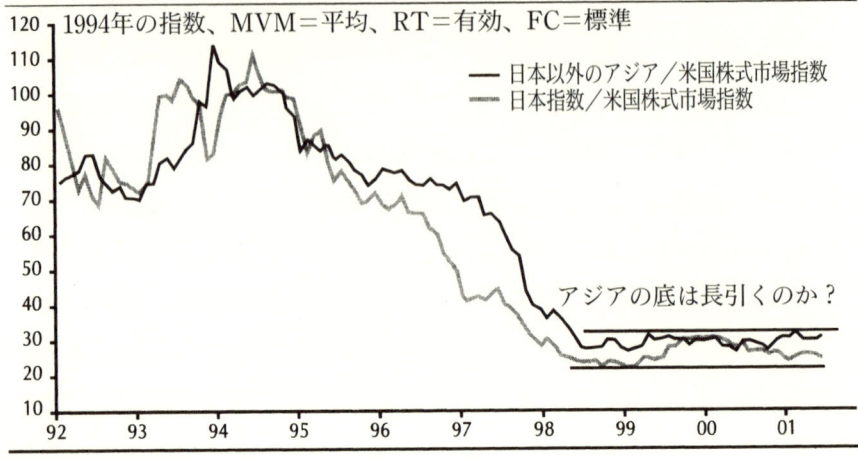

1994年の指数、MVM＝平均、RT＝有効、FC＝標準

― 日本以外のアジア／米国株式市場指数
― 日本指数／米国株式市場指数

アジアの底は長引くのか？

出所＝ガベコ

が始まる可能性はかなり高いと考えられる。

　ミニマニアは株式市場の循環のどの時点でも発生する可能性があるが、主要マニアは長期（10〜20年）の上昇のあとにのみ起こるということを見てきた。アジア市場は現在の低迷期が終わればパフォーマンスが上がると期待しているが、1980年代末や1990年代初めの台湾株が2〜3年で20倍に跳ね上がったような投機的市場にすぐ移行することはないだろう。

大衆心理

　ブル相場がマニアのフェーズに入ると陶酔ムードが広がる。投資

家はベア相場の底ではいくらでもよいから手仕舞おうとするが、マニア的高値付近ではだれもが参入しようとする。すると小さな調整はすべて買いのチャンスとみなされ、それがさらに熱狂をあおることになる。ブル相場が長く続くほど、上昇トレンドは永遠で新時代の到来は間違いないという見方が広がって、マニアの最終段階では従来の評価基準は捨て去られてしまう。

　ブームは投資家を引きつける新しい概念や将来の巨大利益を期待する楽観主義によって引き起こされ、「いくらでもよいから買う」という心理が生まれる。このムードにあおられて大衆が市場に参入するが、過剰な自信と不合理な判断によってリスクはほとんど無視され、借金が増える。マニアの時期の典型的な特徴は大衆の行動で、このとき個人の批判能力は麻痺してしまう。19世紀末に『群衆心理』（講談社ほか）という優れた著作を残したグスタフ・ルボンは、「群衆に論理を連ねていく能力はまったくないため、彼らは理由なく、もしくは間違った理由で行動し、理論に耳を貸すことはない」と書いている。また、マカロックも1930年に投機は群衆が好む伝染しやすい現象だと指摘している。実際、人々が熱狂している間、需要は常に過剰に見積もられ、供給は過小評価される。1970年代末の石油ブームでもエネルギー節約によって需要は下がりつつあるのに、石油価格の上昇で供給が増えることはだれも心配していなかった。

　1980年代末に米国で起きた不動産バブルでは、日本からの米国商業用不動産の需要が大幅に過大評価された。同様に、1990年代末に香港の土地需要を過大評価した投資家は、境界線の向こうに広がる中国の土地がもっと安い選択肢として浮上するとはまったく考えていなかった。また、マニアの段階ではキャッシュが投資先としてまったく魅力をなくすため、キャッシュ不足のパニックを引き起こす

こともままある。1970年代末にはインフレの加速で現金は価値を失うという話を真剣に信じた人々が、金や銀や資源株に殺到した。最近ではキャッシュのリターンでは引退生活を送れないと考えた人々が株を買っている。人々が高値買いに巻き込まれたのには、景気拡大期に金利を「低すぎる」水準に維持することで結果的にブームや投機マニアの到来を促した中央銀行の金融緩和政策にも責任があるということを付け加えておきたい。例えば、不動産市場が天井を付けた1997年以前の香港は低金利の下、土地や家賃が年率20％以上のペースで上昇していた。このまま行けば将来の家賃支払いが2〜3年で50〜100％も上がってしまうことに人々の不安が募って、多くの世帯がアパートを買うことにしたのは十分理解できる。しかし、1995年の不動産はすでに天文学的な価格になっており、住宅ローンも莫大な額になった。そして市場が下げに転じると、住宅ローンが住宅の価値を上回って、マイナスポジションになってしまった。

　投資マニアは群衆の心理や行動や直感と深いかかわりがある。『ザ・マインズ・オブ・クラウズ（The Minds of Crowds）』（Vom Geist der Massen、チューリッヒ、1946年）という大変面白い本がある。このなかで著者のポール・レイワールドは著名な生物学者、社会学者、心理学者などの群衆に関する見解について述べている。群衆心理の現象を学んだ分析者はそろって、個人は群衆に引かれ、一度その一部になると、ひとりでいたときとはまったく違う行動をとるようになると言っている。また、「群衆の声」の影響力は非常に大きく、暴力やパニックに陥ったときの恐怖などと相まって人は群衆の熱気に支配されていくことや、群衆は自分たちをそのリーダーや思想と一体化してしまう傾向があることも観察されている。

　シグムント・フロイトによるとリーダーには催眠効果があり、個

人は自分をリーダーと一体化することで自己をなくすと言っている（このような関連付けを促すため、リーダーは自分が子供や犬と一緒に写した写真を見せてリーダーも群衆のひとりなのだという印象を強く植えつけようとする）。言い換えれば、リーダーと群衆の間には非常に親密な絆があり、群衆は時とともに完全にリーダーに頼るようになっていくという分析結果が数多く出ているのである。

フロイトはリーダーによってもたらされる緊張感の違いを1918年と1945年のドイツ人の行動の例で説明している。第一次世界大戦で1918年に降伏したときの絶望感は第二次世界大戦の1943年初めにドイツ人やドイツ軍の間にすでに広がっていたそれよりずっと軽かった（**訳注**　ドイツ軍の形勢は1942年から悪化し始めた）。1943年以降、あれほどの失敗や敗北を重ねていったのは、第二次世界大戦ではドイツ国民とヒットラーやナチス幹部との一体感がかつてのカイザーやその司令官とのつながりよりずっと密だったからだ、とフロイトは言っている。

また、群衆とリーダーが親密につながっていると、そのリーダー（あるいはその「威光」）が失われたときパニックが起こりやすいということを理解しておく必要がある。フロイトはさらに、思想にも群衆を動かす力があり、この場合は群衆の代表者たちが「二次的リーダー」になるとしている。

実はこれこそが投資マニアの最中に起こっている現象で、「巨大利益」という思想がマニアを動かすと同時に、企業幹部、成功した投資家、中央銀行、財務大臣、マスコミに頻繁に登場する有名投機家などが「二次的リーダー」の役を担っている。群衆はブームに乗ることで大きな富を手に入れることができるという考えに取りつかれるが、そこに至るまでにはさまざまな要因がある。また、直感、

単純反射(パブロフ反射)、衝動の解放、自己永続的な習慣、メディアの挑発力、成功した投資家との関連または模倣、刺激的な感情、頑固さや不合理性などはすべて個人の判断力や考えを押し切る傾向がある。衝動的に行動する群衆の知性は客観性を持つことのできる個人の知性より常に劣るのである。

群衆の知性水準が低い主な理由は、群衆のすべてが理解できるような思想や信念は極めて単純なものではならないからだという分析もある。そうすることで思想は群衆のなかの知的水準が最も低い人まで引きつけ、受け入れられるようになる。このことはルボンも認めており、次のように書いている。「群衆は常に低レベルの指令に基づいて行動し」、「もともとの思想がどれほど優れていても真実であったとしても、群衆の知的水準に収まり、彼らに影響を与えるために使われることでその高尚さや素晴らしさはほとんど失われてしまう」。同様に、カール・グスタフ・ユングも、まともな人でも大勢集まれば道徳性や知性では頭が悪くて乱暴な大型動物の集まりと変わらないし、影響力の強い人間が100人集まれば「愚か者」になると書いている(『アイネン・バッサーコープ(Einen Wasserkopf)』)。

社会学者や心理学者は、群衆の例として魔女狩り、十字軍、共産主義、社会主義、ナチスの活動、リンチ、革命などを研究してきた。しかし、群衆がなぜ期待を裏切り、欲望を放棄してパニックを起こすのかを完全に解き明かすには至っていない。群衆に共通するのはある種の「現実性の欠如」で、ルボンによれば「群衆の一部になると不可能はないと感じるようになる」ため、「欲求とそれを実現することは違うということが認識できなくなる」という。また、群衆は幅広い衝動や直感の影響を受けているため、極めて「移り気」で

もあるということも多くの学者が認めている。ただ、ルボンの理論には「思想が群衆心理のなかで確立されるまでには長い時間がかかるが、それを根絶するためにも同じくらいの時間がかかる」という先の説とは矛盾した点もある。群衆の気持ちが揺らいだとしても、思想を放棄するまでには長い時間がかかるというのである。

この矛盾は、群衆の関心が何らかの反動を伴って別の思想に塗り替えられると考えることで解決することはできないだろうか（例えば「株式市場は長期的には必ず上がるから押し目買いをすべき」という考え）。ただ、群衆のムードはすぐに影響が現れる要素（例えば株式市場の短期的な動き）によっても左右されるうえ、思想を放棄した場合、なぜパニックが起こるかについても曖昧な説明に終わっている。ちなみにパニックは、危機が存在していることで起きる場合が多い。軍隊は指揮官がいなくなるとパニックに陥る（群衆はリーダーと強い一体感を持っている）が、リーダーが失われなくても、直面した危機が以前に体験したものほど大きくなくても、パニックは起こっている。そこでフロイトはパニックのひどさと差し迫った危機の大きさは無関係であり、パニックはほんのささいな出来事によって広がるという結論に達している。

このことから、パニックは非常に大きな危機があるか、リーダーとの一体感が弱い（もしくはリーダーの「威光」が失われて一体感が弱まった）という２つの条件の下で起こると考えられる。ルボンは、威光には不思議な力があって、所属させ繰り返し感化することによって広がる思想に「威光」を与えることができると言っている。威光というのは、ある人間（仕事、思想）によって人々の精神が支配されることで、人々は批判能力を完全に失い、その代わりに称賛と尊敬で魂は満たされる（威光は最近の表現に直せば「カリスマ」

に当たる)。ある人間（あるいは思想）の威光を支える主要な要素のひとつは成功しているかどうかだが、もしその成功が失敗に変わると威光は疑問視されるようになり、ルボンの言葉を借りれば「成功したいという気持ちがなくなると、威光はすぐに失われる」。ルボンは、やるべきことを成し遂げたフェルディナン・ド・レセプス（スエズ運河の開削者）の生涯について次のような観察をしている。

障害にも負けずスエズの成功を再現せんとパナマに挑んだが、すでに年老いていたうえ、かつては山をも動かした信念をもってしても今回の山は高すぎた。山は抵抗し、ヒーローを取り巻く輝かしい栄光と称賛を粉々に打ち砕いた。歴史上の偉人にも匹敵する活躍をした人物が、自らの国の裁判によって極悪人の地位にまでおとしめられたのである。

ルボンは威光を次のように説明している。「廃れることもあるが、議論されることによってそのスピードは確実に遅くなる。ただ、威光は疑問視された瞬間から、威光ではなくなる。長い間威光を保ってきた神々や人々は、けっして議論することを許さなかった」

上の観察は投資家の楽観的な期待が変化して、場合によってはパニックにつながっていく過程を分析するうえで重要な洞察を与えてくれる。キャピタルロスの危険性が迫ることで投資家の株への信頼は突然消滅する（株価が２年間下落している米国で最近起こったかもしれない現象）。経済的、または政治的に突然予期しなかった厳しい展開があったときも、同様である（新たな不況、大手金融機関の破たん、戦争、テロ活動など）。しかし、フロイトによればささいな出来事がパニックを起こすこともあるという。とはいえ最近の

状況からは18年におよぶブル相場（ルボンが呼ぶところの「成功」）によって株式市場が享受してきた「威光」がゆっくりと、しかし確実に疑問視され始めていることは明らかで、収益、警告、不本意な収益、詐欺行為などが発覚することでそれに拍車がかかっている。とはいえ、TMTセクターのバブルがすでに悲惨な結果を迎えていても、1990年代のように「米国株は常に上がり続けて新興市場よりも高いパフォーマンスを上げる」という考えが否定されるようになるまでには、まだ時間がかかると思われる。しかし、これが拒否されるようになれば、当分の間不人気が続くことは1990年以降の日本やそれ以外の過去のバブル（例えば1980年以降の金と銀）を見れば分かる。ただし、市場はこの考えが完全に否定される時点まで変動して急だが短い反発が繰り返し、下降トレンドを中断することになる。

　ここで、読者はなぜ2001年9月11日にニューヨークとワシントンDCで起こった同時多発テロ事件のあとも米国の金融市場が崩壊しなかったかを疑問に思うかもしれない。事件後しばらく弱含んだ市場が2002年初めには力強い反発に転じたのには、2つ理由があると筆者は考えている。ひとつは事件が起こったとき投資家はFRBのグリーンスパン議長が1998年のLTCM救済のように金融市場への衝撃を和らげ、力強い反発に転換してくれるだろうと信じていたことである。2001年の間、投資家は次の戦争の勃発は買いのチャンスだという記事にあおられて、投げ売りされたものはすべて買いだと思っていた。急激に回復した2つ目の理由は、2002年の1〜4月に景気が短期間だが力強く回復したのを見た専門家が、不況は2001年で終わって新たな景気拡大が始まったと解釈したことによる。

　プロパガンダが群衆の形成や思想に大きな役割を果たすことは古

くから知られており、レーニン、スターリン、ムソリーニ、ヒットラー、毛沢東などの指導者もそれをよく知っていた。ムソリーニやヒットラーは群衆を見下して、強力なリーダーシップがなければ何もできないと考えていた。インタビューで大衆との関係を聞かれたムソリーニは、組織化されておらず自分が支配しているかぎり大衆は羊の一群と変わらず、支配するために必要なのは「熱意」と「関心」だと答えている。

　ムソリーニは大衆を操縦しやすい状態に保ち（批判能力をなくし、信頼させ受容させる）、リーダーに帰属させるには、プロパガンダを休みなく浴びせ続けなければいけないと言っている。また、熱意や関心を群衆のなかで保つためには、当然ながら大量のうそも利用された。ヒットラーも『我が闘争』のなかで素朴な大衆は「小さなうそ」より「大きなうそ」にだまされる傾向がはるかに強いのは、普通の人にとって小さなうそをつくことは珍しくないが大きなうそは敬遠するからだと書いている。つまり、群衆は深く考えることがないため、だれかが真実を極めて大胆にねじ曲げて伝えているなどとは思いもしないというのである（米国のクリントン大統領やイギリスのブレア首相といったリーダーもこのことを認識していると思う）。そして、もしあとで真実が明らかになったとしても、疑問は残る。

　プロパガンダは極めてシンプルなものにして、大衆に向けて繰り返し「永遠に」浴びせ続けなければならないと、ヒットラーは言っている。また、このとき標的とすべきは群衆のなかで最も知的レベルの低い人々であるため、集団が大きくなるほどプロパガンダの質は低下する。「大うそ」を広めるために使われた宣伝機関によって、ヒットラー、ムソリーニ、スターリン、毛沢東、サダム・フセイン

などの独裁政権が延命されたのは間違いないだろう。

　同様に、一般投資家の「熱意」と「関心」をあおり続けるための巧妙なプロパガンダによって投資マニアも延命される。これは政治家、金融政策立案者、財界、投資銀行、金融機関、アナリスト、ストラテジスト、CNBC、CNN、金融関連のウエブサイト、ベンチャーキャピタル、そして一般大衆自体によって永遠のブル相場への関心が広まったことを考えれば簡単に理解できる。みんなが株価の上昇や出来高の増加、M&A（吸収合併）、新規発行、新しい金融商品、高視聴率などによって利益を上げると、マニアが頂点を過ぎてしばらくたっても株のメリットを強調するプロパガンダは衰えず、大きなベア相場のなかの反発につながっていく。

　ヒットラーが言ったプロパガンダの知的水準については、CNBC現象にも見ることができる。視聴者の数によって収益が決まるCNBCでは、あらゆるたぐいの「良いニュース」を流すことで株を買ったり保有することに関して投資家の熱意を保たなければならない。しかし、もちろんこれが可能なのは、株が上がり続け、人々が儲かっているときだけである。そこでCNBCが良いニュースは大々的に取り上げ、悪いニュースは不適切なものとして却下することが多くなっても驚くには値しない。もしある銘柄が10％上がれば、CNBCの解説者は熱意あふれるコメントで熱狂に火を注ぎ、たとえその銘柄がその前の5カ月間で98％下げていたとしても気にしない！　第三帝国（ナチスドイツ）のプロパガンダ同様、解説者（そのほとんどがマーケットが下がらないことを望んでいる）も極めてシンプルな意見を繰り返す。生産性向上による成長、インフレがない、金利はピーク時より下がっている、株価は常に上がる、弱含んだときは買いのチャンス、技術が経済を発展させる、企業利益は好

調を維持する、グリーンスパン議長（リーダー）は常にソフトランディングを達成してきた、石油価格は再び下落するなどといった具合である。

筆者はCNBCに対して何ら個人的な反感を持っているわけではないが、できるだけ多くの視聴者を獲得したいという現代の放送業界がけっして批判的な分析を行わないことは問題だと思う。メディアの多くは視聴率のうえにのみ成り立っており、大衆に引きづられながら大衆を引っ張っているように見える。そして、「知的水準」の低い大衆に頼るこのような体制が、民主主義や資本主義の危機を招きかねないことははっきりしている。しかし、フリードリッヒ・フォン・ウィーザーは『ダス・ゲゼッツ・デア・マハト（Das Gesetz der Macht）』のなかで、リーダーが与えるのは運動のゴールと計画だけで、その力は大衆自体から生まれると言っている。

ここでマニア期間中のムードというのが必ずしも幸福で楽観的なものではないということを強調しておきたい。1970年代末に投資家が金や銀（あるいは強い通貨）を高く買ったのは、将来を楽観したわけではなく、ドルの価値がなくなるとかインフレが加速すると考えたからだった。つまり、有形資産ブームは経済の先行きに対する悲観論とくだんの商品（金、銀、強い通貨、ダイヤモンド、不動産、それ以外のインフレヘッジ商品とみなされているもの）が上昇し続けるという楽観論によってあおられるのである。その意味では、商品ブームの特性は恐怖をベースとした欲望といえるだろう。

一方、金融マニアには恐怖という要素はほとんどない（唯一心配なのは、隣の投資クラブや自分のファンドマネジャーのほうが利益を上げているのではないかということくらい）。儲けや投機に対する過剰な欲求は、経済見通しや世界情勢や利益チャンスを楽観する

ことから来ている。しかし、例外もある。国によっては経済や社会情勢があまりにも悪化したため、ほかに買うものがなくて株を買うというケースもある。例えば、超インフレに陥っているのに厳しい外国為替規制を維持している国では、人々は株と特定の条件を満たした土地に殺到することになる。また、金融制度が破たんしかけていて銀行を信用できなくなったとき、行き場のない資金が株に向かうこともある。

　ブームになると楽観的かつ自己満足的なムードが広がるため、悪いニュースは無視されたり逆説的に取られたりすることもままある。1970年代末のIMF（国際通貨基金）や米国財務省の金の売却は明らかに供給量を増やし、金市場を拡大させた。しかし、このような競売が行われるたびに人々は金に殺到した。2001年に米国債市場が下落したときも、これで資金はすべて株式ファンドに流入するから株はブルだという声があった。

　マニアの時期に楽観ムードに浸るのは、一般大衆だけではないことも強調しておきたい。1970年代の末期、企業は多角化を目指して石油会社や天然資源の会社をかなりの高値で買収していた。コノコ、マラソン・オイル、サンタフェ・インターナショナル、ケネコット、アナコンダ、キプロス・マインズ、デリー・インターナショナル、ゲティ・オイル、スペリアル・オイルなどはすべて商品ブームのピーク時に買収されている。当時、これらの取引の大部分が称賛されたが、相場が下がると失敗は明らかだった。企業経営で判断を誤る可能性は、スタンダード・オイル・オブ・カリフォルニアが1981年にアメックスを1株当たり75ドルで買収しようとして失敗したケースを見るとよく分かる。アメックスの株価は1985年には1株当たり10ドルに下がり、両社の経営陣はそれぞれの見通しについて自画自

賛した。スタンダードはアメックスに75ドル以上支払うつもりがなかったと言い、アメックスは株主に対して実際にはそれ以上の価値がある自社の独立性を守ることができたと説明したのである（アメックスの株価はそのあとさらに90％下落した）。最近も米国企業が高値で自社株買いを行ったり、振り返れば「常軌を逸した」としか言えない価格で他社を買収しているだけでなく、その資金を負債で賄うことで財務基盤を危うくしている。企業幹部のブル姿勢を示すもうひとつの兆候は、自社株のプットをネイキッドで売る行為で、これは2000年3月以降マーケットが下がり始めてからは極めて高くつく取引になっている。

　マニアの時期、一般の投資家に比べてプロは慎重になっていることが多いが、それでも機関投資家がブームへの参加を避けることはできない。目先のパフォーマンス、高パフォーマンスのファンドの指数化や資金流入などによって、最も上昇率の高いセクターに押し流されていかざるを得ないからである。そのため、マニアの間はその市場やセクターに「いないわけにはいかない」ということを何度も耳にすることになる。1970年代末、多くのファンドマネジャーが石油や資源の関連銘柄は高すぎると感じていたが、1980年の時点で上昇していたのはこのセクターだけだったことから、パフォーマンスを上げるにはこれを買う以外になかったのである。日本株のバブルのときも同様で、多くのファンドマネジャーが株価は高すぎると思っていても、参入しなければ国際指数を下回ってしまうため、不本意ながらブームに乗っていた。最近では、多くのファンドマネジャーがハイテク銘柄の株価が極限に達していることを明らかに知りつつも、1998年以降TMTセクター以外にマーケットを引っ張るものがなかったため、新規顧客を引きつけるパフォーマンスを求めて

ここに投資するしかなかったというケースがある。

簡単に言えば、熱狂のなかでの買いは伝染して世界中を投機の渦に巻き込んでいく。だれも乗り遅れたくはない。利益だけに目を奪われ、リスクは考えない一般投資家は「ほかに投資するものがない」と言い、企業は自社製品の需要を過大に見積もるか、将来の見通しについて自信過剰になっている。そしてプロの投資家は急上昇するマーケットに投資する以外の選択肢がない（1720年のサウス・シー・バブルのとき、ある銀行家が「世界が熱狂しているときは、ある程度それに合わせる必要がある」と書いている）。こう考えていくと、2000年まで続いた米国株式市場のブームは興味深い現象だった。多くの機関投資家はかなり慎重な見方をしていたにもかかわらず、一般投資家（最も情報の少ない投資家）が株式ミューチュアルファンドに資金をつぎ込んでいるという事実に大いに助けられていたことは皮肉なことである。結局、これがマカロックの言うところの「他人から得る自信」なのだろう。

国際的な波及

小さなマニア（1900年代初めのブームや1960年代初めSBIC、1978年のギャンブル性の強い銘柄、1970年代末の米国の農地など）は地域の出来事にすぎないが、主要マニアは世界的に広がる性質を持っている（**訳注　SBIC＝中小企業投資育成会社**）。1720年のロンドンのサウス・シー株バブルと破たんが起こったころ、フランスではジョン・ロウのミシシッピー計画のバブルが生まれ崩壊しただけでなく、ヨーロッパ大陸全体に保険会社株の投機ブームが起こっていた。イギリスの投資家はジョン・ロウの会社に投資しようとパリ

に押し寄せ、ヨーロッパ全域の投資家（特に繁栄を謳歌するオランダの投資家）はサウス・シー株に殺到した（その結果、当時イギリスの通貨はフロリンに対しては1720年前半だけで10％も上昇した。

訳注 フロリンは当時、欧州各地で使われていた通貨）。

　1873年初めにヨーロッパと米国を巻き込んだ建物と株のブームについては前述した。しかし、オーストリアとドイツで起こった危機がイタリア、オランダ、ベルギー、そのあと米国へと波及したのは、米国の鉄道証券や1870年代初めの西側諸国の植民地に大金を投入していたヨーロッパの投資家が借金返済のため資本を次々と引き上げる必要に迫られたからだった。

　世界的なブームが世界的な危機につながるのは避けられない。1920年代末にヨーロッパの株式市場は（米国ほどではないが）急騰して、1950年代から1973年まで世界中のマーケットが高パフォーマンスに沸いた。ただ、ヨーロッパの市場の多くは1962年までにピークを打っており、1929年以降と1973年以降は主要な市場はすべて下落したということになる。最近では、米国株市場の上昇がヨーロッパの株式市場の高パフォーマンスに貢献しており、ナスダックが2000年3月にピークを付けるまでの間、ドイツのノイエマルクト、日本のジャスダック、韓国のコスダックなどハイテク銘柄を多く含む指数も高騰した。そして1929年、1973年、2000年3月のあとはブームに関連したセクターは一斉に下げたのだった。

　1980年代と1990年代の金融資産ブル相場も、世界的な現象になった。1980年代初めを皮切りに先進工業国でも新興市場でも旧社会主義国に開設された株や先物の市場でも、1990年代末まで株価は大きく上昇した。過去20年間のような新しい金融商品の拡散は、それまでにはなかった現象といえる。1970年にウォール街で働き始めた筆

者は、先進工業国だけでなくほとんど世界中で上場株、金利、通貨、指数先物（およびそのオプション）、デリバティブ各種、スワップなどの商品の取引開始を見てきた。そして、現代ではコミュニケーション機器やメディアのおかげで世界中どこでも金融ニュースが聞けるだけでなく、洗練された銀行サービスやカストディもあれば、外国為替規制も次々と撤廃されて金融市場は本当に「新時代」に突入したと思う。資本は国から国へ、株式市場から株式市場へ、投資テーマから投資テーマへと簡単に移動することができるようになった今日、各地の金融市場はそれぞれが密接につながっている。そしてこの関連性が、ある国のブームを別の場所の別のブームにつなげていくのである。同様に、ある地域の投資マニアは「心理的な感染」、あるいは「伝染」によって外国の投資家や投機家に伝わっていく。投資家は「もしあの投資先（または市場）が昨年上がったのなら今年は自分の市場がそうなっても不思議はない」とか、「1989年に日本株が収益の70倍だったのならば、自分の市場が100倍になってもおかしくない」などと考えるのである。

　行きすぎた投資熱が外国にまで波及した結果、まるで火山爆発のようにブームは猛烈な勢いで不定期に別々の地域やセクター、別々のタイミングで発生するようになった。これまで（もしかしたら今でも）われわれは、波の上の船が次々と違う高さに持ち上げられるように、金融騒ぎの大波に巻き込まれているのかもしれない。前述のとおり、投機の大波は1980年代末には日本の株式市場を持ち上げ、1993年には新興市場に移動すると、最後に米国のナスダックバブルに到達した。

投資ブームにおける外国人の役割

　グローバル資本市場が持つ拡散性によって、国内市場、通貨、そして個別銘柄にとっても外国資本がもたらす需要（と供給）はますます重要になっている。ただ、外国人投資家はサイクルに逆行するわけではないものの、レミングのような動きを見せることは多い（訳注　レミングはネズミの一種で、周期的に大発生し大群で直線的に移動して湖や海に入って大量死することがある）。外国人投資家は、1980年代半ばの南米や、1989年の天安門事件、そして最近のアジアなどの安値圏や経済が落ち込んだところでは直接投資を行わない。買いが増えるのはすべてが明るく見えるマーケットのピークか、そのあとの短い期間で、後者はベア相場の最初のフェーズであると同時に上昇相場の調整期のひとつでもある。

　つまり、外国人投資家は最後のスパイク（突出高）にかかわることが多く、それには2つの理由が考えられる。直接的な理由は彼らが投資マニアの最終フェーズで買いを増やすことで、間接的な理由は外国資本の流入に国内投資家が慣れてしまうことである。こうなると、国内投資家は外国投資家が永遠に価格を押し上げてくれることを期待して自分たちも買い続けるか、キャピタルゲインが増えることを期待して売らなくなってしまう。

　これまで筆者が見てきたブームのなかで、国内に外国投資家が価格をつり上げてくれると期待するムードが広がらなかったケースはなかった。1970年代末の金ブームのときは、金への執着が強そうな中東の投資家に注目が集まった。1980年代半ばの中国人は日本人の米国不動産買いが終わることはないと考えていた。日本の株式市場バブルのときには、それまで少なかった外国人投資家の参入が期待

第8章 ●新時代とマニアとバブル

図8.4
どんどん燃えろ
米国への資本流入　1980-2002年

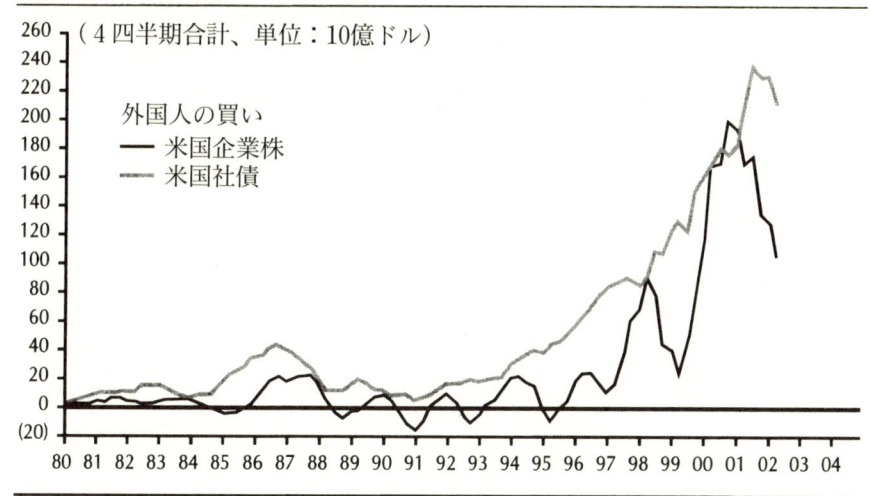

（4四半期合計、単位：10億ドル）

外国人の買い
―― 米国企業株
―― 米国社債

出所＝FRB資金循環口座、エド・ヤルデニ／プルデンシャル証券（http://www.prudential.com）

されており、1993～1994年の新興市場ブームでも各市場は外国のポートフォリオの資金が増加し続けると期待した。筆者の経験から言って投資ブームの期間中、外国人の需要はかなり過剰に見積もられることが多い。この2～3年、米国人は自国の経常赤字を米国債や米国株を組み込んだポートフォリオを通じて外国人が永遠に埋め続けてくれると考えている（図8.4参照）。しかし、今回はほかに変わるものがないから、これまでとは違うという一部の専門家の主張が正しいとしても、いずれ外国人投資家の米国資産の売りが買いを超える日が来ると筆者は思っている。

投資プールと新規発行

　投資マニアには、投資プールが多数形成されることと、新規発行が増加してマーケットにあふれるという特徴がある。1604年のオランダ東インド会社や1720年代のサウス・シー会社とジョン・ロウのミシシッピー計画会社などの初期の株式会社は、実際には会社というよりもむしろ特定の目的のために作られた投資プールに近い。

　このことは、サウス・シー・バブル時代に発行された証券に「莫大な利益につながる事業をするための会社だが、それが何であるかはだれも知らない」などと書かれていたことからも分かる。投資信託設立の最初の大波は1920年代末に訪れ（図8.5参照）、1960年代末のミューチュアルファンド設立の波につながっていった。最近では、周知のとおり新しいミューチュアルファンドのラッシュが今回はグローバル規模で訪れている。

　証券会社の数が増加する時期がマーケットのピークと一致することを、経済学だけで完全に説明することはできない。経済理論は、価格が下がれば需要が増し、価格が上がれば需要が減ると言っているが、投機的な市場ではその反対になることも多い。1930年代や1970年代の株価低迷期に設立された投資会社はほとんどないが、最近のように株価が高くなると新しい投資会社がまるできのこのように次々と現れる（日本ではバブルがピークのころ、財テクや特金が大人気を博した、図8.6参照）。米国では設立や解散が簡単にできる投資クラブの暴走が「アノマリー」を拡大した（**訳注**　アノマリーは市場における常識では起こらない変則的な出来事）。エリオット波動論者のロバート・プレクターによると、米国では1975〜1976年から1987年の間に987の投資クラブが作られたが、解散はそれより

第8章●新時代とマニアとバブル

図8.5

資金プールは…
米国の株式ファンドと株式市場　1925-1955年

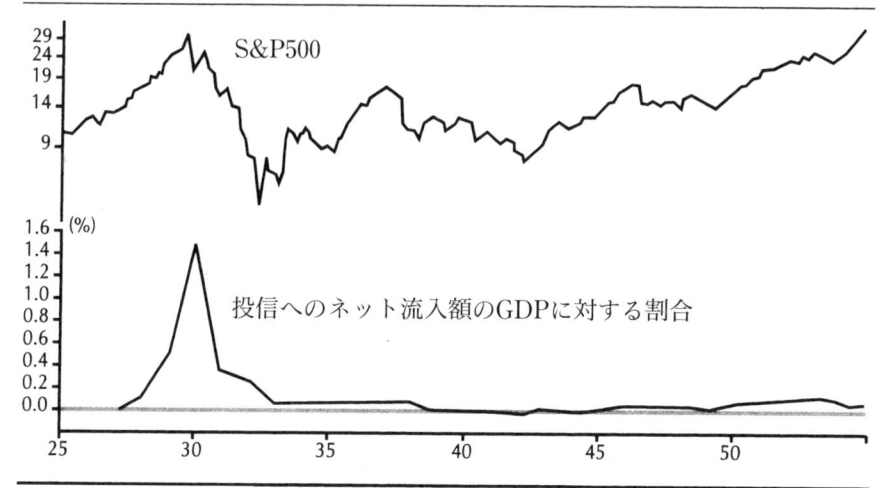

S&P500

投信へのネット流入額のGDPに対する割合

出所＝ザ・バンク・クレジット・アナリスト

図8.6

…太平洋の反対側でも起こっていた
日本の株式ファンドと株式市場　1982-1996年

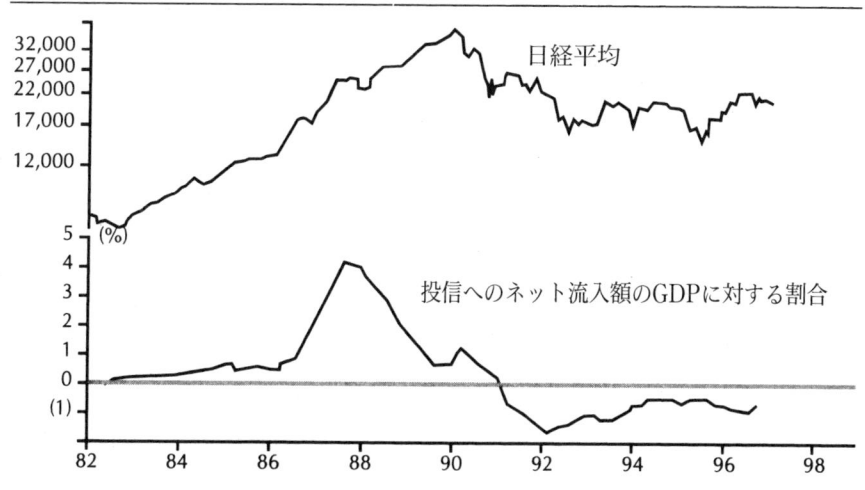

日経平均

投信へのネット流入額のGDPに対する割合

出所＝ザ・バンク・クレジット・アナリスト

もずっと素早く行われたと指摘している。1992年までは年間1000未満だった投資クラブの設立数は、1990年代末には1000を超え、資金プールに関する投資家の関心が大いに高まるとともに、何千もの投資クラブが次々と設立されていった（成功体験の本まで出版したベアーズタウン・レディーズの人気もそれに拍車をかけたが、のちにこの投資クラブのパフォーマンスはねつ造されていたことが発覚した）。

面白いことに、米国のミューチュアルファンド業界に流入するネットの資金は、時とともにその内容が驚くほどシフトしている。かつては流入する資金の大半が債券ファンドに向けられていたが（1987年3月の時点で77％）、1993年には株と債券がほぼ均等になり、1990年代末と2000年にはそのほとんどがハイテクファンドやグロースファンドをはじめとする株式ファンドに投入されるようになっていった（第2章　図2.1参照）。しかし、直近のデータでは債券ファンドが再び盛り返している。そして債券に投入される資金の割合が1986年に約80％という記録的な高さになり、それが1993年まで抜かれなかったことを考えると、1990年代末のハイテクファンドへの集中的な投資は米国株市場が2000年3月に付けた高値をあと数年は超えられないことを示唆しているとも考えられる。

投資ブームによって数多くの投資プールが設立されるだけでなく、新規発行も雪崩のように増えていく。19世紀の運河、土地、鉄道ブームがすべてそうだった。1920年代末と1960年代末の新規発行カレンダーはぎっしりと埋まっており、それは1993年末の新興市場でも同じだった。1970年代末の石油と天然資源のブームではエネルギーや鉱業関連の株が登場し、1983年のミニテクノロジーマニアではその関連株が数多く発行された。そして1980年代半ばになるとジャン

クボンドの時代が訪れ、1990年代末には最初の中国関連銘柄ブーム（1997年に北京インベストメントが手がけたIPOには募集価格の400倍の申し込みが殺到した）、そのあとはハイテクとインターネット銘柄に関心が移っていった。IPOの過剰人気と公開初日の異常な高騰によって、過剰投機は明らかだった（1996年と1997年の中国B株とH株や、1990年代末のインターネット銘柄を思い出してほしい。

訳注 中国のB株はもともとは外国人投資家限定の市場だったが、現在は中国人投資家にも開放されている。H株はA株やB株と同列の大陸企業の香港上場銘柄）。ちなみに、もしIPOがひとつの業種（船上カジノ、バイオテクノロジー、不動産投信、カントリーファンド、ハイテク、インターネット企業など）に偏っているときは、その業界が長期か、循環的な高値圏に近づいている可能性が高い。

IPOブームが終わりに近づくと、発行価格は法外になるが、企業の質は下がる。ただ、ほかのマニア現象と同様、この「熱狂」がどの程度になるかを予測するのは難しい。

ブームの間の価格変動と出来高

非投機的市場では、レンジが狭く出来高も少ない取引が何年間も続くことがある（1950年代や1960年代の石油、金、銀や、1975〜1985年の台湾株式市場など）。それに対して投機的市場では、ブームの終わりに価格が放射線状もしくは垂直に上がり、出来高も異常に拡大、日々の価格も大きなレンジでのスイングやとっぴな動きを見せる。また、非投機的市場ではかなりの期間横ばいの状態が続いて（20年以上になることもある）底を探っていくのに対し、投機的市場は大暴落で一気に終わることが多い。そして価格がスパイクし

てピークを付けたあとは急落して、そのときの高値までは少なくとも当分の間（10年、20年、あるいはそれ以上）もしくは二度と戻らない。さらに、株式市場の投機熱が破たんした段階では、牽引役となる銘柄の数は減るが、それらの銘柄の上昇が指数を高い水準に保ち、それ以外の大部分の銘柄は昏睡状態に陥ってしまうことが多い（そして新高値の銘柄リストは縮小する）。1929年夏に米国株式市場は最終的に高値を付けたが、実際には大部分の銘柄が1928年にすでにピークを終えていた。

同様に1973年1月にも米国市場は「ニフティ・フィフティ」による高値を付けたが、それ以外のほとんどの銘柄は1972年からすでに低パフォーマンスに陥っていた。1979年と1980年には大部分の銘柄に動きはなかったが、石油、掘削会社、鉱業などの株は急騰して1980年末から1981年初めの高値圏まで市場を引き上げた。日本では1989年末に銀行株やそれ以外の金融機関の株が最後の高値圏に押し上げ、最近では1998年以降、大半の銘柄が低迷するなかでTMTセクターだけが世界中で高騰した。つまり、株式市場マニアの終わりを示す最も信頼できる兆候は、少ない銘柄（たいていは同一セクター）に投機が集中することなのである。さらに、この最後の投機的上昇は業務内容やときによっては企業名まで変えて流行のセクターに飛びつく質の低い株や企業の急騰を伴うことも多い。オーストラリアでは1990年代末に鉱山会社数社が株価を上げるだけの目的で、ドットコム企業に転換したというケースもあった。

この2～3年の米国市場にも同様の兆候が見える。1998年以降、大部分の銘柄が横ばいもしくは下降しており、ハイテク、メディア、テレコム株はナスダックとともに弾道的な軌跡を描いている。実際には5年間かけて2000年3月にピークに達したナスダック（図8.7）

図8.7

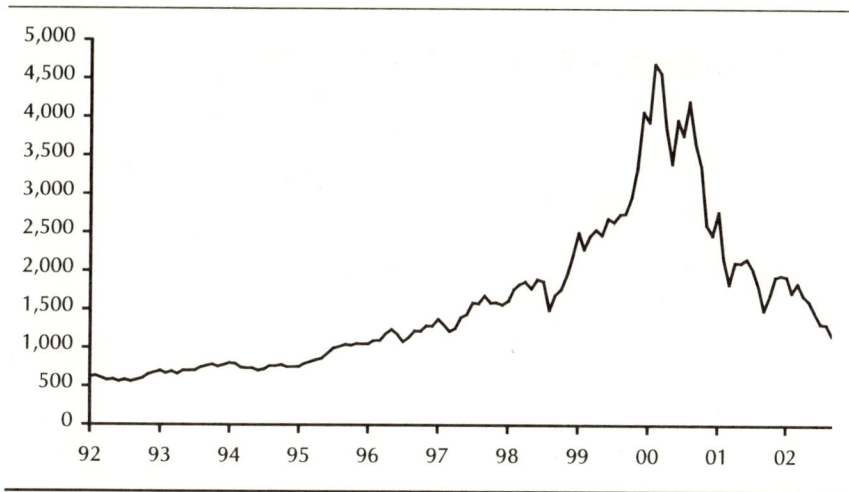

もっとも高いパーティー
ナスダック　1992-2002

出所＝データストリーム

を見ると1980年代末の日本市場を思い出すが、実際には1985年から上昇して1989年のピークに達した日経平均のパフォーマンスをはるかに上回っていた。ちなみに過去の「新時代」の株式バブル（1929年、1969年、1973年、1983年）を最近の米国株マニアと比較するときには2000年の株価水準が史上最も高くなっていたということを考慮すべきだろう。

　先に説明したとおり、バブルのときはいくつかの銘柄に膨大な取引が殺到する。そして、2000年以降最近になっても出来高が最も多いのは、テクノロジー株なのである。IPOも頻繁に行われており、初日の出来高は発行株数を超えているうえ、ナスダックの出来高もニューヨーク証券取引所の出来高を超えていることが多い。これは

「本当の」新しい時代、あるいはマニアが始まったというサインのひとつなのかもしれない。

ブームの時期の書物、メディア、会議

アービング・フィッシャーによると、1920年代末には株が債券より高いリターンを生むという主旨の書物が数多く出版されたという。また1929年8月、当時の民主党委員長だったジョン・ラスコップはレディーズ・ホーム・ジャーナル誌に「だれでも金持ちになれる」と題した記事を寄稿し、そのなかで毎月15ドル貯めてそれをまだ設立もされていない「エクイティーズ・セキュリティー・カンパニー」を通じて株式市場に投資しようと呼びかけている。1920年代末には銘柄選びのためのニュースレターや投資に関する雑誌も多数創刊された（ビジネスウィーク誌も1929年に創刊された）。

1970年代末になると高PER（株価収益率）のグロース株への投資を勧める本が数多く出版された。ウィンスロップ・ノールトンの有名な著作である『シェーキング・ザ・マネー・ツリー（Shaking the Money Tree）』が出版されたのもグロース株が壊滅した1973～1974年のベア相場直前の1972年だった。1970年代末になると『通貨の死滅する日』（1979年、ダグラス・R・ケーシー著、講談社）、『第三の経済時代——破局に備える投資戦略』（1978年、ハリー・ブラウン著、講談社）、『破局に備える——'80年代を乗り切る法』（1979年、ハワード・J・ラフ著、講談社）などが次々と出版された。これらの書物はすべてドルが価値を失い（ドル指標は1979年末に底を打ち、1985年にはその約2倍になった）、超インフレが貴金属の価格を果てしなく高騰させる時期はすぐそこまで来ている

と主張していた（金と銀の価格は1980年1月にピークに達した）。このころの投資会議やニュースレターの話題は金、銀、石油、そのほかのエネルギー株に集中し、「ゴールド・バグ」（金の虫）と呼ばれる金投資の専門家が開催するセミナーは世界中で大人気を博した。雑誌の表紙や見出しには石油、OPEC、金、ハント兄弟（テキサスの石油富豪で、銀の買い占めによって1979年8月からの半年間に銀価格を急騰させたあと一気に急落させた）、サウジアラビアの億万長者、イランのシャー（国王）、テキサス、デンバー、農地、ダイヤモンド、弱体化したドル、シュルンベルジェ、ハリバートン、ドーム石油、トム・ブラウン石油などの株、そして強力な石油ドルの動きなどが毎回登場した。また、テレビをつければ当時の大人気ドラマ「ダラス」を見るか、ニュースでヤマニ石油相やサウド国王がOPEC会議でどんな気まぐれを起こしたかをチェックするのが常だった。もちろん大勢のファンが群がるウォール街の石油業界アナリストの分厚いレポートも、エネルギー関連株に集中していた。

1987年の大暴落の少し前、ビジネス界ではM&A、企業買収アーティスト（専門家）、アービトレージャー、そして彼らへの資金提供者に関する本が人気で、T・ブーン・ピケンズ、アイバン・ボウスキー、マイケル・ミルケンなどが連日のようにマスコミに取り上げられていた。しばらくして日本の株式と不動産バブルが崩壊する少し前には、「日本株式会社」の時代に変わり、日本の金融システムの優位性や日本株の高値を正当化する本が数多く出版された。

最近では、成功する投資戦略、株の有名投資家、ダウが3万6000ドルや10万ドルまで上がる理由などといった本が次々と書かれている。ハイテクやインターネットが1970年代末の石油や金と同じくらいの頻度で雑誌の表紙を飾り、新しい投資ニュースレター、ビジネ

ス雑誌、ビジネス・ニュースチャンネルも世界中にきのこのごとく次々と現れている。なかでも多いのは、ベアーズタウン・レディーズのような初心者でも株なら大儲けが可能だというたぐいの本で、『メインストリート・ビーツ・ウォールストリート（Main Street Beats Wall Street）』では「トップクラスの投資クラブがトップ・プロの投資パフォーマンスを上回った方法」を伝授している。ベアーズタウン・レディーズに共感して、すぐに彼女たちの戦略を取り入れようとする小口投資家は大勢いるのである（1960年代にはダンサーのニコラス・ダーバスが書いた『私は株で200万ドル儲けた』［パンローリング刊］がベストセラーになった）。

本屋が売り場の通常以上のスペースをビジネス書やマニアが起こっている分野の本に当てているときは、それがマニア到来のサインになる。1990年代末には株式市場や成功したハイテク企業に関する本が流行した。

投資マニアはどのように終わるのか

残念ながら正確な答えはないが、次のように考えてはどうだろう。マニアの末期にはプロやインサイダーが慎重もしくは弱気になる反面、一般投資家は市場に殺到することが多い。1920年代末、一般投資家の思いとは裏腹に、プロのトレーダーは弱気の見方をしていた。1970年代末にも多くのプロが金や銀や石油株を空売りした（なかでもドーム石油の空売りポジションは大きかった）。1983年のハイテク・ミニマニアの時期には、コモドールやそのほかの銘柄の空売りは莫大な量におよび、1988年から1989年初めの日本でも外国のヘッジファンド・マネジャーがすでに日本株の空売りを初めていた。し

かし、同じように1994年と1995年初めに円を空売りしたプロの大口為替投機筋は時期尚早で大きな痛手を被った。

　投資マニア末期には、企業のインサイダーも株価の行きすぎや好調に陰りが見え始めていることを察知して自社株の売りを増やす。アナリスト会議では強気のコメントをしながら、裏で自社株を売るCEO（最高経営責任者）も珍しくない。1990年代末にはハイテク企業の幹部が自社株を売りながら、投資界に対しては将来の明るい見通しを語り続けた。

　バブルのもうひとつの特徴は、詐欺の台頭である。ただ、株価が上昇し続け、バブルが進行しているときに疑わしい行為や詐欺的行動があってもだれも気には留めないため、それが判明するのはバブルが破たんしたあとになる。そして一度バブルがはじけると、投資家は批判的になり、スケープゴートを探して疑惑をぶつけようとする。また、ブームの間は過剰なレバレッジをかけたポジションと会計のごまかしで見せかけの収益倍増を達成してきたとしても、バブルが破たんすると途方もない利益が途方もない損失に転換する。『金融恐慌は再来するか──くり返す崩壊の歴史』（日本経済新聞社）のなかでキンドルバーガーは詐欺の台頭についてまる１章を割いており、そのなかで「ブームの間に（詐欺が）台頭する傾向とさせられる傾向は、投機の傾向と並行して進んで行く」と述べている。「ブームの間、人々は貪欲になっていくため、詐欺師は先回りしてその欲望を利用するだけ」で、詐欺も需要に基づいて台頭しているだけだと言っているのである。また、詐欺行為が「拡大しきった信用システムと上がりきって下降に転じた物価の下で金銭的なダメージを拡大する」とも書いている。

　キンドルバーガーは、疑わしい行為や不正行為以外にもロイヤ

・アフリカン・カンパニー、東インド会社、ユニオン・パシフィック鉄道などで、インサイダーが自分が管理する契約書を悪用して株主に支払われるべき利益を着服した事件を取り上げている（訳注　ロイヤル・アフリカン・カンパニーは米国に奴隷を輸入するための会社）。また、当時の人が1920年代を「史上最大の大型不正金融操作の時代」と呼んでいたことも紹介されている。さらに、詐欺や不正や使い込みが発覚することについては次のように書いている。

　……これによって世界があるべき姿になっていなかったことや、そろそろ真実の姿に戻るべきときだということが分かる。悪人の逮捕や自首、あるいは逃亡や自殺など何らかの告白行為によって不正が明らかになることは陶酔感が行きすぎの状態に達したという重要なサインであり、過剰取引も終わりに近い可能性が高い。激変と、場合によっては疑惑の時期の幕開けである。

　実際、すべてのマニアにはある種のポンジー・スキームがかかわっている。1920年、詐欺師のカルロ・ポンジーは、先に投資した人の利益があとから投資した人の資金で賄われる「不幸の手紙」に似た仕組みを考案した。ポンジーは、外国で安く買える国際返信用クーポン（いずれは償還される）が米国でそれよりはるかに高い切手と交換できることに目をつけ、その裁定取引に出資すれば45日間で50%の金利を支払うと宣伝したのである。しかしこの計画はまったくのでっち上げで、800万ドル近い資金を集めたポンジーが逮捕されたとき、事務所に残っていたのはわずか61ドル分の切手だけだった。このように新しい投資者を加速的に増やすことが成功条件になる「ピラミッド」型のスキームは、出資者の何人かが払い戻しを危

ぶんで返金を要求し始めると崩壊することになる。

　ポンジーと似たようなスキームは、新興経済に短期投資で50％のリターンを得られるなどという話を信じる世間知らずの人々がある程度いるところでは、折に触れて発生する。ただ、どのような投資でも、ある時点では先の買い手に支払われるリターンはあとの買い手の投資分だということは間違いない。そして、それが最も顕著なのが価格をあおって上昇を維持するために大勢の参加が必要なブームやマニアなのである。買い手が将来のリターンを危ぶんだり、需要を供給が上回り始めると、投資テーマへの資金流入が減り始めてブームは終わる。米国でいえば、1920年代、1960年代、1990年代のいずれのケースでも早期に買った人たちは儲けたが、遅く買った人たちはその後の下落で大きな痛手を被っている。これは金や銀のブームでも、1980年代の日本株のバブルでも同様だった。

　実際、投資バブルの主な特徴として巨大なポンジー・スキームの存在が挙げられるだろう。起業家もかつてのように継続して利益を上げるビジネスを設立するのではなく、IPOや第二次募集で投機家に売り込むほうの賭けに資金を投資するように変わってきている。一方、投資家のほうも厳格な価値判断基準や実質的な経済メリットなどの概念は捨て去って、その代わりに恐らくほかの人、「さらなる愚か者」が自分より高く買ってくれるだろうという理由で株を買っている。

　ポンジー・スキームには、いくつかの興味深い疑問点がある。なぜ人々は繰り返しだまされるのか、なぜカルロ・ポンジーのスキームは１年もたたずに破たんしたのにほかのスキームはもっと長期間存続し得たのかなどである。人々がポンジー・タイプの詐欺にだまされるのはその高いリターンに引かれるからで、もしポンジーが45

日間で2％（年間102％）のリターンしか提示していなかったらだれも投資しようとは思わなかっただろう。しかし50％という巨大リターン（年率16万2450％）が大勢の人々を引きつけたのだった。ただ、ポンジーの計画が長続きしなかった最大の理由は、彼の営業基盤がボストンだけだったという地域的なもので、もし当時、CNBC、CNN、インターネットのチャットルーム、怪しげな株式投資顧問などによってグローバルな展開ができていれば、ポンジーの栄光ももっと長く続いていただろう。この計画は償還するための十分な資金が流入するかぎり続いていくはずだった。そしてこの人気が長く続くほど、人々はポンジーの資金調達力に信頼を深め、中央銀行までが投資を検討するところまでいったかもしれない。なにしろ、もし年間金利があと20％上がったとしても、ポンジーの利率には追いつかないという状況だったのである。結局、ポンジーの失敗は資金調達のスピードが十分でなかったことと、投資家の信頼が薄れてきたことが原因だった。

　仮にもしポンジーが再び現れたらどうなるだろう。ボストン近辺だけで45日間の投資に50％の利益を約束する怪しげな人物の代わりに、信用力の高い資本主義制度とグリーンスパンFRB議長と米国財務省が、危機が起こればメキシコやアジアやLTCMや最近ではブラジルのように救済を保障してくれるのである。現在のシステムやグリーンスパン議長（ポンジーではない）が世界中の投資家から米国株式市場が年率20％のリターンに同意する権限を与えられているのと変わりないことは、1982年や2000年のケースを見ても明らかだろう。それどころかメディアの支持と応援もあってテクノロジー・セクターに投資すれば、年率100％近い利益を上げることができると資本主義とグリーンスパン議長が保証しているような印象まで

広がっていた。ちなみに、100％近いリターンというのは2000年3月までの2～3年でナスダック100指数が上げたリターンで、この指数は5年間に9倍、1998～2000年だけで4倍になった。

ポンジー・スキームも、年間20％では流行したかどうか分からないが、確実な100％のリターンとなればどんな投資家でも興味を引かれるだろう。そしてナスダックがこのリターンを維持するかぎり、あふれんばかりの投資家が短期債券やMMF、CDや場合によってはバリュー株などの保守的な投資から、ハイテクセクターに乗り換えていく。そうなると、金利が上昇したとしてもそれより高いポンジー・スキームへの流れを止めることなどできなくなる。

しかし、市場への新たな資金流入が減り、株の供給が需要を上回ったり投資家が大幅なキャピタルロスを被るようになってくると、限界点が訪れる。そして、ここに至って初めて投資家は自信を失い、あわてて出口に殺到するため暴落が始まる。1999年に米国で（史上最高）の555社が新規公開され、7360億ドルを調達したが、その金額はこれらの企業の時価総額のわずか27％でしかなかった。しかし、2000年になって大部分の企業のロックアップ期間（インサイダーの売買禁止期間）が明けたことと新規公開の予定が目白押しだった（2000年初めには調達額が80億ドルを超えていた週もあった）ことで、インサイダーは2億ドル相当のロックアップされていた株を売却したのだった。

投資マニアの兆候のひとつに、ベアに転換するのが早すぎて最初に大金を搾り取られるプロの存在がある（筆者自身も経験している）。最も過大評価されている怪しげな銘柄は最も空売りされている銘柄でもある場合が多い。そのため、マニアの最後には最も投機的なセクター（空売りポジションの大きい銘柄）を狙って玉締めを

行い、モメンタム投資家がその空売りのポジションを買い戻させようとするのである。

　また、マニアの最後にはある種の乖離や矛盾が明らかになる。先に述べたとおり、牽引役は非常に少なくなり、マーケットの大部分はほとんどパフォーマンスを上げなくなるが、ひとつのセクターだけが上がり続ける。1980年にはエネルギー株に引っ張られて11月にS&Pがピークに達した。しかし、石油株などの投機的な銘柄が多く含まれるAMEX（アメリカン証券取引所）の総合指数は1981年8月まで上昇し続けた（そのあとは9カ月で40%も下落した）。2000年になるとダウ工業株平均が1月の初めにピークを付けた反面、ナスダックとS&Pは3月まで勢いを持続した。

　最後に、マニア末期に生じる亀裂について書いておきたい。企業収益が期待を裏切ると、その銘柄が急落することは折に触れてある。また、収益は良かったのにマーケットがすでに「期待以上」の収益を織り込んでいたため、下落することもある。1929年のように経済問題が悪化することも、政治的、社会的状況が悪くなることもある。

　1990年代末から2000年にかけて、主要なマニアに伴う典型的な超過的要素はすべて発生していた。さらにナスダックがほぼ垂直に上がる反面「オールド・エコノミー」株はパフォーマンスが低下していたことでマニアが最終段階（爆発）に至っていたこともはっきりしていた。

　ミニマニアと主要マニアの違いは、例えば1961年や1983年のようなミニマニアの場合、メディアや投機筋の注目を集めたセクターだけが崩壊することで見分けることができる。1960年代初めのミニバブルが崩壊すると、SBIC、電子、ボウリング関連の銘柄は85%以上下落し、1983年のテクノロジーマニアのあとはアップル、データ

ポイント、オーク・インダストリーズ、マイクロン・テクノロジー、テレビデオ、ワング、コンピュータービジョン、コモドールなどが平均80％以上下げた。ミニマニアの最中に最高パフォーマンスを誇った銘柄やブームの間に新規公開された銘柄の大部分が完全に消滅したり、忘れ去られたり、相当長い期間マニア時代の高値には戻らなかったりする。ただ、破たんのあとも指数だけは復活して高値を更新することがある。

　ミニマニアの崩壊についてひとつだけ言えることは、これが必ず牽引役が大きく変わったあとに起こるということである。一方、主要マニアの破たんには、牽引役の交代だけでなく市場全体の方向転換、主要マーケットの指数や大半の銘柄が長期間高値を更新していない（通常10〜25年、二度と付けないこともある）などの要素も含まれてくる。ここで、もう一度牽引役の交代について指摘しておきたい。なぜなら世界中の多くの投資家が、いまだにハイテクが次にマーケットを押し上げるセクターだと信じているからである。先に述べたとおり1920年代に人気を集めたのは、電気製品、ラジオ、映画、電力会社などだった。しかし図8.8を見ると、1929〜1932年の暴落のあとに市場を引っ張っていたのが電力会社ではないことははっきりしている。実際、ダウ工業株平均は1932年に安値を更新しているが、ダウ公共株平均が底を打ったのは1941年になってからだった。さらに工業株のほうは1954年（1929年の高値以来25年ぶり）に高値を更新したが、公共株のほうは1965年になってやっと1929年の高値を超えたのだった。つまり、バブルの崩壊には必ず牽引役の交代があり、このことが次の大きな上昇期をリードするのが米国市場ではないと考える理由でもある。

　マニアが確認されるのは時期を逸したあとだと言われている。こ

図8.8
再び上るには時間がかかる
ダウ公共株平均　1929-1989年

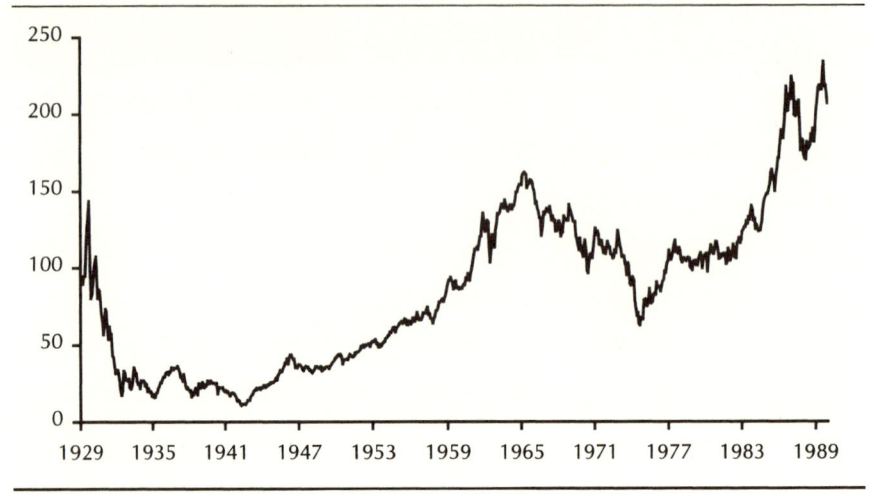

出所＝アーノルド・インベストメント・カウンシル・インク

れは特に主要マニアにおいて言えることで、学者や専門家は最初のうちはファンダメンタルが飛躍的に向上したため跳ね上がった株価は妥当だなどと述べるのである。1929年10月の大暴落のあと、弱気派を含む大部分の投資家はマーケットが下げきったと考えていた。1990年末の日本で日経平均が２万4000円近辺まで下がったときも、1980年の金市場で金が２カ月間で850ドルの高値から450ドルまで下がったときもそうだった。最近では米国のストラテジストの多くが2000～2001年にかけて非常に強気の見通しを述べている。結局、上昇スイングやそのあとの崩壊を過小評価しないということはとても難しく、投資マニアのあと無傷で生き残る人は非常に少ない。ベア派は上昇時のパフォーマンスが悪かった分痛手も小さいが、空売り

するのが早すぎて大打撃を受ける可能性もある。ブル派は楽観ムードが少し長すぎたことで「長居」してしまって打撃を拡大する。

最後に、バブルでは多くの人が投機の行きすぎによっていつかは破たんを迎えることが分かっていても、大きな利益に引かれて洗練された投資家でさえ最終段階に参入してしまうことを理解する必要がある。最終的な破壊が起こるまでの期間、価格はほとんど垂直に上がるため、レバレッジをかけたポジションで巨大利益を上げるチャンスだからである。また、洗練された人々は経済やテクニカル指標を駆使することで破たんの時期を正確に予測でき、タイミングよく逃げ出せると考えていることも、その理由になっている。主要マニアの本当の問題点は、実体経済ではなくマニア自体にある。実体経済と比較すればまったく不釣り合いで簡単に消滅してしまうようなものでしかないのに、それが経済システム全体を脅威にさらすからである。

1980年代末の日本や1997年以前のアジアでは実体経済も多少は過熱していたが、本当の問題点は株と不動産市場が激しいインフレ状態で、そのことがバブル崩壊後に経済全体を大きく傷つけたのだった。

第9章
アジアの変革
Asia in transition

◎国を原始的とも言える最低水水準から裕福な最高水準へと高めるために必要なのは、平和と、軽い税金と最低限の正義である。
——アダム・スミス（1723〜1790）

　1990年代初めから、アジアは経済的にも社会的にも政治的にも変革の時期に入った。恐らくこれから何年かあとにはまったく違う顔を見せていると筆者は考えている。第二次世界大戦以前しか知らない旅行者は、今日のアジアの発展と勢力バランスの変わりように衝撃を受けるが、2020年に訪れればそれともまったく違う景色を目の当たりにすることになるだろう。そのころには経済統制の下にある国（ミャンマー、ベトナム、ラオス、カンボジア、北朝鮮、最近までの中国）や、外国人投資家を拒否してきた国（特にインド）などいわゆる冬眠中の地域がそれ以外の国に追いつき、場合によっては現在繁栄の中心にある地域に取って代わっているかもしれない。反対に、今日のサクセスストーリーは新規参入者との厳しい競争にさらされ、完全に下降に転じている可能性もある。変革とはこのようなものであり、必ず勝者と敗者が生まれることは避けられないのである。
　第二次世界大戦のあと、アジアにはいくつかのトレンドがあった。

植民地支配の終わり、主権国家の形成、中国、ベトナム、ビルマなど共産主義国の台頭などである。植民地支配が終わった当初は、もとの支配国への敵対心や外国人をアジア経済の発展に参加させることに対する反感もあった。また、当時は経済発展よりも国家の建設が急務であり、外国からの投資は不安定要因だと長い間思われていた。

　植民地支配が終わると、アジアの国々にも政治制度が形成されていった。ただ、多くの国がゲリラ戦によって独立を勝ち取ったこともあって、内戦後の政府首脳は軍と密接なつながりを維持していた。このつながりをよく理解するためには、植民地支配への対抗勢力が非常に限られていたことをぜひ知っておく必要がある（毛沢東の赤軍を考えてみてほしい）。このため、反乱軍は食料やそのほかの物資を自分たちで調達しなければならなかった。当然、自由の闘士を支える軍事予算などはなく、兵士たちはひとりもしくは数人の「食料調達係」に頼ることになったが、これが非常にデリケートな仕事だった。もし地元住民への要求が過ぎれば、地域の支持は急速に衰えるが、兵士たちにも十分な武器と食料を供給しなければならなかったからである。つまり、反乱軍というのはある種の封建制度的組織で、それぞれの軍が展開する地域から「税」を取り立てる権利を持っていたようなものだった。

　この特権は当然のことながら独立後も維持され、今でもアジアのところどころでこのような「封建的」なシステムを目にすることができる。国のリーダーは独占権、税の軽減、政府貸し出しなどの特権を財界人、影響力を持つ地方政治家、軍司令官などの信頼できる人たちに与える代わりに、支配政党への全面的な支持を要請した。そしてこの制度は（個人の自由は別として）平和と安定の下、1950

年から1980年代半ばまで非常によく機能した。国内が安定することで、経済成長も促進され、政治、経済、軍幹部を含む封建制度は、共産主義への恐怖と植民地支配国の忌まわしい記憶とが相まってつい最近まで続いていた。

　しかし、このシステムも1990年代に入ると亀裂が生じ始めた。経済の自由化や資本主義へ移行する国が次々と現れ、多くの外国人投資家が直接、あるいはポートフォリオを通じて参入してきたからである。自由市場、資本主義、外国人投資家の参入は、資本主義に必要な政治、法律、経済制度の組織的な整備を促し、それがかつての封建制度を衰退させていった。さらに、アジア地域の政治的、社会的緊張が緩んだことで（1963年のスカルノ大統領の「打倒マレーシア」政策が終わってインドネシアとマレーシアの間に平和が訪れ、ベトナム戦争が終結、近年には共産主義が崩壊した）、政府も国の安全を理由に経済を締め付けることはもはやできなくなった。そしてその結果、1990年代のアジアは政治色の強い地域から、絶対的な権力や軍事力に対抗する法律が次々と成立する多元的社会へと転換していった。

　共産主義が存在する間は（国内の安定を重視して）統一支配や軍事独裁を支持してきた西側諸国（なかでも米国）も、1980年代に入ってその脅威が薄れると、閉ざされた国との貿易に関心が移っていった。そうなると独占権や特権のうえに成る封建制度と、自由市場や自由貿易が両立し得るわけもなく、アジアの先進工業国にとって経済改革が優先事項になった。西側諸国も現在進行中のアジアの経済改革を進めるため、それまでの封建的な階級をよりリベラルで組織的かつ合法的なシステムへと変えようとした。

中国の役割

　ここまで見てきたとおり、アジアの共産主義国崩壊は一見、緊張を取り除き地域に良い影響をもたらしたように見えるが、実際にはそれほど単純ではなかった。ソ連の崩壊で、近代史上初めて中国は北側の国境に対する圧力から開放され、人民軍の関心は対東南アジア戦略に向けられていった。いったい中国は東南アジアに何を求めていたのだろう。これを理解するためには、アジアを西側の視点からだけではなく、北京にいる首脳陣の視点で考える必要がある。この見晴らしの良い地点から見わたすアジアとは、次のようなものなのである。

　ソ連側からの圧力がなくなったわれわれ中国は、ロシアとの国境貿易が急速に拡大し、お互いへの羨望と西側勢力（特に米国）への不信感によって新たな友好関係を築きつつある（もちろんロシアもわれわれも国家の厳密な経済政策による自由経済の優位性は認めているが、それでも西側諸国が冷戦の勝者のごとく台頭することには不快感を覚える）。わが国の経済は急成長を遂げており、西側のマスコミはあと20年もすれば、中国が世界最大の経済大国になると繰り返し書き立てている。しかし、近年の強力なパフォーマンスは国内の安定を乱す要素を含む問題も生み出した。国内の経済成長は中央政府の権力を衰退させ、地方の起業家階級を中心とした勢力の拡大をもたらした。また、中東の石油をはじめとした輸入資源への依存度も上がった。米国はわが国の経済力と太平洋地域における軍事力が強まることに警戒を深め、われわれが将来アジア全体を抑え込むことを阻止しようと、封じ込め政策で対抗している（だから米国

は台湾の独立を支持し、日本と戦略的同盟を結んでいる)。

　将来起こり得る問題に対するわれわれの対応は、はっきりしている。一部の成功した起業家を参画させてでも中央政府の権力を維持し、民主政治の波を抑制し、軍の近代化を進めながら台湾と香港をわれわれの支配下に戻すのである。さらには敵国が石油供給を止めることでわが国を抑制しようとする事態を避けるため、ペルシャ湾とわが国北部の港の間に強力な軍事基地を建設して中東までの航路を確保しなければならない。そして、戦争勃発時には、チベットの平和開放協定以降、わが国と国境を接するミャンマーとパキスタンからそれぞれアンダマン海とアラビア海への直通ルートを確保する必要がある。

　最後に、アジア経済の最重要顧客で最重要外国人投資家になりつつある米国という厄介者を、われわれの東南側の裏庭から追い払う必要がある。これはそう難しいことではない。資源の乏しいわが国は、アジアの近隣諸国から必要な天然資源を買い入れなければならない。インドネシアと極東ロシアからは石油と木材を、ベトナムからはコーヒー、マレーシアからはパーム油、タイからコメ、フィリピンとモンゴルからは銅、オーストラリアとニュージーランドからは農産物を買うのである。もしわが国の経済が現在のペースで拡大し続ければ、われわれは将来ほとんどの商品における世界最大の買い手になるだろう。また、アジア諸国にとっての最大顧客になることで、わが国の製品輸出の道も開けるだろう。西側の思惑とは裏腹に、われわれが経済成長を遂げるために米国向け輸出に依存する必要性は、米国がインフレや金利を抑制するためにわが国の高品質低価格製品を輸入して価格を引き下げる必要性よりもはるかに低い。輸出総額がわが国のGDPに占める割合はわずか10％でしかないうえ、

住宅や消費財はまだまだ供給不足で国内の経済成長は巨大な潜在力を秘めている。

つまり、アジアは今、政治と経済の強大な流れに立ち向かっているのである。地域内の緊張が和らぐ反面、中国の経済的、軍事的影響力は脅威にもチャンスにもなりつつある。1990年代、中国は輸出市場でアジア諸国を苦しめ（アジア危機の原因のひとつ）、この国の製造業セクターの競争力がアジア諸国への投資を遠ざけてきた。しかし同時に、中国はアジアの国々にとって天然資源の最大の買い手であり、観光でも多くの国ですでに最大の顧客になっている。図9.1は中国の外国旅行者数が過去6年間で3倍に伸びたことを示しているが、それでもまだ人口の1％にも達していない。この割合が同じアジアの日本、韓国、台湾ではすでに10％を超え、イギリスでは100％を超えていることを考えると、中国のそれも次の10〜20年で5〜10％に増え、6000万から1億人の中国人旅行者が世界中を旅することになる可能性は十分にある。また、中国の経済力や政治力を強化するためのアジア企業の買収が増加しており、中国にとって戦略的にも重要な極東ロシアやミャンマーに滞在する中国人の数はさらに増えるだろう。しかし、中国がアジアの経済的、政治的中心として力を持ち始めると、多くの問題も生まれることになる。

　12億の人口を誇る中国が今後ますます裕福になれば、物とサービスの消費も世界最大になる。冷蔵庫、携帯電話、テレビ、オートバイの数はすでに米国を超え、それ以外も追いつくのは時間の問題だろう。また、中国が必要とする資源の量も格段に増加し、石油、コーヒー、銅、穀物などの消費量が増加することによって、商品相場全体の価格も大幅に変動することになる。例えば、1日の石油消費

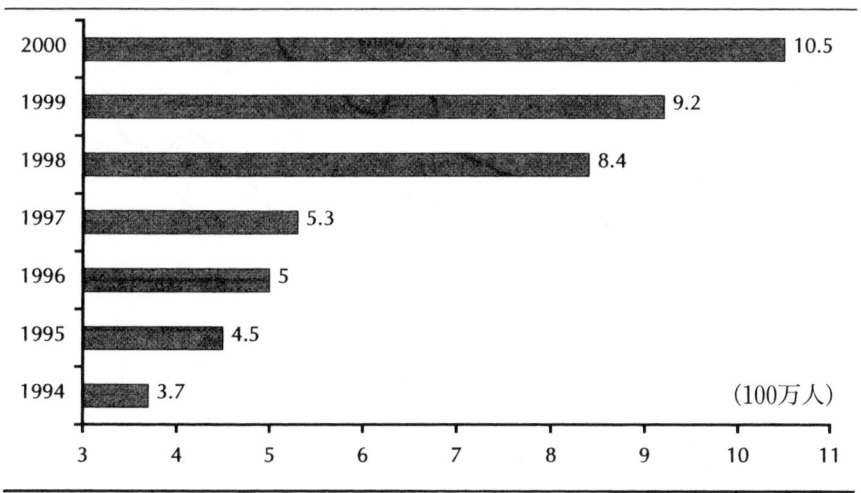

図9.1
旅行中
中国人外国旅行者数

年	100万人
2000	10.5
1999	9.2
1998	8.4
1997	5.3
1996	5
1995	4.5
1994	3.7

出所＝中国政府観光局

量は人口約30億のアジア全体で、現在は1900万バレルだが、人口2億8500万人の米国では1日当たり2200万バレルに上っており、一人当たりでは10倍以上の消費量になっている。しかし、アジアの消費は現在急速に増加している。図9.2は中国の石油需要が、1992年以降、約2倍の1日当たり450万バレルに増えたことを示している。

アジアの石油消費量は次の10年程度でさらに倍になり、1日当たり3500万〜4500万バレルになると筆者は考えているが、それでもまだ南米の消費量にも及ばない。ただ、アジアの潜在的な成長力と急速な工業化、そして開放されたばかりの中国やベトナムにおける生活水準の安定的な向上を考えれば、この予想はかなり現実的だろう。このような巨大需要を秘めたアジアは、変革を経て最大の経済ブロ

図9.2
貪欲なアジア
原油需要

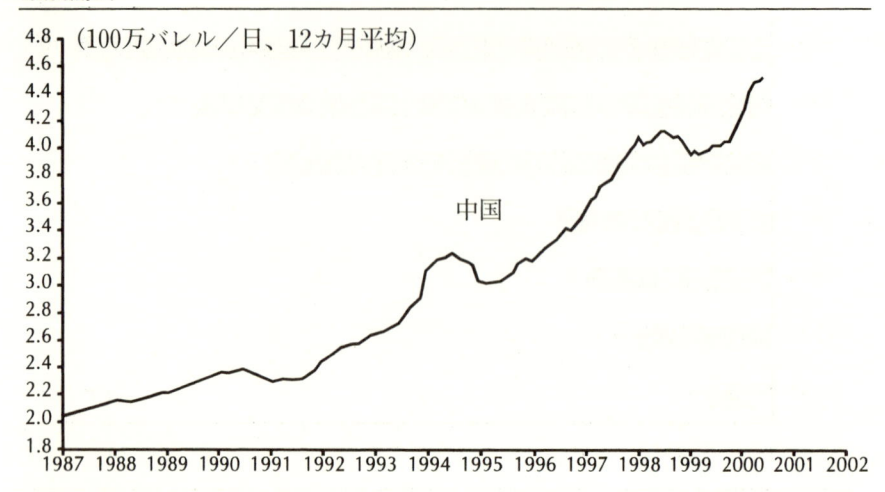

(100万バレル／日、12ヵ月平均)

中国

出所＝オイル・マーケット・インテリジェンス、エド・ヤルデニー／プルデンシャル証券
(http://www.prudential.com)

ックに発展していくと考えられる。また、何年かのうちに中国の中東や中央アジアとのかかわりははるかに増え、それがこの変動する地域にさらなる緊張をもたらすことになるなど、世界中の産油地域の地政学的環境も大きく変わることになることが予想される。特に、中東や中央アジアに対する中国の利害が米国や場合によってはロシアとの衝突につながることは十分あり得るうえ、アジアの石油需要が２倍になることで、世界の石油生産量がピークを迎えると言われている今世紀後半に石油価格が大きく上昇することも避けられないだろう。

　中国の経済成長が影響するのは石油市場だけではない。例えば、中国人一人当たりの食料品消費量を考えてみよう。ただ、ここで肥

表9.1
自分の席を探して
アジアの食物消費量－中国対台湾／香港

	中国	台湾	香港
肉	15	81	91
鶏肉	2	＊	29
魚	4	59	57
米	154	85	60
果物	12	92	92
牛乳	6	39	52
野菜	19	70	78
果物ジュース	0	19	3

1人当たりの主要食品消費量(単位：キログラム、ただしジュースはリットル)
＊ 肉に含まれる
出所＝コンシューマー・アジア　1995年

満が風土病と化している西欧諸国と比較しても、あまり意味がない。そこで台湾や香港と比較してみると、肉、牛乳、魚、果物、鶏肉の消費量はこの裕福な2カ国がたどったのと同じパターンで増加しているのである（表9.1参照）。また、コーヒーの消費量を西側諸国と比較すると、一人当たりの年間消費量はドイツが8.6キロ、スイスが10.1キロ、過去30年間で急増した日本が2.3キロに対して中国ではわずか0.2キロになっている。もしこれが1キロ（韓国よりわずかに少ない量）になっただけでも中国全土の消費量は12億キロで7000万キロのスイスをはるかに超えてしまうのである！　つまり、中国の生活水準が向上するということは、世界の商品相場に多大な影響をもたらし、価格を大幅に上昇させることにつながるということをぜひここでは強調しておきたい。そして中国が世界経済の中心的な勢力に成長しつつある市場での最善策は、さまざまな商品を組み合わせて買うことだと筆者は考えている。

　中国の成長に関する筆者の楽観的な見通しには疑問やそれ以外の

問題点を指摘する意見もあると思う。恐らく問題点として挙がるのは金融制度、国有銀行の抱える巨額の不良債権、財源のない年金基金、地方と都市部で広がる富の格差と腐敗などだろう。実は筆者は、アジア地域でも行われる中国ベア派の会合にはたいてい招待されるため、これらの問題について非常に精通している。ただし、筆者の弱気論はこの国で外国人が儲けることは極めて難しいという意味である。19世紀の米国経済同様、デフレとの激しい競争によって外国人は無一文になってしまう可能性が高い。一方、中国自体が抱えている問題は新興経済特有のものであり、この国なら十分対処できると確信している。

ただ、ここで「できる」を強調しているのは、これまでの中国が問題をもたらした原因の大部分に対する処置を誤り、抜本的な金融改革を先延ばしにしてきているからである。しかし、この国が将来のどこかの時点で深刻な金融危機に見舞われることで、不良債権対策や年金基金対策を迫られることになるのは間違いないだろう。

そうは言ってもこの金融危機に関して深読みはしないでほしい。第4、第6、第7章で見てきたとおり19世紀の米国も何度かの危機に加えて南北戦争まで経験したが、それにもかかわらず1800～1900年にかけて見事なパフォーマンスを上げている。また、急成長を遂げる経済が一時的に後退することはよくあることで、この現象は「その国の豊かさはどれだけの危機にさらされてきたかで計ることができる」という言葉を残した景気循環論の父、クレマン・ジュグラーによってすでに知られている。

先に述べたとおり、米国経済が19世紀末後半に急拡大したのには人口の急増、鉄道網の発達による領地拡大、新発明を製造業で実用化したことによる生産性の飛躍的な向上などいくつかの要素がある。

しかしそれ以外にも、19世紀後半の米国と現在の中国を比較するとき、1850年当時の米国が工業化においてヨーロッパより、はるかに遅れていたという事実を忘れてはいけない。なぜなら、追い上げ効果によって1875～1890年の米国の工業生産成長率が年間4.9％に達したのに対し、イギリスではわずか1.2％、ドイツでも2.5％だったからである。米国の力強い成長は新興市場の典型的なそれで、1978～1995年にかけた中国人一人当たりのGDP成長率にも匹敵する。ちなみに平均5％以上という中国の数字は世界平均の1.11％をはるかに上回っている。また、19世紀初めにはこれといった産業がなかった米国が、1885年までに世界の製品の28.9％を生産する製造業のリーダーになっていた。1800年ごろの米国はまだほとんど綿の生産をしていなかったにもかかわらず、プランテーションの結果、1860年には世界中の供給量の6分の5を担うようになっていたという事実もある。要するに、米国がわずか1世紀で極めて低い位置から世界経済の中心にまで躍り出ることができたということは、変革の加速度も考慮すれば今後10～20年に中国が世界有数の経済大国に発展することは十分可能だということを意味している。そして、これはたとえ途中で何度危機を迎えたとしても変わらない。

　ここで唯一の問題は、その大きさと増大する経済的、軍事的重要性ゆえに中国の成長率とそれ以外のアジア諸国の成長のバランスがとりにくいことだろう。中国が輸出入の両方でアジア各国にとって最大のパートナーになれば、中国は経済的な覇者になるだけでなく、政治的にも米国を退けて最も影響力を持つ国になる。そしてこのような変化はいずれ米国と日本対中国という新しい緊張を生むことになる。この流れはすでに始まっており、止めることはできないだろう。

図9.3
中国の驚異的な競争力
米国の輸入に占めるシェア　日本対中国

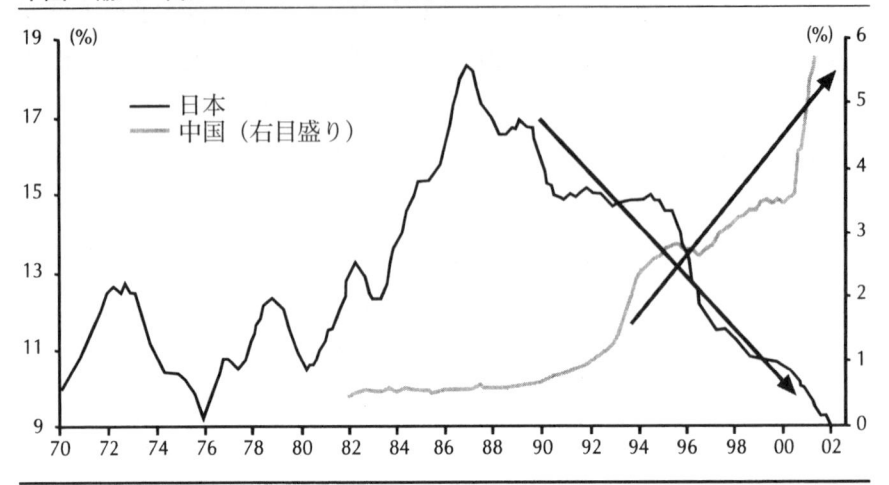

凡例：日本、中国（右目盛り）

出所＝ブリッジウォーター・アソシエーツ

　日本と中国の間に緊張が高まるとすれば、その理由は経済問題以外ない。すべての市場において日本からの輸入は減り、中国のシェアが急速に拡大している（図9.3参照）。日本は中国やそれ以外の低コスト地域に生産をシフトせざるを得ず、企業収益は上がっても日本国内の経済活動は落ち込んでいく。ただ、投資家は現在の日本経済に対して悲観的になりすぎる必要はない。日本では今、個人の金融資産のなかで株が占める割合が記録的な低さになっており、もし状況が逆転すれば株式市場のパフォーマンスは大きく上がることになるからである。特にインフレ環境の下ではすでに2002年の利回りが史上最低になっている日本の債券価格が崩壊することで、株へのシフトが始まるだろう。

筆者に未来学を信奉するつもりはないが、この先10〜20年でアジアの輸出における西側諸国への依存度は現在よりずっと低くなる可能性が高いと思っている。西側の製品に頼る必要のないアジアでは地域内貿易が中心になるが、反対に競争力のあるアジア製品やサービスの欧米への輸出は継続するだろう。

　ここでさらに、よく言われている俗説の真相も書き添えておこう。中国を初めとするアジア諸国はまだ欧米の知識や技術を必要としており、アジアに改革や発明を行う力はないという議論を耳にすることがあるが、これには苦笑せざるを得ない。数字のゼロはインドで発明され、これがなければ西欧文明の発展はもっと遅れていただろう。イギリスの哲学者で政治家のフランシスコ・ベーコンは古代、中世から近代に転換させたのは紙と印刷、火薬、磁気羅針盤という３つの発明であり、その効果は宗教的信念より、天文学より、征服者の功績よりも大きかったと言っている。そしてこの３つの発明はすべて中国からもたらされたものだった！　また、過去30年間における日本の製造業の功績を考えれば、アジアの人々が改革者ではないなどとはけっして言えないだろう。欧米のハイテク企業や主要研究機関でインドや中国出身の科学者がいないところなどないのは言うまでもない。

　西ヨーロッパが暗黒時代から工業革命まで突き進んだように、あるいは米国が19世紀初めの農業主義から20世紀の世界のリーダーへと変貌したように、アジアが改革を進めるために必要なのは、社会的、政治的環境が整うことだけである。西ヨーロッパも極めて複雑な要因とともに進歩と経済発展を遂げてきたが、今のアジアにはまだその大半がそろっていない。しかしいずれ「アジア封建資本社会」が組織化された市場経済と資本制度に成熟していくものと期待

している。筆者がこれについてある程度楽観しているのは、これまでの政治、経済、軍事が一体化している完全体系の封建制度は、その目的が成長よりむしろ安全と安定にあったからである。それに対し市場経済や資本主義は、平等、個人の自由、規則や法律に基づいた企業（領主や宮中の裁判者の裁量によるものではない）を基本とし、その目的は搾取するためではなく改革と想像によって成長と発展を遂げることで、「継続的、合法的、資本的企業によって利益を追求し、永遠に更新していくこと」なのである（ウェバー、『プロテスタンティズムの倫理と資本主義の精神』（岩波文庫ほか、1930年）。

　アジアで新たに台頭してきた起業家階級は、中世の都市で力をふるった商人とよく似ている。商人たちの経済改革は広範囲の政治改革へとつながり、主権国家から自由主義の議員政治へと転換させた。最近のアジアの起業家の多くは従来の封建主義とは無関係で、裕福な家の出身でもなければ親戚、政府、国営銀行の資金に頼っているわけでもない。恐ろしく官僚的で階級意識が強い腐敗した社会のもとでも成功した好例はインドのソフトウエア・セクターとノーブランドの医薬品セクターで、これらの業界はどんなにだめな政府の下でも、市場の力によっていずれはいかなる障害も乗り越えていくことができるということを示している。同様に中国でも、共産党や国有部門とは関連のないまったく新しい起業家階級が生まれている。欧米で教育を受けた若い起業家を中心としたこの階級の当初の目的は、儲けて裕福になり、社会的に認められることだけだった。しかし、彼らも税金を支払う段になれば政治に関心が向くのは時間の問題だろう。こうなると、マックス・ウェバーの言う組織的資本主義制度への動きが加速し、アジア企業の透明性も高まることになる

（アジア企業の透明性が米国のそれに劣っているという意味ではない）。

　この点から見て、筆者は台湾の政治的発展には特に感銘を受けた。1996年、李登輝は中国人と民主主義が両立しないことを証明した（これは今日でも何人かの欧米人を含む香港の財界人、特に中国ビジネスとつながりが深い人々の間でよく言われている）。本当の自由を実現した台湾の選挙は、アジア政治の歴史上画期的な出来事だった。そして、李総統は台湾に住む2100万人の中国人が持つ自由と民主化を追求する決意を示したのだった。李はまた、彼の言葉を借りれば、「活力ある経済発展が個人の意識も向上させる」ことも認識しており、「人々は自由意志が完全に尊重され、その権利が守られることを望んでいる。その欲求が政治改革につながり、そこから発散される活力とエネルギーが経済成長の原動力になる。つまり、経済改革と政治改革は同時に進行しなければならない」と言っている。李はまた、中国本土の経済開放政策が、中国自体の国内需要と政治改革への圧力をそらすためだけのものだとも考えていた。

　個人の意向や意思を強調した台湾の民主主義的政治姿勢は、反乱分子を刑務所に送り込むことで支配を固めていた当時の中国の権威主義制度とはまったく相いれないものだった。江沢民国家主席が、香港同様「一国二制度」の下、政府、軍の継続を認めたうえで台湾との再統一を呼びかけたとき、李総統は「中国こそ自由と民主主義の下、統一すべきだ」と反論した。

　台湾を中国の一部とみなす北京（歴史的に見ればさほど根拠のない主張）との緊張が高まるなか、台湾は独立に向けて活動を開始していた。中国にとって台湾の独立は、戦略的に受け入れ難いもので（中国は敵国が台湾海峡支配のために台湾を軍事基地として利用し

得ることを危惧していた)、ほかの独立を求める「地域」(特にチベットや新疆ウイグル自治区のイスラム系住民)にとって良い前例になってしまう恐れもあった。中国が現在でも政治制度としての民主主義に強い反対姿勢を見せていることは周知の事実であり、李鵬元首相など「悪魔の種」を中国の土にばらまくわけにはいかないとまで言っている。「中産階級民主主義」の香港や台湾は、中国の解放軍報でも繰り返し非難され、西側の議会民主主義はいつわりで、資本主義者が搾取するための道具にすぎないため、読者は「共産党の指導に専念」して「社会的動揺」を未然に防ぐべきだと訴えている。

しかし、攻撃力を備えていない人民軍と台湾の間に軍事的衝突が発生するとは思えない。それよりむしろ海峡を挟んでビジネスの関係は深まっており、台湾企業の組立工場や中国本土の有力者と組んだジョイントベンチャーが次々と設立されている。つまり、政治家が台湾の将来について議論を重ねている間に、ビジネスマンはもっと実利的なアプローチで両地域の交流を進めているのである。そう考えると、最近の直行便航路を作る話は前向きな動きであり、経済的には比較的独立した台湾と中国の一国一党主義は両立できるのかもしれない。台湾統治の問題には、ボルテールの次の言葉を引用しておこう。「お金に関しては、みんな同じ宗派である!」

結局、アジアの民主化と真の市場経済や資本主義への動きは歴史的に見ても後戻りはできないだろうが、その過渡期に緊張が高まったとしても驚くことではない。そして、台湾、韓国、シンガポールのように先見性のある強力なリーダーが率いる国であれば、この難しいフェーズを乗り越えていけるだろう。反対に、変化に抵抗する政府の将来は、不透明なものになりかねない。ちなみに、スカルノ大統領やスハルト大統領によって封建社会を築いてきたインドネシ

アも、2001年に公正な選挙を実施して一般投票でメガワティ・スカルノプトゥリ大統領が選出された。

　中国の政界も、この何年間かに大きな変化を迎える可能性は高い。また、この変化は先に予告した金融危機と同時期に起こり、必要な金融および経済改革を伴うことになるだろう。

　中国を楽観視するする理由はほかにもある。旧共産主義国や社会主義国が1980年代と1990年代初めに崩壊したとき、これらの国々はまだ市場経済や企業セクターの競争にさらされる準備が整っていなかった。過渡期の経済は物理的なインフラが不足していただけでなく、資本主義が成功するために欠かせないさまざまな制度も欠いていた。例えば、共産政権下の計画経済の下ではすべての企業が国営で、給料は最初から必要経費を差し引いたうえで支給されるため、税の制度がない。そのような社会が突然市場経済に直面して税を徴収する必要が出てくることを考えただけでも、共産主義から市場経済への移行がいかに複雑かは想像できるだろう。また、かつての共産主義国が開放されたとき、これらの国の企業は国際競争に耐える準備がまったくできていなかった。資本も、経営ノウハウも、マーケティング力も、近代的な生産技術も、販売網もなかったのである。さらに、銀行は信用供与をまったくしないか、しても国営企業に対してのみだったため、それ以外の企業は資金を調達する実質的な手段も持ってはいなかった。

　このような過渡期の経済に参入した西側の国際企業が、どれほど優位だったかは想像に難くない。高品質の製品と、マーケティング力、世界の資本市場から調達した無制限に近い資金によって、瞬く間に50～70%のシェアを獲得していった。1990年代はコカ・コーラ、ジレット、プロクター&ギャンブル、ユニリーバ、ネッスル、ナイ

キ、マクドナルド、ケロッグ、スターバックスなどにとって、非常に好調な時代だった。また、「アウトソーシング」が流行したこともあって、多国籍企業の利益率は大きく向上した。西欧諸国にある高コストの生産施設を閉鎖して生産拠点をアジアにアウトソースすることで、利ざやは大きく跳ね上がったのである。

しかし、今後は新興市場の企業による復讐が始まることになるだろう。これらの企業は1990年代に外国企業とのジョイントベンチャーを通してライバルから知識、技能、製造技術、そして成功するための経営手法を学んだ。また、アウトソーシングを通して自社ブランド製品を作るために必要な技術もすべて取得した。つまり、国内市場のシェアを拡大しつつある中国やそのほかの国の製品が、今後世界市場ですでに確立しているブランドとの競争に打って出るのは間違いないのである。30年前にはだれも聞いたことのなかったサムスン、キア・モーター、ヒュンダイ（現代）、デーウー（大宇）、エイサー、シュウ・ウエムラ、イッセイ・ミヤケ、ヤマモト、資生堂、レッド・ブルや、ドクター・レディーズ（インド、製薬）、ウィプロ（インド、ソフトウエア）、インフォシス（インド、ソフトウエア）、リライアンス・インダストリーズ（インド、エネルギー）、TSMC（台湾、半導体）、UMC（台湾、半導体）、サンプルナ（インドネシア、たばこ）、ポスコ（韓国、鉄鋼）、レジェンド（中国、コンピューター）、コンカ（中国、テレビ）、ハイアール（中国、家電）、シンガポール航空などはそのほんの一部にしかすぎない。今後、多国籍企業は苦戦を強いられることが予想され、その影響はすでに株式市場のパフォーマンス低下という形で現れ始めている。

多国籍企業に関しては、もうひとつある。つい最近まで特許やライセンス料についての議論はほとんどなかったが、反グローバル化

の波によって特許問題が大きな圧力になりつつあり、特に、貧困にあえぐ国では手の届かない高価な薬品のメーカーなどで、これは深刻な問題になっていくかもしれない。筆者はこの問題について、パンドラの箱はもう開いてしまったのだと考えている。恐らく新興市場は特許料やライセンス料の見直しを要求したり、単に無視したりすることになるだろう。中国とインドに住む約20億人の人々にマイクロソフトのソフトウエアに数百ドルを支払わせたり、現地で1個約1ドルで製造できるヒューレット・パッカードのプリンター・インクに約50ドルを支払わせるのはどのようなシナリオを持ってしても無理だと思う。

　アジア地域や新興市場全般の成長について楽観視する理由は、ほかにもある。先に述べた封建的資本主義と1990年代の米国経済が持っていた強さよって、かつて新興市場は膨大な資本流出に苦しんできたが、その結果、裕福な個人や中央銀行は、主に米国の資本市場に巨額の資金プールを持つに至った。もし、これまで述べてきたような政治的、社会的、経済的変革が実現すれば、この巨大資金が本国に戻ることで投資が盛んになり、現地の資産価値も急騰することになる。インドネシアは控えめに見ても国外に1000億ドルの資産を持ち、アルゼンチンも国外の銀行に少なくとも500億ドル、ロシアだってかなりの額を持っているはずである。

　繰り返しになるが、アジア危機のあと、アジアの価格水準は先進工業国と比較して極めて低くなっており、市場経済や資本主義制度が組織化されれば国外に保有されている資金が戻る経済的な理由は十分ある。さらに、図9.4からも分かるとおり、かつてはアジア諸国に積極的に融資を行っていた国際的な銀行も、アジア危機でその額は50％に激減した。これらの銀行の、米国金融資産という「安全

図9.4
信用を断ち切る
国際的な銀行の貸出額（残高）

東南アジア*
第4四半期

* インドネシア、マレーシア、フィリピン、タイを含む
出所＝国際決済銀行、エド・ヤルデニー／プルデンシャル証券（http://www.prudential.com）

地帯」に対する「アジアリスク」の相対的な知覚リスクが変われば、また貸し出しを急増させるのは間違いないだろう。

　現地の人が国外に保有する資産の帰還と、外国銀行の融資回復、そして世界の資本市場におけるアジア向け融資拡大ムードが相まって、アジア地域の新時代を支えるのに十分な資金が流入する条件が今後整うと筆者は考えている。

エピローグ
富の不均衡がもたらす暗い影
Wealth inequality – The great shadow

　アジア地域の長期の展望に対する楽観論を語っていたらきりがない。しかし、どれほど詳細に分析を行ったとしても、社会的、経済的環境があまりにも違うアジアの極めて複雑な問題への理解は表面的なものにしかならないだろう。また、日本、韓国、台湾、シンガポールなどの先進国もあれば、未開発の地方部を抱えるインド、中国や、1億1000万人の人口がありながらGDPは人口300万人のシンガポール以下のバングラデシュなどもあるアジアをひとくくりに分析するのにも無理がある。

　今日のアジアを過去と現在の西ヨーロッパと比較すると、社会的にも経済的にも西ヨーロッパがアジアほどの発展の違いは経験していないことに気づく。もちろんイギリスやドイツと、南イタリア、ギリシャ、ポルトガルの間に大きな経済発展の格差があることは認めるが、収入、富、工業化の水準などにおけるギャップはアジアのそれに比べればずっと小さい。

　この発展の格差は、一方では非常に大きいチャンスでもあるが、

他方では大きな問題もはらんでいる。これについて見ていこう。チャンスとはもちろん別々の競争力を持つ国の間で行われる物やサービスの交換に伴うもので、これについては200年前にデビッド・リカルドの自由貿易に関する研究がすでに明らかにしている。例えば、ドイツとフランスのように対等な国の間で取引が行われたとしても、そのマクロ経済的影響には限界がある。ドイツがフランスからの自動車輸入をあと10万台増やし、フランスもドイツからの輸入を10万台増やしたとしても、これらの国の成長率が上昇するわけではないからである。もちろんどうしてもフランス車に乗りたいドイツ人顧客（あるいはドイツ車に乗りたいフランス人）の満足度は上がるかもしれないが、その効果はアジアの、例えば日本とバングラデシュ間の貿易とはまったく比較にならない。バングラデシュでは生産されていない日本の製品と、日本ではまったくコストに見合わない労働集約型のバングラデシュ製品を交換すれば、それぞれの国の成長率や生活水準が大きく向上するからである。

　アジア経済全体が完全に自由化されたら、どのようなことが可能かを考えてみよう。競争力や成長力が高いセクター（または地域）を対象とした貿易や投資は、アジア全体の生産率を引き上げる。つまり、将来アジアが経済成長を遂げるために欧米諸国への輸出に頼る必要性は今よりずっと低くなると考えられるのである。ただ、アジアのみならず世界中に見られる収入と富の巨大な格差の問題は、当然ながら政治、経済問題につながっていく。少数の富める国と大多数の貧困国の間の富の格差は、この先われわれが解決していかなければならない最大の難問であり、筆者の楽観的観測に唯一水を差している。説明しよう。

　1998年、2億人の人口を抱えるインドネシアの一人当たりの

GDPは約300ドル（通貨切り下げ後）だったのに対し、人口700万人のスイスのGDPは一人当たり４万ドルだった。スイスの一人当たりのGDPはインドネシアの133倍、総額でも４倍以上だったのである。また、インドの人口は約10億人で、一人当たりのGDPは約400ドルだったため、総額ではスイスを少し超える程度だったことになる。

　米国株式市場の時価総額は、現在11兆ドルを超えており、世界の市場の53％を占めるが、人口は２億8500万人で世界のわずか５％にも満たない。先進国の平均寿命が約80歳なのに対し、アジアやアフリカの貧困にあえぐ地域では50歳以下という国も珍しくない。同様に乳児死亡率も先進国では新生児1000人に対し10人以下なのが、貧困国では100人以上に上っている。米国では100万人当たり2000人以上の医師がいるのに対し、例えばインドネシアでは100人にも満たない。また、米国では98％以上の子供が中学校に進学するのに対し、最も貧しい国のその割合は10％程度にとどまっている。先進工業国では企業幹部に対する数百万ドルなどという報酬も珍しくないが、その一方では世界人口の25％に当たる15億人が１日当たりわずか1.60ドルで生計を立てている。

　富と収入の格差は今に始まったことではなく、歴史を通してずっと存在してきた。しかし、今ほど大きな生活水準の差が、今ほど大勢の人々の間で広がったことはない。オハイオ州立大学で比較経済論を研究しているリチャード・ステッケル教授は、「欧米やアジアの一部の巨大な効率的市場を持つ国が、それ以外の国を富の格差の面で大きく引き離すという驚くべき変化は、20世紀になって初めて起こったこと」だと言っている。

　このような前例のない格差（これについては異論もあるが）はど

のようにして起こり、将来のグローバル経済にどのような影響を与えるのだろう。また、もし平均への回帰の法則が正しいのだとしたら、この格差はどのようにして是正されていくのだろう。

　世界の人口やGDPをさらに長期で見ていくと、実は1000年までほとんど実質的な経済成長はなく、1750年までが非常に緩やかな伸びだったのに、そのあと今日までの間に強力な成長を遂げていることが分かる（表E.1参照）。世界のGDPは1～1800年までは約7倍以下の伸びだったのに対し、そのあとの200年間では40倍以上という急上昇を遂げたのである。人口も1～1000年にかけてはそれほど変わっておらず、そのあともゆっくりと増えたあと、1800年から今日の間に6倍近くなっている。これらの統計は一人当たりの生産や貿易の記録とも見合っており、こちらも1000～1700年は緩やかな成長だったのに、そのあとは勢いを増している（表E.2参照）。

　つまり、世界経済は19世紀の初めに資本主義と産業革命という魔法の杖に触ってから、それまでとは比べものにならない速さで成長を始め、数千年におよんだ経済均衡を崩したのだった。19世紀初めまでの経済を支えていたのは農業であり、1750年の市街地はその2000年前とさほど変わっていなかった。紀元前300年から紀元前100年にかけて都市化された地域の割合は9～12％だったと推定されているが、1750年になってもその割合は西ヨーロッパでさえ15％程度にとどまっていた。しかし、工業化が進むと人口に占める都市部の住人の割合は急速に増え、現在のOECD諸国では約80％に上っている。

　実際、産業革命以前には、大都市が存在していなかったという特徴がある。1800年まで、人口が50万人を超える都市は6つ（北京、ロンドン、広東、江戸、コンスタンチノープル、パリ）しかなく、

表E.1

拡大の時代1
1995年までの世界の経済成長

年	1	1000	1500	1820	1995
世界の人口(100万人)	250	273	431	1067	5671
GDP(10億ドル)＊	106	115	235	720	29423
西側の人口(100万人)	25	33	65	156	739
GDP(10億ドル)＊	11	13	40	179	14773
それ以外の人口(100万人)	226	241	367	911	4932
GDP(10億ドル)＊	95	102	195	541	14651

＊　GDPは1990年の10億国際ドル単位
注＝1500-1995年の数値は1995年のA・マディソンの資料および彼の『チャイニーズ・エコノミック・パフォーマンス・イン・ザ・ロング・ラン』(1998年、OECD開発センター刊)に基づいた予想。GDPの推移は為替レートではなく米国における購買力と同等の金額である「国際ドル」から算出した1990年のGDPを基にしている。1500年以前の数値は本レポートのために算出した推定値
出所＝アンガス・マディソン著『世界経済の成長史』(東洋経済新報社)、1995年

表E.2

拡大の時代2
世界の生産と貿易の拡大　1000-1990年

	全体		1人当たり	
	1000-1700	1700-1990	1000-1700	1700-1990
穀物生産	2-4倍	14倍	1-2倍	2倍
鉄鋼生産	4-9倍	2000倍	2-3倍	260倍
繊維生産	2-4倍	29倍	1-2倍	4倍
エネルギー生産	2-6倍	280倍	1-2倍	36倍
国際貿易	6-12倍	920倍	3-4倍	120倍
総生産	2-4倍	44倍	1-2倍	6倍
人口	2-3倍	8倍	—	—

出所＝ポール・バイロック著『ビクトワール・エ・デボワール(Victoires et déboires)』1997年

100万人に達していたのは北京だけだった。これは農地利用がまだ未熟だったことや、輸送手段の効率が悪く料金も高かったことが都市の拡大を阻んでいたからだった。しかし、工業化と輸送技術の格段の進歩（鉄道ができたことで都市への食糧輸送コストが下がった）によって大都市が増え始め、今日では350近い100万都市が存在している。驚くべきことに、世界の5大都市（東京、ニューヨーク、ロンドン、重慶、上海）の人口を合計した数と1700年当時人口2000人以上の約2000都市の人口を合わせた数はほぼ同じになっている！

　ただ、発展の過程は地域によってかなりむらがあり、例えばGDP成長率を見ると西側（表E.1参照）では1820～1955年に80倍（1790億ドルから14兆7730億ドル）になっているのに対し、世界のそれ以外の地域では27倍（5410億ドルから14兆6510億ドル）にしかなっていない。欧米諸国がこの180年間でそれ以外の地域よりも3倍近い成長をしたのは、工業化が西ヨーロッパと米国で始まったということを考えれば不思議はないが、残念ながらこのとき富める国と貧しい国の一人当たりのGDPの格差も広がり始めてしまったのである。表E.3を見ると、1800年には先進国の収入と発展途上国の収入の差はさほど大きくなかったが、格差が広がった1800～1995年には先進国の一人当たりのGDPが21倍以上になったのに対し、発展途上国では2.5倍にしかなっていないことに注目してほしい。1800年当時はわずか1.2倍だった格差が、現在では10倍以上になってしまったのである。

　そして、さらに乖離してしまったのが富める国と貧しき国の経済パフォーマンスの差である。1800年当時、最も裕福な国だったイギリスの一人当たりのGDPは、当時最も貧しかった国の2倍より若干少ない程度だった。しかし、現在富める国の一人当たりのGDP

表E.3

金持ちはさらに富む
ひとり当たりのGDP（1960年の米ドル）　1750-1995年

	最先進国	先進国	発展途上国	世界全体
1750*	230	182	188	188
1800	242	198	188	190
1860	575	324	174	218
1913	1350	662	192	560
1950	2420	1050	200	590
1995	5230	3320*	480**	1100

＊ 21倍に増加　＊＊ 2.5倍に増加
出所＝ポール・バイロック著『ビクトワール・エ・デボワール』1997年

は貧しい国の50倍にもなっている（購買力で調整後の数字）。

　これらの統計については疑問の声もあるが、1800年のヨーロッパとそのほかの地域について乳児死亡率、平均寿命、カロリー消費量、作物生産量、都市化率、エネルギー消費量、鉄鋼生産量（いずれも経済発展指標として使用されている項目）を比較すると、いずれもヨーロッパが上回っているものの、その差はそれほどない。1800年当時の出生時平均寿命はヨーロッパでは40年、それ以外の地域では35年だった。乳児死亡率や都市化率や作物生産量もほぼ同率だった。つまり、1800年当時イギリスの一人当たりのGDPがそれ以外の国の1.5倍だったのか、それとも3倍だったのかについて議論の余地はあるかもしれないが、このころまでは少数の貴族、領主、職人、商人を除けば、世界中のほとんどが貧しかったということに異論はないだろう。

　実際、チャールズ・シンガーは『技術の歴史』（筑摩書房）のなかで16世紀までは技術においても発明においても中近東のほうが西洋より勝っており、極東はその両方を上回っていたため、技術面で東側が西側に学ぶことはほとんどなかったと書いている。17世紀の

一人当たり、あるいは土地1単位当たりの生産力は文明が進んでいた西ヨーロッパよりインドのほうが高かった。さらに、農業の生産性も、産業革命までは大きくて裕福な都市部を持っていたインドのほうがヨーロッパより勝っていた。しかし、農業向きの気候と豊富な天然資源を持つインドには、収穫率を上げるための圧力がなかった。反対に、北ヨーロッパの国々では農業に適さない厳しい気候と人口の急増によって、生産性を上げることが急務になっており、それが近代技術の開発を後押しした。カール・マルクスも『資本論』のなかで西側の工業の発達は自然をコントロールする必要性がもたらしたと書いている。
　こう考えると産業革命と西側の台頭は、西ヨーロッパで農業の生産性が飛躍的に向上したことで労働者が製造業へ移らざるを得なかったことも原因のひとつになるのかもしれない。1750年までは100ブッシェル（1ブッシェル＝約45リットル）の小麦を生産するのにのべ3500時間かかっていたのが、1840年にはわずか250時間という工数になり、1925年には74時間、1990年には7時間と縮小している。ちなみにこの200年間でこれほど劇的に生産性が向上したセクターはこれ以外にはないが、少なくとも米国西部が開拓されたあとのヨーロッパで農業の利益率が高かったことはない。図E.1を見ると、農業の生産性が1950年以降、ほかのセクターの生産性をはるかにしのいでいることが分かる。これを紹介するのは、「目覚ましい生産性向上を考えれば、米国株はもっと高くなってもよいはずだ」などと発言する学者までいるからである。
　西ヨーロッパの台頭に大きな役割を果たした要素のひとつに、「機会均等」の考えを受け入れて個人が最大の能力を発揮するようになったことが挙げられる。この考えは19世紀の初めまでにヨーロ

図E.1
よく働く農民
農業と非農業における1時間当たりの実質生産性

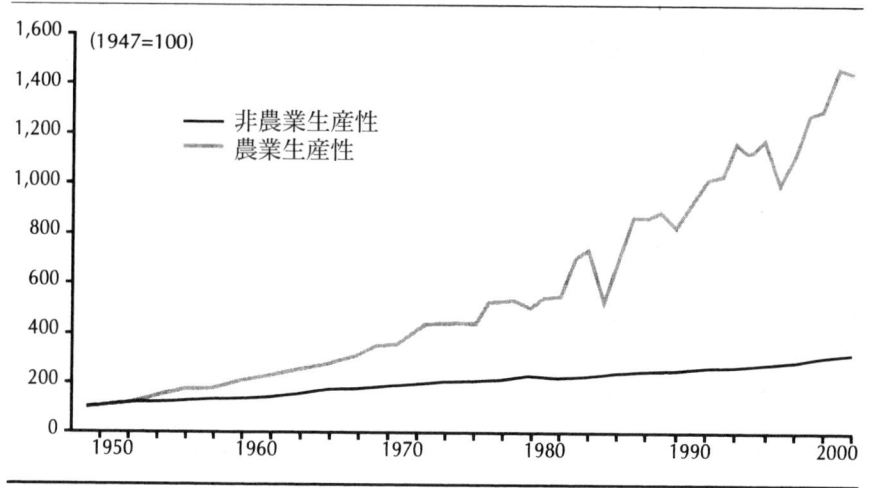

(1947=100)
凡例：非農業生産性、農業生産性

出所=労働統計局、経済分析局、ゲーリー・シリング

ッパのいくつかの国に義務教育の小学校が生まれるきっかけにもなった。そう考えると、産業革命の夜明けにはヨーロッパがそれ以外の地域と比較してさほど裕福だったわけではないが、知識の普及率ははるかに高かったことを指摘しておかなければならない。1800年にイギリスなどヨーロッパの先進国では人口の90％が読み書きができたのに対し、発展の遅れていた国の文盲率は90％に上っていた。ヨーロッパのいくつかの国と米国がずっと有利なスタートを切ることができたのは、このおかげだといえるだろう。教育水準が比較的高い国では、地方の労働者が都市に移住しても工業社会に適応することができる。つまり、19世紀初めのヨーロッパの先進国は、貧しい国よりも「変化に対する適応力」を持っていたことになる（ここ

であえて「ヨーロッパの先進国」と言うのは、セルビア、ギリシャ、ポルトガルなどの国は今日の第三世界各国同様、発展途上で貧しかったからである)。つまり新興地域の地方部に教育制度が整っていないことは、そこに住む人々が現代の経済社会に適応できないという大きな問題をはらんでいることになる。

　19世紀に欧米で起こった産業革命は、発展途上国にいくつかの望ましくない結果をもたらした。農業や工業において西側の生産性が上がったことで発展途上国の製品は競争力を失い、例えば1830年にイギリスでの綿糸紡績力はインドの14倍にも達していた。このように生産性が上がったことと、ことによると植民地制度の影響もあって発展途上国には19世紀に産業の空洞化が起こっていた。インドの空洞化に関する最近の研究ではビハールの人口に占める工業人口の割合が1809〜1813年の18.6％から1901年には8.5％に下がったという結果も出ている。またインドでは製造業や建設業に携わる人の割合が1881年から1911年の間に35％から17％と約半分に減ったということも分かっている。

　また、先進国が発明によって発展途上国のように素材に頼る必要性が減ったことも、この100年間で途上国が相対的に落ち込んだ要因のひとつだと考えられる。20世紀に入って合成プラスチックや合成繊維がタイヤや布の生産において徐々に天然ゴムや天然繊維に置き換わっていった（表E.4参照）。先進国の生産性が急上昇することで、発展途上国が空洞化して富の格差はさらに広がっていったのである。経済史家のポール・バイロックは『ディスパリティーズ・イン・エコノミック・デベロップメント・シンス・ザ・インダストリアル・レボリューション（Disparities in Economic Development since the Industrial Revolution）』のなかで、1780年のイギ

表E.4

いつまでも「自然のまま」ではない
世界のゴムと布地の生産量　1913-1990年

年	ゴムと合成繊維の割合	繊維織物と合成繊維の割合
1913	0.0	0.2
1928	0.0	1.4
1936	0.5	5.0
1950	29.0	12.0
1960	48.0	16.0
1970	63.0	24.0
1980	65.0	40.0
1990	65.2	39.0

出所＝ポール・バイロック著『ビクトワール・エ・デボワール』1997年

リス都市部に住む労働者の1日の賃金は小麦6～7キログラム分だったのに対し、インドやそれ以外の第三世界の賃金は5～6キログラム分程度だった、と書いている。ところが、1910年になるとイギリス労働者の賃金は大幅に上昇して小麦33キログラム分になったのに、インドでは相変わらず5～6キログラム分にとどまっていた（インドの給料は購買力で見れば実質的には低下していたという研究もある）。今日、工業先進国では1日の賃金100ドルで1250キログラムの小麦が買えるが、インドの労働者が稼ぐ3ドルでは37キログラムしか買えない。つまり、20世紀に入って収入の格差はさらに拡大したということになる。

　富める国と貧しい国の収入の格差が広がっている理由は極めて複雑で、数多くの社会学者や経済学者がこれを解明しようとしているが、結論はまとまっていない。欧米が優勢なのは、農業生産性の大きな進歩と早期の工業化によるものだということは分かっている。しかし、19世紀に欧米で起こった工業化がそれ以外の地域でそれより早く起こらなかった理由は分かっていない。なかには19世紀の西

側の産業革命は単に歴史上の偶然の出来事だと説明する経済学者もいるほどで、かつてのローマやそのあとの中国などで開発された「近代技術」でも工業化は可能だったという説もある。それではなぜそれが実現しなかったのだろう。さらには、なぜ世界の大部分の国は、西ヨーロッパや米国の技術を19世紀末の日本のようにコピーしなかったのだろう。

　19世紀初めに高い「知識」と道徳的背景によって、西ヨーロッパが優位に立っていたことはすでに述べた。知識と特殊技能は、日本の工業化の要因にもなっている。そしてもうひとつの要素が「変化に対する適応力」であり、これが乏しい国が裕福な国よりも劣っていった理由なのではないだろうか。さらに付け加えれば、先発者の優勢で、最初に富を獲得した国は、出遅れた国に比べそれをさらに繁栄させる勢いがあったと考えられる。金持ちの国はあらゆる面において強い交渉力を持ち、相手のひとりを買収することで有利な契約を結ぶことができる。これは新興地域にとっては不利な取引になるが、仲介した人間にとっては非常に儲かる話なのである（富の格差は富裕国が貧しい国の役人や企業幹部を簡単に買収できることで、相手を崩壊させる。商品現物市場やインフラや資源関連の大型プロジェクトでは習慣的に行われている）。また、裕福な国は貧しい国よりも教育水準、医療、新技術導入に資金をつぎ込むことができるということもある。

　そこで、次のように考えてみたい。これまでに19世紀初め以降の先進国が、発展途上国よりもはるかに速いスピードで成長してきたことを見てきた。1990年代後半の米国経済のパフォーマンスがグローバル経済をこれまで最大幅で上回ったという研究もある。先進国一人当たりの収入の伸びは途上国の伸びの10倍とも言われている。

しかし、富める国と貧しい国の間の溝が広がり続けた都市でも極めて長期間で見れば、どの地域も国も企業も世界全体の成長率を超えることができないのは明らかなのである。そこで、いずれはグローバルな経済成長が加速して先進国の経済状態が大幅に改善するか、大部分の先進国（特に米国）の経済成長が鈍る、あるいはその組み合わせになると筆者は考えている。

バランス点を探して

　先進国の成長がさらに加速する見通しは、どうだろう。新興市場の経済成長は、輸出、外国からの直接投資、国内消費と投資にかかっている。もし、今後商品相場が上がるという筆者の予想が正しければ、資源を持つ新興市場の輸出は加速するだろう。その反面、製品の輸出に関しては価格のデフレと西側先進諸国の需要低迷がしばらくは続くことで、あまり期待できない。また、1997年以降落ち込んでいる外国からの直接投資（中国、旧ソ連、ベトナム以外）が安定を取り戻す可能性はあるものの、すでに過剰生産状態では投資家の劇的な増加は考えにくい。ただ、アジアではこの５年ほどで負債水準が下がったものの住宅の需要は依然高いままになっており、国内消費と投資が伸びることが予想される。また、アジアの都市化が進めば、大都市も急速に拡大することになり、それも住宅業界にとっては大きな追い風になる（図E.2参照）。これらのことから1997年以降、断崖を転げ落ちた新興市場が谷底に達している（南米は別かもしれない）可能性はあるが、成長率の大幅な改善はまだ遠いといえるだろう。

　筆者は発展途上国だけでなく、グローバル経済にとっても問題の

図E.2
街に行こう
人口1000万以上の都市の数

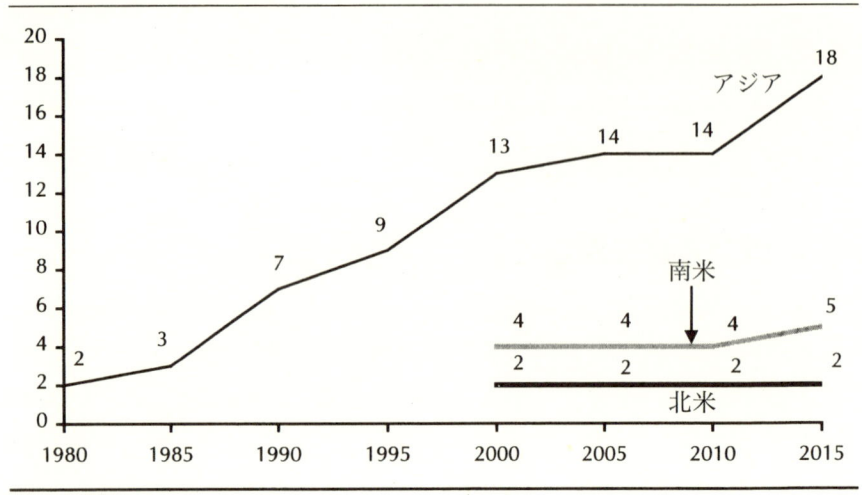

アジア: 1980年 2、1985年 3、1990年 7、1995年 9、2000年 13、2005年 14、2010年 14、2015年 18
南米: 2000年 4、2005年 4、2010年 4、2015年 5
北米: 2000年 2、2005年 2、2010年 2、2015年 2

出所＝国際連合

　核心は（最近の通貨切り下げでもさらに悪化した）単純労働者の収入の低迷だと考えている。購買力がないと、過少消費（第6章のホブソンの理論参照）を招くからである。1990年代の一時期、先進工業国が途上国に対して資金を貸し出したことで国内の貸出金利が驚異的な水準になり、消費も急増したことがあった。しかし、信用循環が低下すると消費も落ち込み、それ以降はほんのわずかしか上がっていない。もし発展途上国の単純労働者の低賃金が、山積する問題の中心であるとすればどうなるのだろう。グローバル化によってこれらの賃金も上昇する可能性を指摘する声もあるが、残念ながらそうはならないだろう。
　仮に、非常に生産性の高い近代手法があって、それには限られた

人数しか必要ないとする。このような規模や範囲の生産は、効率的な近代企業が同じ地域の小企業よりも安く生産し、販売することを可能にする。加えて近代企業は財務基盤もしっかりとしており、マーケットシェアを拡大するためにダンピングを行ったり地域のライバル会社を排除したりすることもできる。このような戦略は一時的な損失を他国の売り上げでカバーできる国際的な企業であれば簡単に行うことが可能で、地域の競争相手がいなくなれば価格を大幅に引き上げて利益を回復すればよいのである。つまり、効率化された大企業の新興市場への直接投資は、実際には雇用の低下につながるのである！　ここで楽観主義者なら、19世紀初めのヨーロッパも農業の生産性が上がったことで労働者が工場で働くようになったのだから、発展途上国でも効率化で余った労働者はソフトウエア・エンジニアやディズニーランドの従業員、研究者などに転職できてよいと言うだろう。一方、悲観論者ならイギリスの大幅な生産性向上に伴う19世紀インドの空洞化を持ち出して、悲劇だと言うだろう。

　もちろん近代的な省力化生産手法にも問題はある。例えば中国の国営企業は非常に効率が悪い反面、1億1000万人を雇用してきた。もし中国が完全な自由市場で国の助成（返済しない銀行貸付の形で行われている）もなければ、国営企業の80％の社員が解雇されることになり、都市部の失業率がすでに15％以上になっているなかで、これは大きな社会問題になるだろう。実際には2つの極論の間のどこかに落ち着くのだろうが、少なくとも中国で国営企業が突然廃止されれば一時的にせよ大きな混乱をもたらすことになる（そして改革はさらに先送りされる）。

　発展途上国の低賃金問題を改善する別の方法としては、物やサービスの価格を大幅に下げ、世界で最も貧しい国の人々でも買えるよ

うにする方法がある。もしパソコン、携帯電話、医薬品、自動車、ボーイング747などの製品価格が崩壊すれば、需要は急増して「デフレブーム」が起こる。一部ですでに始まっているこのプロセスが長期的なトレンドになれば、これが恐らく富の不均衡というジレンマを救う唯一の方法かもしれない。しかし、西側の政府や多国籍企業が、自分たちの製品価格や利益が落ち込むようなこの動きを歓迎するわけがない。

　この先さらに先進国と発展途上国の収入の不均衡が広がれば、恐らく何かが失われることになるだろう。最近見られるように、グローバルな経済成長が止まるのかもしれないし、社会的、政治的緊張がさらに高まるのかもしれない。過去に富の不均衡が極端なレベルまで進んだ社会では革命が起こるか、少なくとも何らかの反乱が起こっている（ローマが衰退した原因もそうだった）。ウィル・デュラントも指摘しているとおり、「（富の）集中は大多数の貧しい者の力と少数の富める者の能力が同等になるまで続き、そのあとは歴史上見られるとおり、不安定な均衡が法律による富の再分配または革命による貧困の分配などの深刻な状況を生む」のである。

　この過去に例を見ない富と収入の格差は、現代の経済政策の最優先課題としてこの先も続いていくと考えられる。ただ、多くの人がこの問題を知らないか、もしくは解決する力を持っておらず、近年世界の富の格差は縮まったなどと言う学者までいる。しかし、この何年間かに新興市場が経験した厳しい通貨切り下げで、ドル換算した収入がさらに減っていることを考えたら、この意見にはとても賛成できない。米国では1914年にヘンリー・フォードが労働者の日給を9時間シフトで2.34ドルから8時間シフトで5ドルに引き上げた（年間約1250ドル）。このような高賃金（ウォール・ストリート・ジ

ャーナル紙はこれを経済犯罪と評した）によって、フォードの労働者は当時1台360ドルだったモデルT車を毎年2台買うことができるようになった（訳注　モデルT車は大量生産によって初めて自動車を大衆化したフォードの車種）。反対に、今日の新興市場で製造業に従事する労働者の年収は600ドル以下で、これは1990年代末に筆者が香港のニューワールドタワーにバイクを駐輪するために支払っていた月額料金の約半分にしかならない！　つまり、新興地域の労働者が1万5000ドルの車を買うなどというのは夢でしかないのである。

　世界の貧しい人々と富める人々の間にある溝は、どうしたら高度に発展した西側文明と、生きていくだけで精いっぱいで戦う力もなく残虐な行為によってしかその怒りを表すことのできない大多数の貧窮した人々とのバランスをとれるのかについて、われわれが真剣に取り組むよう迫っているのだと思う。

＊　＊　＊

　これらの懸念や米国の経済に対する悲観的な見方はあっても、将来に関してはやはり楽観している。筆者の名前から運命や憂鬱などという言葉を連想する読者にとって意外かもしれないが、冒頭にも書いたとおり本書は経済的大惨事や巨大ブームを予測するためのものではなく、輸送、コミュニケーション、世界への情報伝達が進歩したことで経済的にも政治的にも社会的にもこれまで以上に目まぐるしく変化している世界でチャンスを探し、スポットライトを当てるためのものなのである。

　ここまで共産主義崩壊以前まで存在した経済均衡や、グローバル

化の波が中断しつつあること、そして現在、われわれが経験している変化がコロンブスの大航海時代や産業革命に匹敵するほどの大きさであることを述べてきた。変化自体が加速し（とくに地域が開放され、市場経済に参入したり工業化が始まったりすることに対して）、大人口を抱える国（旧ソ連、中国、インド）が自由でグローバルな資本主義制度に加わると、本当の「新世界秩序」が始まることになるだろう。

　筆者はアジアの新しい自己発見の過程である巨大な変革で、だれもが満足のいく状況を作り出すことも可能だと考えている。もちろん負けるセクターもあるが、大躍進するセクターもある。新しい都市、低コストの工業地域、活力ある企業が台頭して、すでに繁栄している都市や成功ビジネスに取って代わるかもしれないし、拡大して繁栄を謳歌する金融市場もあれば、横ばいか1990年以降の日本のように下降するところも出てくるだろう。

　この新世界秩序が一部の学者が言うように広範囲のデフレをもたらすのか、新しいインフレの波をもたらすのかは分からない。筆者は一部のセクターや地域は価格崩壊か通貨切り下げによってデフレに陥るが、すでにデフレを極めているところはむしろ上昇すると考えている。つまりインフレとデフレが当分の間、共存するということも可能だという見方をしているのである。また、激しいデフレ環境において、一部の商品や資産がマクロ経済の価格トレンドではなく、それ自体の市場の需給関係によって価格が急上昇することも忘れてはいけない。例えば、1882～1886年のカリフォルニア州南部の不動産ブームは米国市場最長のデフレとして有名な1864年から19世紀末の真っただ中で起こっている。つまり、全体的な価格トレンドの先行きが債券や株の保有者にとって大きな影響を与えることは認

めるが、投資家はどのようなマクロ経済シナリオにおいても上昇するマーケットを真剣に探すことのほうが重要なのである。このことについては、商品相場や新興市場の将来について述べたところでも触れたが、考え得るかぎり最悪の経済シナリオの下では最低コストの生産者を探すことが最も重要であり、厳しい競争にさらされた今日の環境で生き残るには、極めて適性が高くなければならないのである。

　最後にもう一点、付け加えたいことがある。第2章で中央銀行はグローバル経済に注入する水の量をコントロールすることはできるが、それが地上に落ちたあとの流れについてはどうすることもできないと書いた。このことは、米国のFRB（連邦準備制度理事会）や各国の中央銀行のどんなことがあっても不況やデフレを食い止めようとする極端な金融拡大政策を考えるうえで非常に重要である。国境がないに等しいグローバル経済システムにおいて、このような金融政策はむしろデフレ圧力に拍車をかける可能性がある。人為的な低金利が中国、ベトナム、インドなど価格水準の低い国の生産力をさらに拡大させるかもしれないからである。

　低金利によって生産力が上がり、製品やサービスがすでに供給過剰のマーケットに流れ込むことは完全に逆効果になる。デフレ環境下では生産をできるだけ速く減らすことが一番の薬であり、過去10年間それをする意思の力が欠けていたことが現在の日本の経済的大混乱を招いたと言ってよい。

　つまり、もし今、市場経済に対する金融政策や中央銀行の介入が失敗するという筆者の懸念が正しければ、金融政策や財政政策こそ経済の要だとうたった第二次世界大戦後の経済学の教科書はすべて書き直す必要がある。また、中央銀行の力も大幅に削減されるべき

だろう。これについては「金融政策は常に有効だ」と信じてきた中央銀行の最も強力なサポーターでもある元FRB理事のウェイン・エンジェルでさえ、最近CNBCの番組で経済において市場の力だけが「絶対」だと発言するなど、変化の兆しが見え始めている。市場への介入は常に追加的な適応障害や予期しない結果を伴う。大衆は、早口のコメンテーターや、中央銀行（特にグリーンスパン議長）は万能なのだというこじつけをまくし立てるエコノミストもどきに洗脳されてしまっている。しかし、中央銀行の連中も旧共産圏の幹部よりも優れているわけではないと人々が最終的に気づいたとき、流れが変わって金融改革が本格化し始める。そのときは、現在の緩やかな金融「協定」ではなく、厳格な金融制度によって自動的に安定を確保するための「抑制と均衡」（チェック・アンド・バランス）が働くことになるだろう。またそうなれば、政府が細工した怪しげな経済統計について中央銀行が干渉することもできなくなると同時に、際限なく供給されることのない唯一の通貨である金が大きな役割を果たすことになると筆者は考えている。

　つまり、新世界秩序はこれまで述べてきたグローバル経済の景観に大きな変革をもたらすだけでなく、よりオーストリア学派（メンガーを学祖とし、シュンペーター、ミーゼス、ハイエクなどと続く）の主張に近い新しい経済理論から成ると考えられる。経済を動かすのは、全体主義政府の高官でも賢いふりをした中央銀行幹部でもなく、マーケットの力なのだということが筆者の長期的な楽観姿勢の理由なのである。

参考文献

Aftalion, Albert, *Les crises périodiques de surproduction*, Paris, 1913

Anderson, *History of Commerce*, London, 1788

Ashton, T. S., *Iron And Steel In The Industrial Revolution*, Manchester, 1924

Ashton, T. S., *Economic Fluctuations In England 1700-1800*, Oxford, 1959

Bairoch, Paul and Levy-Leboyer, Maurice, *Disparities in Economic Development since the Industrial Revolution*, New York, 1981

Bairoch, Paul, *Victoires et déboires*, Éditions Gallimard, 1997

Badger, Ralph, E., *Investment Principles and Practices*, New York, 1935

Beer, A., *Geschichte des Welthandels*, Wien, 1864

Benner, Samuel, *Benner's Prophecies of Future Ups and Downs in Prices*, Cincinnati, 1884

Bernstein, Peter, *Against The Gods*, New York, 1996

Bernstein, Peter, *The Power Of Gold*, New York, 2000

Blanqui, A., *Résume de L'histoire du Commerce et de L'industrie*, Paris, 1826

Board of Governors of the Federal Reserve System, International Discussion Paper, *Preventing Deflation; Lessons from Japan's Experience in the 1990s*, No. 729, June 2002

Böhm Bawerk, Eugen (von), *Kapital und Kapitalzins*, Jena, 1921

Braudel, Fernand, *The Mediterranean*, New York, 1972

Braudel, Fernand, *Civilisation and Capitalism 15th-18th Century*, New York, 1979

Bresciani-Turroni, Constantino, *The Economics of Inflation*, August M. Kelley, 1968 (first published by Universita Bocconi in 1931)

Brooks, John, *Once in Golconda*, New York, 1969

Bullock, Hugh, *The Story of Investment Companies*, New York, 1959

Burton, Theodore, *Financial Crises*, New York, 1910

The Cambridge Economic History of Europe, Cambridge, 1965

The Cambridge Economic History of India, Cambridge, 1982

The Cambridge History of China, Cambridge, 1980

The Cambridge History of Southeast Asia, Cambridge, 1992

Cannan, Edwin, *A History of the Theories of Production and Distribution*, London 1893

Chancellor, Edward, *Devil Take The Hindmost*, New York, 1999

Chandler, Tertius, *Four Thousand Years of Urban Growth*, New York, 1987

Chi, C., *Key Economic Areas in Chinese History*, New York, 1970

Cipolla, Carlo, *The Economic History of World Population*, Baltimore, 1962

Cipolla, Carlo, *Guns, Sails and Empires*, Minerva Press, 1965

Cipolla, Carlo, *The Fontana Economic History of Europe*, Collins/Fontana Books, 1976

Cipolla, Carlo, *Before The Industrial Revolution*, New York, 1993

Clough, Shephard, and Cole, Charles, *Economic History of Europe*, Boston, 1952

Clark, John, J., and Cohen, Morris, *Business Fluctuations, Growth, and Economic Stabilisation*, New York, 1963

Cootner, Paul, H., *The Random Character Of Stock Market Prices*, Cambridge, MA, 1964

Cowles, Virginia, *The Great Swindle*, London 1960

Derry, T. K. and Williams, Trevor, *A Short History of Technology*, Oxford, 1960

Dewey, Edward, *Cycles - The Science of Predictions*, New York, 1947

Diamond, Jared, *Guns, Germs, And Steel,* New York, 1997

Doolittle, Justus, *Social Life of the Chinese*, London, 1868

Douglas, P. H., *Controlling Depressions*, New York, 1935

Dreman, David, *Psychology and the Stock Market*, New York, 1977

Durant, Will, *The Story of Civilisation*, New York, 1954

Encyclopaedia Britannica

Engels, Frederik, *Socialism: Utopian and Scientific* (translated by E Aveling) London, 1892

Estey, James, A., *Business Cycles*, New York, 1941

Etherton, P. T., and Tiltman Hessell, *Manchuria, The Cockpit of Asia*, London, 1933

Evans, Morier, D., *The History of the Commercial Crisis, 1857-58 and the Stock Exchange Panic of 1859*, New York, London 1859 (reprinted New York, 1969)

Fisher, Irving, *The Stock Market Crash - And After*, New York, 1930

Fisher, Irving, *Booms and Depressions*, New York, 1932

Fisher, Irving, *The Debt-Deflation Theory of the Great Depression*, London, 1933

Fisher, Irving, *Inflation?*, London, 1933

Foxwell, (ed), Jevons, W. Stanley, *Investigations in Currency and Finance*, London, 1884

Frasca, Charles, *Stock Swindlers And Their Methods*, New York, 1931

Fridson, Martin, S., *It Was a Very Good Year*, New York, 1998

Friedman, Milton, and Schwartz, Anna, *A Monetary History of the United States, 1867-1960*, Princeton, 1963

Gaettens, Richard, *Inflationen*, München, 1955

Galbraith, John Kenneth, *The Great Crash 1929*, Boston, 1988

Garnier, J., *Du Principe de Population*, Paris, 1857

Gayer, A. D., *Monetary Policy and Economic Stabilisation*, New York, 1935

Gernet, J., *A History of Chinese Civilisation*, Cambridge, 1982

Gibbon, E., *The History of the Decline and Fall of the Roman Empire*, London, 1780

Gibson, Alexander, *Economic Geography*, New Jersey, 1979

Graham, Frank, D., *Exchange, Prices, And Production in Hyper-Inflation: Germany, 1920-1923*, New York, 1930

Guyot, Yves, *La Science Économique*, Paris, 1881

Haberler, Gottfried, *Prosperity And Depression*, New York, 1946

Haberler, Gottfried, *Readings in Business Cycle Theory*, London, 1950

Hall, Peter, *Cities In Civilisation*, New York, 1998

Halley Stewart Lecture, *The World's Economic Crisis*, London, 1931

Harrod, R.F., *The Trade Cycle*, Oxford, 1936

Hayek, Friedrich, A., *Monetary Theory and the Trade Cycle*, London, 1933

Hayek, Friedrich, A., *Prices and Production*, London, 1931

Hicks, J. R., *A Contribution to the Theory of the Trade Cycle*, Oxford, 1950

Hicks, J. R., *Essays in World Economics*, Oxford, 1959

Hippocrates, "Influence of Atmosphere, Water, and Situation" in *Greek Historical Thought from Homer to the Age of Heraclius*, translated by AJ Toynbee, 1924

Hobson, John A., *The Evolution of Modern Capitalism*, London, 1894

Hobson, John A., *Free-Thought In The Social Sciences*, New York, 1926

Hobson, John A., *The Economics of Unemployment*, London, 1931

Hobson, John A., *Confessions of an Economic Heretic*, London 1938

Homer, Sydney, *A History of Interest Rates*, New Jersey, 1977

Homer, Sydney, *The Great American Bond Market, Selected Speeches*, Dow Jones-Irwin, 1978

Huntington, Ellsworth, *World Power and Evolution*, New Haven, 1919

Hunold, Albert, *Vollbeschäftigung, Inflation und Planwirtschaft*, Aufsätze von verschiedenen Oekonomen, Zürich, 1951

Hyndman, H. M., *Commercial Crises of the Nineteenth Century*, London, 1892 (reprinted New York, 1967)

Issawi, C., *The Economic History of the Middle East*, Chicago, 1966

Jacobs, Jane, *The Economy of Cities*, New York, 1969

Jerome, Harry, *Migration And Business Cycles*, New York, 1926

Jevons, Stanley, William., *The Theory of Political Economy*, London 1888

Jones, Edward, *Economic Crises*, New York, 1900

Juglar, Clément, *Des crises commerciales et de leur retour périodique en France, en Angleterre et aux États-Unis*, 2nd ed., Paris, 1889

Kaufman, Henry, *Interest Rates, the Markets, and the New Financial World*, New York, 1986

Kaufman, Henry, *On Money And Markets*, New York, 2000

Keynes, John Maynard, *The Economic Consequences Of The Peace*, London, 1919

Keynes, John Maynard, *A Tract On Monetary Reform*, London, 1923

Keynes, John, Maynard, *A Treatise On Money*, London, 1930

Keynes, John, Maynard, *The General Theory of Employment Interest And Money*, London, 1936

Kindleberger, Charles, *Manias, Panics, And Crashes*, New York, 1978

Kindleberger, Charles, *A Financial History of Western Europe*, New York, 1993

Kennedy, Paul, *The Rise and Fall of the Great Powers*, New York, 1987

Kondratieff, Nikolai, *The Long Wave Cycle*, (translated by Guy Daniels), New York, 1984

Landes, David, S., *The Wealth and the Poverty of Nations*, New York, 1998

Lavington, F., *The Trade Cycle*, London, 1925

Le Bon, Gustave, *The Crowd*, Norman S Berg, Publisher, Sellanraa, Dunwoody, Georgia

Levy, Jerome, *Economics Is An Exact Science*, New York, 1943

Mackay, Charles, *Extraordinary Popular Delusions and the Madness of Crowds*, New York, 1993

McCulloch, J. R., *The Principles of Political Economy*, 2nd ed. London 1830

McCulloch, J. R., Treatises And Essays on Subjects Connected With Economical Policy, Edinburgh, 1833

McNeill, William, *The Rise of the West*, Chicago, 1963

McNeill, William, *Plagues and Peoples*, New York, 1976

McNeill, William, *The Pursuit of Power*, Chicago, 1982

McNeill, William, *History of Western Civilisation*, Chicago, 1986

Maddison, A, *Monitoring the World Economy*, 1995

Marx, Karl, *Capital*, first published posthumously in German in 1885

Meason, Malcolm, R.L., *The Profits Of Panics*, London, 1866

Mill, James, *The History of British India*, London, 1826

Mill, John Stuart, *Principles of Political Economy*, 7th ed., London, 1871

Mises, Ludwig (von), *The Theory of Money and Credit*, New York, 1935

Mitchell, Wesley Clair, *Business Cycles*, Berkley, 1913

Mitchell Wesley, Clair, *What Happens During Business Cycles*, National Bureau of Economic Research, New York, 1951

Morgenstern, Oskar, *The Limits Of Economics*, London, 1937

Mulhall, Michael, *History of Prices Since The Year 1850*, London, 1885

Nairn, Alasdair, *Engines That Move Markets*, John Wiley & Sons, 2002

Naisbitt, John, *Global Paradox*, London 1994

National Bureau of Economic Research, *Conference on Business Cycles*, New York, 1951

Necker, M., *De L'Administration des Finances de France*, 1789

Neill, Humphrey, *The Art Of Contrary Thinking*, Caldwell, 1954

Nisbet, Robert, *History Of The Idea Of Progress*, New York, 1980

Noel, O., *Histoire du Commerce du Monde*, Paris, 1894

North, S.N.D., *A Century of Population Growth*, Washington, 1909

Norwich, John, J. *A History of Venice*, New York, 1982

Olson, M., *The Rise and Decline of Nations*, New Haven, 1982

Pacey, Arnold, *Technology in World Civilisation*, Oxford, 1990

Paepke, Owens, C., *The Evolution of Progress*, New York, 1993

Pares, B., *A History of Russia*, London, 1949

Parnell, Henry, *On Financial Reform*, London, 1830

Pigou, A. C., *The Economics of Welfare*, London, 1920

Pigou, A. C., *Industrial Fluctuations*, London, 1927

Pigou, A. C., *The Economics of Stationary States*, London, 1935

Pigou, A. C., *Employment and Equilibrium*, London, 1949

Pigou, A. C., *Income*, London, 1955

Pokrovsky, M. N., *Brief History of Russia*, London, 1933

Pratt, Sereno, *The Work of Wall Street*, New York, 1921

Prechter, Robert, and Frost, Alfred, *Elliott Wave Principle*, Georgia, 1978

Prechter, Robert, *At the Crest of the Tidal Wave*, Georgia, 1995

Remer, C. F., *Foreign Investments in China*, New York, 1933

Riesman, David, *The Lonely Crowd*, New Haven, 1950

Roll, Erich, *A History Of Economic Thought*, London, 1938

Rogers, James, E., *The Economic Interpretation of History*, London, 1895

Röpke, Wilhelm, *Crises and Cycles*, London, 1936

Röpke, Wilhelm, *Jenseits von Angebot und Nachfrage*, Zürich, 1966

Rosenberg, Nathan and Birdzell, L. E. Jr., *How the West Grew Rich*, New York, 1986

Rothbard, Murray, *The Panic of 1819*, New York, 1962

Salvatore, Dominick, *World Population Trends And Their Impact On Economic Development*, New York, 1988

Say, Jean-Baptiste, *Cours Complet D'Economie Politique*, Bruxelles, 1844

Schumpeter, Joseph, "The Analysis of Economic Change", *The Review of Economic Statistics*, Vol. 17, No. 4, May 1935

Schumpeter, Joseph, *Business Cycles*, Philadelphia, 1939

Schumpeter, Joseph, *Capitalism, Socialism, and Democracy*, New York, 1942

Schumpeter, Joseph, *History of Economic Analysis*, London, 1954

Seligman, Edwin, *The Economic Interpretation of History*, New York, 1924

Shilling, Gary, A., *Deflation*, New Jersey, 1998

Singer, Charles, Hall, A. R., Williams, Trevor, *A History of Technology* (5 volumes), Oxford, 1954-8

Slater, F. R., *Sir Thomas Gresham*, London, 1925

Smith, Walter, & Cole, Arthur, *Fluctuations in American Business, 1790-1860*, Cambridge, 1935

Sobel, Robert, *The Big Board*, New York, 1965

Sobel, Robert, *Panic On Wall Street*, New York 1968

Sombart, W., Der Moderne Kapitalismus, Leipzig, 1928

Speck, E., *Handelsgeschichte des Altrertums*, Leipzig, 1906

Temple, Robert, *The Genius of China*, New York, 1986

Temple, William *Observations upon the Provinces of the United Netherlands*, 1720 (reprinted Cambridge, 1932)

Thompson, Robert, L., *Wiring A Continent*, Princeton, 1947

Thornton, Henry, *An Inquiry into The Nature and Effects of The Paper Credit of Great Britain*, London,1802

Timoshenko, V.P., *World Agriculture and the Depression*, Michigan Business Studies, Vol.V, No. 5, 1953

Tinbergen, Jan, *The Dynamics of Business Cycles*, London, 1950

Tooke, Thomas, *Thoughts and Details on the High And Low Prices of The Last Thirty Years*, London, 1823

Tooke, Thomas, *A History of Prices*, London, 1838

Toynbee, Arnold, J., *A Study of History, London 1947*, Toynbee (see especially his chapter entitled "The Comparability of Societies")

Tracy, (Comte) Destutt, *Traite D'Economie Politique*, Paris, 1825

Trollope, Anthony, *The Way We Live Now*, New York, 1996

Tugan-Baranowsky, Michael, *Studian zur Theorie und Geschichte der Handelskrisen in England*, Jena, 1901

Underwood Faulkner, Harold, *American Economic History*, New York, 1935

US Department of Commerce and Labour, *A Century of Population Growth*, Washington, 1909

Veblen, Thorstein, *The Theory of the Leisure Class*, New York, 1899

Veblen, Thorstein, *The Theory of Business Enterprises*, New York, 1904

Veblen, Thorstein, *The Higher Learning In America*, New York, 1918

Von Wieser, Friedrich, *Das Gesetz der Macht*, Wien, 1926

Weber, Max, *Wirtschaftsgeschichte*, Leipzig, 1923

Weber, Max, *Protestant Ethic and the Spirit of Capitalism*, New York, 1930

Wicksell, Knut, *Interest and Prices*, London, 1936

Wigmore, Barrie, A., *The Crash and Its Aftermath*, Westport, 1985

Wise, Murray, *Investing in Farmland*, Chicago, 1989

Wirth, Max, *Geschichte der Handelskrisen*, Frankfurt, 1874

Zahorchack, Michael, (ed), *Climate, The Key to Understanding Business Cycles*, New Jersey, Tide Press, 1980

追加情報に関するお知らせ

　本書に掲載した情報や統計は、当社が信頼する情報源から入手したものではあるが、その精度や完成度について保障するものではない。また、今後われわれの見解が変わったとしてもそれを助言するものではない。さらに本書は売買を勧誘するためのものでもない。CLSAエマージング・マーケッツは本レポートをプロおよび機関投資家の顧客だけのために作成した。すべての情報や助言は誠意を持って記載してあるが、その内容を保障するものではない。CLSAエマージング・マーケッツとその関連会社の社員が本書出版以前に本書に記載されている情報に基づいて、記載されている証券やその関連証券のポジションを作ったり売買を行ったり大いに関心を持ったりした可能性がある。本リポートに関する条項は、ウエブサイトhttp://www.clsa.comに示したとおりである。
MITA（P）No328/07/2002, V.021100

■著者紹介
マーク・ファーバー（Marc Faber）
マーク・ファーバー博士は逆張り投資家である。良い逆張り投資家は、自分が何の逆を行くのかを知っている必要がある。そのためには世界的な経済史家であり、かつてウォール街のジャンクボンド王と呼ばれたころのドレクセル・バーナム・ランバートのトレーダー兼マネージングディレクターであり、四半世紀にわたって香港に住み、金融界を動かしたり揺るがしたりする人々の自宅の電話番号がぎっしり詰まったアドレス帳を持っていることが大変役に立っている。ファーバー博士の投資手法はブルとともに走るのでもベアを誘惑するのでもなく、国際金融市場の混乱のなかから独自の道を探して進んでいくことで知られている。1987年にはブラックマンデーがウォール街を襲う前に株を売るよう顧客に助言し、1990年には日本のバブル崩壊を予想して大きな利益を上げた。1993年にはアメリカのゲーム株の下落を正確に予想し、1997～1998年のアジア太平洋地域に起こった金融危機とそのあとの世界的な混乱も予見していた。著書には『相場の波で儲ける法』（東洋経済新報社刊）などがある。

■監修者紹介
足立眞一（あだち・しんいち）
同志社大学卒業後、日本経済新聞社を経て、和光証券（現、新光証券）に入社。取締役国際部長、同株式部長、常務、専務取締役を歴任。1998年に投資顧問会社「S・アダチ&カンパニー」を設立して今日に至る。少額の資金から巨額の資産運用する多様な顧客に対して、きめ細やかなアドバイスで抜群の信頼を得ている。主な著書には『ヘッジファンドの虚実』（日本経済新聞社）、『ビッグバンで資産を増やす』『絵画投資』（東洋経済新報社）、『驚異の大相場予測法』（実業之日本社）、『株の見かた狙いかた』（講談社）、『R&Dレシオの法則』（日本技術経済センター）など。

■訳者紹介
井田京子（いだ・きょうこ）
1983年スミス大学卒業。シティバンク東京支店勤務後、翻訳ボランティアを経て、現在は金融、ビジネス関連を中心に翻訳を行っている。『ワイルダーのテクニカル分析入門』『間違いだらけの投資法選び』『投資苑2　Q&A』（パンローリング刊）など。

2003年10月16日	初版第1刷発行	
2008年7月1日	第2刷発行	

ウィザードブックシリーズ㉖

トゥモローズゴールド
世界的大変革期のゴールドラッシュを求めて

著　者	マーク・ファーバー
監　修	足立眞一
訳　者	井田京子
発行者	後藤康徳
発行所	パンローリング株式会社
	〒160-0023　東京都新宿区西新宿7-9-18-6F
	TEL　03-5386-7391　FAX　03-5386-7393
	http://www.panrolling.com/
	E-mail　info@panrolling.com
編　集	エフ・ジー・アイ（Factory of Gnomic Three Monkeys Investment）合資会社
装　丁	新田"Linda"和子
印刷・製本	株式会社シナノ

ISBN978-4-7759-7022-5

落丁・乱丁本はお取り替えします。
また、本書の全部、または一部を複写・複製・転訳載、および磁気・光記録媒体に
入力することなどは、著作権法上の例外を除き禁じられています。

©Kyoko Ida　2003 Printed in Japan

トレード基礎理論の決定版!!

ウィザードブックシリーズ9
投資苑
著者:アレキサンダー・エルダー

心理・戦略・資金管理
TRADING FOR A LIVING
アレキサンダー・エルダー Dr. Alexander Elder 福井強/訳

世界各国ロングセラー
13カ国語へ翻訳—日本語版ついに登場!

定価 6,090円
(本体5,800円+5%)

定価 本体5,800円+税　ISBN:9784939103285

【トレーダーの心技体とは?】
それは3つのM「Mind=心理」「Method=手法」「Money=資金管理」であると、著者のエルダー医学博士は説く。そして「ちょうど三脚のように、どのMも欠かすことはできない」と強調する。本書は、その3つのMをバランス良く、やさしく解説したトレード基本書の決定版だ。世界13カ国で翻訳され、各国で超ロングセラーを記録し続けるトレーダーを志望する者は必読の書である。

ウィザードブックシリーズ56
投資苑2
著者:アレキサンダー・エルダー

2
トレーディングルームにようこそ
Come Into My Trading Room : A Complete Guide to Trading
アレキサンダー・エルダー[著] 長尾慎太郎[監修] 山中和彦[訳]

エルダー博士の
**トレーディングルームを
誌上訪問してください!**

定価 6,090円
(本体5,800円+税)

ブルベア大賞
2003/2004年

定価 本体5,800円+税　ISBN:9784775970171

【心技体をさらに極めるための応用書】
「優れたトレーダーになるために必要な時間と費用は?」「トレードすべき市場とその儲けは?」「トレードのルールと方法、資金の分割法は?」——『投資苑』の読者にさらに知識を広げてもらおうと、エルダー博士が自身のトレーディングルームを開放。自らの手法を惜しげもなく公開している。世界に絶賛された「3段式売買システム」の威力を堪能してほしい。

ウィザードブックシリーズ50
投資苑がわかる203問
著者:アレキサンダー・エルダー　定価 本体2,800円+税　ISBN:9784775970119

分かった「つもり」の知識では知恵に昇華しない。テクニカルトレーダーとしての成功に欠かせない3つのM(心理・手法・資金管理)の能力をこの問題集で鍛えよう。何回もトライし、正解率を向上させることで、トレーダーとしての成長を自覚できるはずだ。

投資苑2Q&A
著者:アレキサンダー・エルダー　定価 本体2,800円+税　ISBN:9784775970188

『投資苑2』は数日で読める。しかし、同書で紹介した手法や技法のツボを習得するには、実際の売買で何回も試す必要があるだろう。そこで、この問題集が役に立つ。あらかじめ洞察を深めておけば、いたずらに資金を浪費することを避けられるからだ。

バリュー株投資の真髄!!

バフェットからの手紙
ウィザードブックシリーズ 4
著者：ローレンス・A・カニンガム

定価 本体1,600円＋税　ISBN:9784939103216

【世界が理想とする投資家のすべて】
「ラリー・カニンガムは、私たちの哲学を体系化するという素晴らしい仕事を成し遂げてくれました。本書は、これまで私について書かれたすべての本のなかで最も優れています。もし私が読むべき一冊の本を選ぶとしたら、迷うことなく本書を選びます」
——ウォーレン・バフェット

新 賢明なる投資家
ウィザードブックシリーズ 87・88
著者：ベンジャミン・グレアム　ジェイソン・ツバイク

定価（各）本体3,800円＋税　ISBN:(上)9784775970492
(下)9784775970508

【割安株の見つけ方とバリュー投資を成功させる方法】
古典的名著に新たな注解が加わり、グレアムの時代を超えた英知が今日の市場に再びよみがえる！　グレアムがその「バリュー投資」哲学を明らかにした『賢明なる投資家』は、1949年に初版が出版されて以来、株式投資のバイブルとなっている。

賢明なる投資家
ウィザードブックシリーズ 10
著者：ベンジャミン・グレアム
定価(各) 本体3,800円＋税
ISBN:9784939103292

ウォーレン・バフェットが師と仰ぎ、尊敬したベンジャミン・グレアムが残した「バリュー投資」の最高傑作！　「魅力のない二流企業株」や「割安株」の見つけ方を伝授する。

麗しのバフェット銘柄
ウィザードブックシリーズ 116
著者：メアリー・バフェット、デビッド・クラーク
定価 本体1,800円＋税
ISBN:9784775970829

なぜバフェットは世界屈指の大富豪になるまで株で成功したのか？　本書は氏のバリュー投資術「選別的逆張り法」を徹底解剖したバフェット学の「解体新書」である。

証券分析【1934年版】
ウィザードブックシリーズ 44
著者：ベンジャミン・グレアム、デビッド・L・ドッド
定価 本体9,800円＋税
ISBN:9784775970058

グレアムの名声をウォール街で不動かつ不滅なものとした一大傑作。ここで展開されている割安な株式や債券のすぐれた発掘法は、今も多くの投資家たちが実践して結果を残している。

アラビアのバフェット
ウィザードブックシリーズ 125
著者：リズ・カーン
定価 本体1,890円＋税
ISBN:9784775970928

バフェットがリスペクトする米以外で最も成功した投資家、アルワリード本の決定版！　この1冊でアルワリードのすべてがわかる！　3万ドルを230億ドルにした「伸びる企業への投資」の極意

マーケットの魔術師 ウィリアム・オニールの本と関連書

ウィザードブックシリーズ12
オニールの成長株発掘法
著者：ウィリアム・オニール

定価 本体2,800円＋税　ISBN:9784939103339

【究極のグロース株選別法】
米国屈指の大投資家ウィリアム・オニールが開発した銘柄スクリーニング法「CAN-SLIM（キャンスリム）」は、過去40年間の大成長銘柄に共通する7つの要素を頭文字でとったもの。オニールの手法を実践して成功を収めた投資家は数多く、詳細を記した本書は全米で100万部を突破した。

ウィザードブックシリーズ71
オニールの相場師養成講座
著者：ウィリアム・オニール

定価 本体2,800円＋税　ISBN:9784775970331

【進化するCAN-SLIM】
CAN-SLIMの威力を最大限に発揮させる5つの方法を伝授。00年に米国でネットバブルが崩壊したとき、オニールの手法は投資家の支持を失うどころか、逆に人気を高めた。その理由は全米投資家協会が「98～03年にCAN-SLIMが最も優れた成績を残した」と発表したことからも明らかだ。

ウィザードブックシリーズ93
オニールの空売り練習帖
著者：ウィリアム・オニール、ギル・モラレス
定価 本体2,800円＋税　ISBN:9784775970577

氏いわく「売る能力もなく買うのは、攻撃だけで防御がないフットボールチームのようなものだ」。指値の設定からタイミングの決定まで、効果的な空売り戦略を明快にアドバイス。

DVDブック
大化けする成長株を発掘する方法
著者：鈴木一之　定価 本体3,800円＋税
DVD1枚 83分収録　ISBN:9784775961285

今も世界中の投資家から絶大な支持を得ているウィリアム・オニールの魅力を日本を代表する株式アナリストが紹介。日本株のスクリーニングにどう当てはめるかについても言及する。

ウィザードブックシリーズ19
マーケットの魔術師
著者：ジャック・D・シュワッガー
定価 本体2,800円＋税
ISBN:9784939103407

オーディオブックも絶賛発売中!!

トレーダー・投資家は、そのとき、その成長過程で、さまざまな悩みや問題意識を抱えているもの。本書はその答えの糸口を「常に」提示してくれる「トレーダーのバイブル」だ。

ウィザードブックシリーズ49
私は株で200万ドル儲けた
著者：ニコラス・ダーバス　訳者：長尾慎太郎、飯田恒夫
定価 本体2,200円＋税　ISBN:9784775970102

1960年の初版は、わずか8週間で20万部が売れたという伝説の書。絶望の淵に落とされた個人投資家が最終的に大成功を収めたのは、不屈の闘志と「ボックス理論」にあった。

マーケットの魔術師シリーズ

ウィザードブックシリーズ 19
マーケットの魔術師
著者：ジャック・D・シュワッガー
定価 本体 2,800 円＋税　ISBN:9784939103407

【いつ読んでも発見がある】
トレーダー・投資家は、そのとき、その成長過程で、さまざまな悩みや問題意識を抱えているもの。本書はその答えの糸口を「常に」提示してくれる「トレーダーのバイブル」だ。「本書を読まずして、投資をすることなかれ」とは世界的トレーダーたちが口をそろえて言う「投資業界の常識」だ！

ウィザードブックシリーズ 13
新マーケットの魔術師
著者：ジャック・D・シュワッガー
定価 本体 2,800 円＋税　ISBN:9784939103346

【世にこれほどすごいヤツらがいるのか!!】
株式、先物、為替、オプション、それぞれの市場で勝ち続けている魔術師たちが、成功の秘訣を語る。またトレード・投資の本質である「心理」をはじめ、勝者の条件について鋭い分析がなされている。関心のあるトレーダー・投資家から読み始めてかまわない。自分のスタイルづくりに役立ててほしい。

ウィザードブックシリーズ 14
マーケットの魔術師　株式編《増補版》
著者：ジャック・D・シュワッガー
定価 本体 2,800 円＋税　ISBN:9784775970232

投資家待望のシリーズ第三弾、フォローアップインタビューを加えて新登場!!　90年代の米株の上げ相場でとてつもないリターンをたたき出した新世代の「魔術師＝ウィザード」たち。彼らは、その後の下落局面でも、その称号にふさわしい成果を残しているのだろうか？

◎アート・コリンズ著　マーケットの魔術師シリーズ

ウィザードブックシリーズ 90
マーケットの魔術師　システムトレーダー編
著者：アート・コリンズ
定価 本体 2,800 円＋税　ISBN:9784775970522

システムトレードで市場に勝っている職人たちが明かす機械的売買のすべて。相場分析から発見した優位性を最大限に発揮するため、どのようなシステムを構築しているのだろうか？　14人の傑出したトレーダーたちから、システムトレードに対する正しい姿勢を学ぼう！

ウィザードブックシリーズ 111
マーケットの魔術師　大損失編
著者：アート・コリンズ
定価 本体 2,800 円＋税　ISBN:9784775970775

スーパートレーダーたちはいかにして危機を脱したか？　局地的な損失はトレーダーならだれでも経験する不可避なもの。また人間のすることである以上、ミスはつきものだ。35人のスーパートレーダーたちは、窮地に立ったときどのように取り組み、対処したのだろうか？

トレーディングシステムで機械的売買!!

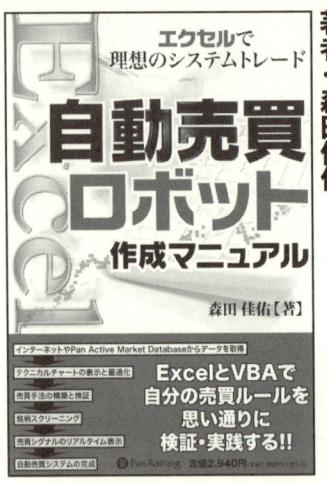

エクセルで理想のシステムトレード
自動売買ロボット作成マニュアル
著者：森田佳佑

定価 本体 2,800円＋税　ISBN:9784775990391

【パソコンのエクセルでシステム売買】
エクセルには「VBA」というプログラミング言語が搭載されている。さまざまな作業を自動化したり、ソフトウェア自体に機能を追加したりできる強力なツールだ。このVBAを活用してデータ取得やチャート描画、戦略設計、検証、売買シグナルを自動化してしまおう、というのが本書の方針である。

ウィザードブックシリーズ 11
売買システム入門
著者：トゥーシャー・シャンデ

定価 本体 7,800円＋税　ISBN:9784939103315

【システム構築の基本的流れが分かる】
世界的に高名なシステム開発者であるトゥーシャー・シャンデ博士が「現実的」な売買システムを構築するための有効なアプローチを的確に指南。システムの検証方法、資金管理、陥りやすい問題点と対処法を具体的に解説する。基本概念から実際の運用まで網羅したシステム売買の教科書。

現代の錬金術師シリーズ
自動売買ロボット作成マニュアル初級編
エクセルでシステムトレードの第一歩
著者：森田佳佑
定価 本体 2,000円＋税　ISBN:9784775990513

操作手順と確認問題を収録したCD-ROM付き。エクセル超初心者の投資家でも、売買システムの構築に有効なエクセルの操作方法と自動処理の方法がよく分かる!!

トレードステーション入門
やさしい売買プログラミング
著者：西村貴郁
定価 本体 2,800円＋税　ISBN:9784775990452

売買ソフトの定番「トレードステーション」。そのプログラミング言語の基本と可能性を紹介する。チャート分析も売買戦略のデータ検証・最適化も売買シグナル表示もできるようになる！

ウィザードブックシリーズ 54
究極のトレーディングガイド
全米一の投資システム分析家が明かす「儲かるシステム」
著者：ジョン・R・ヒル／ジョージ・プルート／ランディ・ヒル
定価 本体 4,800円＋税　ISBN:9784775970157

売買システム分析の大家が、エリオット波動、値動きの各種パターン、資金管理といった、曖昧になりがちな理論を適切なルールで表現し、安定した売買システムにする方法を大公開！

ウィザードブックシリーズ 42
トレーディングシステム入門
仕掛ける前が勝負の分かれ目
著者：トーマス・ストリズマン
定価 本体 5,800円＋税　ISBN:9784775970034

売買タイミングと資金管理の融合を売買システムで実現。システムを発展させるために有効な運用成績の評価ポイントと工夫のコツが惜しみなく著された画期的な書！

心の鍛錬はトレード成功への大きなカギ！

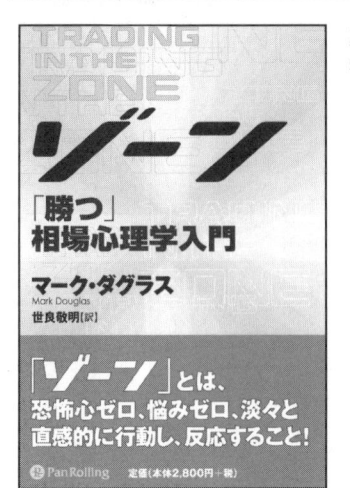

ウィザードブックシリーズ 32
ゾーン 相場心理学入門
著者：マーク・ダグラス

『ゾーン』とは、恐怖心ゼロ、悩みゼロ、淡々と直感的に行動し、反応すること！

定価 本体2,800円＋税　ISBN:9784939103575

【己を知れば百戦危うからず】
恐怖心ゼロ、悩みゼロで、結果は気にせず、淡々と直感的に行動し、反応し、ただその瞬間に「するだけ」の境地、つまり「ゾーン」に達した者こそが勝つ投資家になる！　さて、その方法とは？　世界中のトレード業界で一大センセーションを巻き起こした相場心理の名作が究極の相場心理を伝授する！

ウィザードブックシリーズ 114
規律とトレーダー 相場心理分析入門
著者：マーク・ダグラス

相場の世界での一般常識は百害あって一利なし！

定価 本体2,800円＋税　ISBN:9784775970805

【トレーダーとしての成功に不可欠】
「仏作って魂入れず」――どんなに努力して素晴らしい売買戦略をつくり上げても、心のあり方が「なっていなければ」成功は難しいだろう。つまり、心の世界をコントロールできるトレーダーこそ、相場の世界で勝者となれるのだ！　『ゾーン』愛読者の熱心なリクエストにお応えして急遽刊行！

ウィザードブックシリーズ 107
トレーダーの心理学
トレーディングコーチが伝授する達人への道
著者：アリ・キエフ
定価 本体2,800円＋税　ISBN:9784775970737

高名な心理学者でもあるアリ・キエフ博士がトップトレーダーの心理的な法則と戦略を検証。トレーダーが自らの潜在能力を引き出し、目標を達成させるアプローチを紹介する。

ウィザードブックシリーズ 124
NLPトレーディング
投資心理を鍛える究極トレーニング
著者：エイドリアン・ラリス・トグライ
定価 本体3,200円＋税　ISBN:9784775970904

NLPは「神経言語プログラミング」の略。この最先端の心理学を利用して勝者の思考術をモデル化し、トレーダーとして成功を極めるために必要な「自己管理能力」を高めようというのが本書の趣旨である。

ウィザードブックシリーズ 126
トレーダーの精神分析
自分を理解し、自分だけのエッジを見つけた者だけが成功できる
著者：ブレット・N・スティーンバーガー
定価 本体2,800円＋税　ISBN:9784775970911

トレードとはパフォーマンスを競うスポーツのようなものである。トレーダーは自分の強み（エッジ）を見つけ、生かさなければならない。そのために求められるのが「強靭な精神力」なのだ。

相場で負けたときに読む本　～真理編～
著者：山口祐介
定価 本体1,500円＋税　ISBN:9784775990469

なぜ勝者は「負けても」勝っているのか？　なぜ敗者は「勝っても」負けているのか？　10年以上勝ち続けてきた現役トレーダーが相場の"真理"を詩的に表現。

※投資心理といえば『投資苑』も必見!!

日本のウィザードが語る株式トレードの奥義

生涯現役の株式トレード技術
著者：優利加

定価 本体2,800円＋税　ISBN:9784775990285

【ブルベア大賞2006-2007受賞!!】
生涯現役で有終の美を飾りたいと思うのであれば「自分の不動の型＝決まりごと」を作る必要がある。本書では、その「型」を具体化した「戦略＝銘柄の選び方」「戦術＝仕掛け・手仕舞いの型」「戦闘法＝建玉の仕方」をどのようにして決定するか、著者の経験に基づいて詳細に解説されている。

実力をつける信用取引
売買戦略からリスク管理まで
著者：福永博之

定価 本体2,800円＋税　ISBN:9784775990445

【転ばぬ先の杖】
「あなたがビギナーから脱皮したいと考えている投資家なら、信用取引を上手く活用できるようになるべきでしょう」と、筆者は語る。投資手法の選択肢が広がるので、投資で勝つ確率が高くなるからだ。「正しい考え方」から「具体的テクニック」までが紹介された信用取引の実践に最適な参考書だ。

生涯現役の株式トレード技術【生涯現役のための海図編】
著者：優利加
定価 本体5,800円＋税　ISBN:9784775990612

数パーセントから5％（多くても10％ぐらい）の利益を、1週間から2週間以内に着実に取りながら"生涯現役"を貫き通す。そのためにすべきこと、決まっていますか？　そのためにすべきこと、わかりますか？

DVD 生涯現役のトレード技術【銘柄選択の型と検証法編】
講師：優利加　定価 本体3,800円＋税
DVD1枚 95分収録　ISBN:9784775961582

ベストセラーの著者による、その要点確認とフォローアップを目的にしたセミナー。激変する相場環境に振り回されずに、生涯現役で生き残るにはどうすればよいのか？

DVD 生涯現役の株式トレード技術 実践編
講師：優利加　定価 本体38,000円＋税
DVD2枚組 356分収録　ISBN:9784775961421

著書では明かせなかった具体的な技術を大公開。4つの利（天、地、時、人）を活用した「相場の見方の型」と「スイングトレードのやり方の型」とは？　その全貌が明らかになる!!

DVD 生涯現役の株式トレード技術【海図編】
著者：優利加　定価 本体4,800円＋税
DVD1枚 56分収録　ISBN:9784775962374

多くの銘柄で長期間に渡り検証された、高い確率で勝てる、理に適った「型」を決め、更に、それを淡々と実行する決断力とそのやり方を継続する一貫性が必要なのである。

Audio Book

満員電車でも聞ける！オーディオブックシリーズ

本を読みたいけど時間がない。
効率的かつ気軽に勉強をしたい。
そんなあなたのための耳で聞く本。
それがオーディオブック!!

パソコンをお持ちの方はWindows Media Player、iTunes、Realplayerで簡単に聴取できます。また、iPodなどのMP3プレーヤーでも聴取可能です。

オーディオブックシリーズ12
規律とトレーダー
著者：マーク・ダグラス

定価 本体3,800円+税（ダウンロード価格）
MP3 約440分 16ファイル 倍速版付き

ある程度の知識と技量を身に着けたトレーダーにとって、能力を最大限に発揮するため重要なもの。それが「精神力」だ。相場心理学の名著を「瞑想」しながら熟読してほしい。

オーディオブックシリーズ11
バフェットからの手紙
著者：L・A・カニンガム

定価 本体4,800円+税（ダウンロード価格）
MP3 約707分 26ファイル 倍速版付き

バフェット「直筆」の株主向け年次報告書を分析。世界的大投資家の哲学を知る。オーディオブックだから通勤・通学中でもジムで運動していても「読む」ことが可能だ!!

オーディオブックシリーズ13
賢明なる投資家

市場低迷の時期こそ、威力を発揮する「バリュー投資のバイブル」日本未訳で「幻」だった古典的名著がついに翻訳

オーディオブックシリーズ25
NLPトレーディング

最先端の心理学　神経言語プログラミング
(Neuro-Linguistic Programming) が勝者の思考術を養う！

オーディオブックシリーズ5
生き残りのディーリング決定版

相場で生き残るための100の知恵。通勤電車が日々の投資活動を振り返る絶好の空間となる。

オーディオブックシリーズ8
相場で負けたときに読む本～真理編～

敗者が「敗者」になり、勝者が「勝者」になるのは必然的な理由がある。相場の"真理"を詩的に紹介。

ダウンロードで手軽に購入できます!!

パンローリングHP
（「パン発行書籍・DVD」のページをご覧ください）
http://www.panrolling.com/

電子書籍サイト「でじじ」
http://www.digigi.jp/

■CDでも販売しております。詳しくは上記HPで───

Pan Rolling オーディオブックシリーズ

売り上げ1位
相場で負けたときに読む本 真理編・実践編
山口祐介　パンローリング
[真] 約160分 [実] 約200分
各1,575円（税込）

負けたトレーダー破滅するのではない。負けたときの対応の悪いトレーダーが破滅するのだ。敗者は何故負けたのか。勝者はどうして勝てるのか。10年以上勝ち続けてきた現役トレーダーが相場の"真理"を詩的に紹介。

売り上げ2位
生き残りのディーリング　投資で生活したい人への100のアドバイス
矢口新　パンローリング
約510分　2,940円（税込）

――投資で生活したい人への100のアドバイス――
現役ディーラーの座右の書として、多くのディーリングルームに置かれている名著を全面的に見直しし、個人投資家にもわかりやすい工夫をほどこして、新版として登場！現役ディーラーの座右の書。

その他の売れ筋

マーケットの魔術師
ジャック・D・シュワッガー
パンローリング　約1075分
各章 2,800円（税込）

――米トップトレーダーが語る成功の秘訣――
世界中から絶賛されたあの名著がオーディオブックで登場！

マーケットの魔術師 大損失編
アート・コリンズ, 鈴木敏昭
パンローリング　約610分
DL版 5,040円（税込）
CD-R版 6,090円（税込）

「一体、どうしたらいいんだ」と、夜眠れぬ経験や神頼みをしたことのあるすべての人にとって必読書である！

規律とトレーダー
マーク・ダグラス, 関本博英
パンローリング　約440分
DL版 3,990円（税込）
CD-R版 5,040円（税込）

常識を捨てろ！
手法や戦略よりも規律と心を磨け！
ロングセラー『ゾーン』の著者の名著がついにオーディオ化!!

NLPトレーディング
エイドリアン・ラリス・トグライ
パンローリング約590分
DL版 3,990円（税込）
CD-R版 5,040円（税込）

トレーダーとして成功を極めるため必要なもの……それは「自己管理能力」である。

私はこうして投資を学んだ
増田丞美
パンローリング　約450分
DL版 3,990円（税込）
CD-R版 5,040円（税込）

10年後に読んでも20年後に読んでも色褪せることのない一生使える内容です。実際に投資で利益を上げている著者が現在、実際に利益を上げている考え方＆手法を大胆にも公開！

マーケットの魔術師 ～日出る国の勝者たち～ Vo.01
塩坂洋一, 清水昭男
パンローリング　約100分
DL版 840円（税込）
CD-R版 1,260円（税込）

勝ち組のディーリング
トレード選手権で優勝し、国内外の相場師たちとの交流を経て、プロの投機家として活躍している塩坂氏は「商品市場の勝ちパターン、個人投資家の強さ、必要な分だけ勝つ」こととは！？

マーケットの魔術師～日出る国の勝者たち～
- Vo.02 FX戦略：キャリートレード次に来るもの／松田哲, 清水昭男
- Vo.03 理論の具体化と執行の完璧さで、最高のパフォーマンスを築け!!!!／西村貴郁, 清水昭男
- Vo.04 新興国市場──残された投資の王国／石田和靖, 清水昭男
- Vo.05 投資の多様化で安定収益──銀座ロジックの投資術／浅川夏樹, 清水昭男
- Vo.06 ヘッジファンドの奥の手拝見　その実態と戦略／青木俊郎, 清水昭男
- Vo.07 FX取引の確実性を摑み取れ／スワップ収益のインテリジェンス／空星人, 清水昭男
- Vo.08 裁量からシステムへ、ニュアンスから数値化へ／山口祐介, 清水昭男
- Vo.09 ポジション・ニュートラルから紡ぎだす日々の確実収益術／徳山秀樹, 清水昭男
- Vo.10 拡大路線と政権の安定 ─ タイ投資の絶妙タイミング／阿部俊之, 清水昭男
- Vo.11 成熟市場の投資戦略 ─ シクリカルで稼ぐ日本株の極意／鈴木一之, 清水昭男
- Vo.12 バリュー株の収束相場をモノにする！／角山智, 清水昭男
- Vo.13 大富豪への王道の第一歩：でっかく儲ける資産形成＝新興市場＋資源／上中康司, 清水昭男
- Vo.14 シンプルシステムの成功ロジック：検証実績とトレードの一貫性で可能になる安定収益／斉藤正章, 清水昭男
- Vo.15 自立した投資家(相場)の未来を読む／福永037, 清水昭男
- Vo.16 IT時代だから占星術／山中康司, 清水昭男

Chart Gallery 4.0 for Windows

パンローリング相場アプリケーション
チャートギャラリー
Established Methods for Every Speculation

成績検証機能が加わって新発売！

最強の投資環境

検索条件の成績検証機能 [New] [Expert]

指定した検索条件で売買した場合にどれくらいの利益が上がるか、全銘柄に対して成績を検証します。検索条件をそのまま検証できるので、よい売買法を思い付いたらその場でテスト、機能するものはそのまま毎日検索、というように作業にむだがありません。

表計算ソフトや面倒なプログラミングは不要です。マウスと数字キーだけであなただけの売買システムを作れます。利益額や合計だけでなく、最大引かされ幅や損益曲線なども表示するので、アイデアが長い間安定して使えそうかを見積もれます。

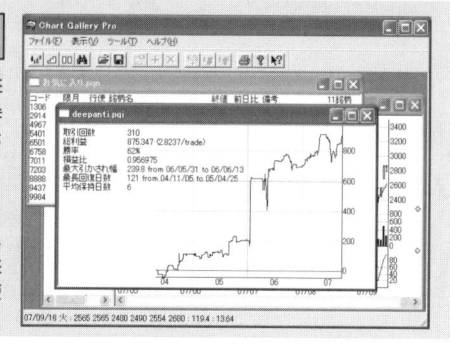

チャートギャラリープロに成績検証機能が加わって、無敵の投資環境がついに誕生!!
投資専門書の出版社として8年、数多くの売買法に触れてきた成果が凝縮されました。
いつ仕掛け、いつ手仕舞うべきかを客観的に評価し、きれいで速いチャート表示があなたのアイデアを形にします。

●価格（税込）
チャートギャラリー 4.0
エキスパート **147,000 円** ／ プロ **84,000 円** ／ スタンダード **29,400 円**

●アップグレード価格（税込）
以前のチャートギャラリーをお持ちのお客様は、ご優待価格で最新版に切り替えられます。
お持ちの製品がご不明なお客様はご遠慮なくお問い合わせください。

プロ2、プロ3、プロ4からエキスパート4へ	105,000 円
2、3からエキスパート4へ	126,000 円
プロ2、プロ3からプロ4へ	42,000 円
2、3からプロ4へ	63,000 円
2、3からスタンダード4へ	10,500 円

Pan Rolling

**相場データ・投資ノウハウ
実践資料…etc**

今すぐトレーダーズショップに
アクセスしてみよう！

ここでしか入手できないモノがある

1 インターネットに接続して http://www.tradersshop.com/ にアクセスします。インターネットだから、24時間どこからでも OK です。

2 トップページが表示されます。画面の左側に便利な検索機能があります。タイトルはもちろん、キーワードや商品番号など、探している商品の手がかりがあれば、簡単に見つけることができます。

3 ほしい商品が見つかったら、お買い物かごに入れます。お買い物かごにほしい品物をすべて入れ終わったら、一覧表の下にあるお会計を押します。

4 はじめてのお客さまは、配達先等を入力します。お支払い方法を入力して内容を確認後、ご注文を送信を押して完了（次回以降の注文はもっとカンタン。最短2クリックで注文が完了します）。送料はご注文1回につき、何点でも全国一律250円です（1回の注文が2800円以上なら無料！）。また、代引手数料も無料となっています。

5 あとは宅配便にて、あなたのお手元に商品が届きます。
そのほかにもトレーダーズショップには、投資業界の有名人による「私のオススメの一冊」コーナーや読者による書評など、投資に役立つ情報が満載です。さらに、投資に役立つ楽しいメールマガジンも無料で登録できます。ごゆっくりお楽しみください。

Traders Shop

http://www.tradersshop.com/

投資に役立つメールマガジンも無料で登録できます。http://www.tradersshop.com/back/mailmag/

パンローリング株式会社

お問い合わせは

〒160-0023　東京都新宿区西新宿7-9-18-6F
Tel：03-5386-7391　Fax：03-5386-7393
http://www.panrolling.com/
E-Mail　info@panrolling.com

携帯版